Côte-Blanche

EMPREINTES DU PASSÉ

Côte-Blanche

EMPREINTES DU PASSÉ

Marie-Claude Charland

Éditeur : François Doucet
Révision linguistique : Isabelle Veillette
Correction d'épreuves : Nancy Coulombe, Carine Paradis
Conception de la couverture : Matthieu Fortin
Photo de la couverture : © Thinkstock
Mise en pages : Sébastien Michaud
ISBN papier 978-2-89752-268-1
ISBN PDF numérique 978-2-89752-269-8
ISBN epub 978-2-89752-270-4
Première impression : 2014
Dépôt légal : 2014
Bibliothèque et Archives nationales du Québec
Bibliothèque Nationale du Canada

Éditions AdA Inc.
1385, boul. Lionel-Boulet
Varennes, Québec, Canada, J3X 1P7
Téléphone : 450-929-0296
Télécopieur : 450-929-0220
www.ada-inc.com
info@ada-inc.com

Diffusion
Canada :   Éditions AdA Inc.
France :   D.G. Diffusion
                Z.I. des Bogues
                31750 Escalquens — France
                Téléphone : 05.61.00.09.99
Suisse :   Transat — 23.42.77.40
Belgique :   D.G. Diffusion — 05.61.00.09.99

Imprimé au Canada

Participation de la SODEC.
Nous reconnaissons l'aide financière du gouvernement du Canada par l'entremise du Fonds du livre du Canada (FLC) pour nos activités d'édition.
Gouvernement du Québec — Programme de crédit d'impôt pour l'édition de livres — Gestion SODEC.

Catalogage avant publication de Bibliothèque et Archives nationales du Québec et Bibliothèque et Archives Canada

Charland, Marie-Claude, 1978-

    Côte-Blanche
    L'ouvrage complet comprendra 4 volumes.
    Sommaire : 3. Empreintes du passé.
    ISBN 978-2-89752-268-1 (vol. 3)
I. Charland, Marie-Claude, 1978-   . Empreintes du passé. II. Titre. III.
Titre : Empreintes du passé.

PS8605.H368C67 2013   C843'.6   C2013-941886-5
PS9605.H368C67 2013

Remerciements

Mes plus sincères remerciements à ma tendre moitié, grâce à qui j'ai pu consacrer du temps à ce roman; à ma sœur de cœur, Johanne, pour ton éternel soutien et ta grande confiance en cette histoire; à ma chère Diane, pour ton œil affûté et ton jugement toujours aussi impartial; à ma très chère amie Jocelyne, pour ta franchise, ta disponibilité et tes commentaires si précieux qui m'ont permis de chausser des lunettes de lectrice pour regarder mon texte; à Diane L. et «Moe», pour votre efficacité à combler mes lacunes en anglais; et enfin, merci à tous mes lecteurs pour vos messages qui me vont droit au cœur chaque fois et qui me poussent à me dépasser mot après mot...

MCC

Il apparaît impossible que la folie puisse se répandre tel un virus contagieux. Mais, pour ma part, je suis loin d'en être convaincu…

WILLIAM FEDMORE

Table des matières

1

Une mission... possible?

L a cape d'un blanc scintillant qui habillait les résineux tranchait sur le vert sombre de leur parure
d'aiguilles. Mouillée et pesante, la neige tombée la veille
avait fait courber l'échine de quelques arbres, comme pour
les inviter à exécuter une révérence devant sa beauté glacée.
Certains formaient des arches au-dessus de la route où che-
minaient le traîneau et ses deux occupants. Certains autres,
descendant visiblement trop bas, avaient été coupés et
gisaient sur le sol dans un effluve de résine. L'opération
devait avoir été effectuée par William et ses bûcherons
lors de leur récent passage, présuma Lauriane en passant sa
mitaine au coin de ses yeux, que la bise faisait larmoyer. Le
redoux de la veille avait été de courte durée, chassé par
le retour d'une masse d'air arctique digne d'un mois de janvier québécois.

Mais, si mordant que pût être le froid, il n'émoussait en
rien la farouche détermination qui habitait la jeune femme,
et ce, depuis la seconde même où elle avait décidé d'aller
rejoindre son mari au camp de bûcherons. Pour elle et son

honneur écorché, aucune autre option n'était envisageable. Elle ne pouvait pas laisser William croire des abominations sur son compte et elle l'aurait suivi jusqu'au bout du monde pour le détromper si cela avait été nécessaire.

Sous ses épaisses couches de vêtements et de fourrures, sa peau fut soudain parcourue d'un long frisson. Dire qu'il croyait qu'elle avait tout orchestré pour tomber enceinte et se faire passer la bague au doigt! Cela indignait Lauriane au plus haut point et elle se sentait tanguer au bord du malaise rien qu'à y penser. Elle se revoyait avec lui, dans cette chambre luxueuse choisie au hasard après qu'il l'eut si cavalièrement mise à la porte de la sienne. L'expression de son regard, quand il lui avait révélé être au courant pour l'aphrodisiaque dans le thé, accablait encore la jeune femme des heures après. Si cuisante de haine, si lourdement chargée de mépris...

Et que dire de sa propre détresse, de l'impuissance qu'elle avait ressentie du fait de ne pouvoir conjurer les foudres qui s'abattaient sur elle? William était parti pour le chantier en l'abandonnant à sa dévastation. Or, en voyant Neil atteler le traîneau en vue d'aller chercher au village des marchandises destinées aux bûcherons, Lauriane n'avait pu résister à cette occasion inespérée de plaider sa cause auprès de son mari. Ainsi avait-elle demandé à l'employé de l'amener, et il avait eu la très grande amabilité d'accepter.

Aussitôt, elle s'était empressée de rentrer au manoir pour préparer ses bagages. Elle avait commencé par faire déverrouiller la porte de la chambre de William par Bruce. Ce dernier ne devait avoir reçu qu'un minimum d'informations, voire aucune, sur cette incongrue situation et son ignorance s'était reflétée dans sa façon d'être, empreinte d'une certaine gêne que la jeune femme partageait aisément. Un mari qui interdisait à sa femme l'accès à la chambre conjugale, sauf sous la supervision d'un domestique... Bruce devait beaucoup s'interroger, bien qu'il n'en ait rien montré.

Refusant toute assistance, Lauriane avait posé sur le lit un sac de voyage, de même que la vieille valise en cuir de sa mère, et y avait mis tout le nécessaire pour son séjour au chantier. Dans l'autre chambre, elle avait sélectionné le reste des vêtements à emporter. Son déménagement dans de nouveaux appartements attendrait à son retour. D'ici là, elle avait demandé à ce que l'on ne touche à rien.

Ses bagages bouclés, elle n'avait eu plus qu'une dernière chose à faire : prévenir Norah de son départ. Elle avait trouvé la vieille dame dans la salle à manger, en train de prendre son petit déjeuner.

L'éclatante lumière du matin traversait les fenêtres habillées de velours fleurdelisé, baignant généreusement la pièce où flottait la bonne odeur du bacon, des œufs brouillés et du beurre fondu. Assise à la grande table en acajou nappée de dentelle, Norah tourna un visage souriant vers la jeune femme qui faisait son entrée.

— Bonjour, mon enfant ! Je ne croyais pas que vous vous joindriez à moi ; je vais demander à ce que l'on vous dresse un couvert.

— Non, ce n'est pas la peine, j'ai déjà mangé, l'informa Lauriane en lui rendant son sourire.

— My Lord ! Toujours aussi matinale ! Mais j'ai l'impression qu'aujourd'hui, vous auriez dû faire l'effort de prolonger votre nuit, vous me paraissez épuisée.

Un sillon creusé entre ses sourcils chenus, Norah scrutait son visage aux traits altérés par la fatigue et la contrariété. La jeune femme se tira une chaise et s'y laissa choir.

— Je n'ai pas bien dormi, confessa-t-elle avec lassitude. Il s'est passé quelque chose hier soir qui m'a mise tout à l'envers…

Elle crut voir les épaules de la vieille dame s'affaisser. Hochant la tête, Norah posa dans son assiette le scone au fromage qu'elle tenait, comme s'il ne lui faisait tout à coup plus envie, et endossa un air navré.

— Je vous avouerai que je m'en doutais. Des domestiques ont cru vous entendre vous disputer, William et vous. C'est de cela qu'il s'agit ?

Lauriane s'agita sur sa chaise.

— Je ne savais pas qu'on nous avait entendus, je me sens gênée.

— Il n'y a pas lieu de l'être, très chère. Ils n'ont entendu que quelques bribes, sans plus. Vous n'avez pas à craindre quelque indiscrétion de leur part. Vous souhaitiez m'en parler ?

— Je manque de temps pour le faire, malheureusement. Je suis venue vous annoncer que je pars. Je vais rejoindre William au chantier. Il y a eu un énorme malentendu que je n'ai pas pu éclaircir avec lui avant son départ et je ne pourrai pas vivre avec ce poids le restant de l'hiver. Il faut que je lui parle maintenant. Un chargement de marchandises partira tout à l'heure et je serai du voyage.

Les lèvres de Norah prirent un pli dur, pâlissant sous la pression qu'elle y exerçait pour les pincer. Elle fixa son assiette pendant un instant, l'air ailleurs.

— Il est fort regrettable que ce différend vous pousse à une telle extrémité. Mon neveu aurait dû faire en sorte de régler cette situation avant de repartir, cela aurait été la moindre des choses, il me semble, commenta-t-elle, réprobatrice.

– *J'aurais bien voulu que ça se passe autrement, moi aussi. Je ne pensais pas prendre la route aujourd'hui pour aller le rejoindre au fond des bois.*

Un masque de compassion modela les traits fripés de la vieille dame tandis que, drapée dans un silence brisé par un bref soupir, elle restait à fixer Lauriane.

– *Ce mariage n'est guère facile pour vous, n'est-ce pas ?* murmura-t-elle enfin d'un ton monocorde montrant qu'il s'agissait là davantage d'une constatation que d'une question.

Écrasant sur la table une miette de pain avec son doigt, Lauriane esquissa une moue contrite.

– *Au début, les tensions qui existaient entre William et moi me paraissaient inévitables. Je vous avouerai même avoir contribué à les attiser, mais je n'ai jamais cherché à les apaiser. Nos relations se sont détériorées. Notre dispute d'hier m'a fait comprendre que ce mariage sera un enfer si nous n'essayons pas de mieux nous entendre. Je veux aller là-bas pour dissiper le malentendu, oui, mais aussi pour lui demander de faire une trêve.*

– *J'espère que vous y parviendrez,* l'encouragea Norah en étirant un menu sourire porteur d'un soulagement évident. *C'est là un endroit fort peu conventionnel pour régler des différends avec son époux, mais la fin justifie parfois les moyens. Je vous appuie entièrement dans votre démarche, mon enfant. Votre couple a besoin de votre détermination, et William également…*

Alertée par l'inflexion de sa voix, Lauriane la dévisagea et s'aperçut avec étonnement que son regard s'était humidifié. Une telle crue d'émotion lui donna à penser que Norah se sentait énormément concernée par les aléas de leur relation de couple et qu'une éventuelle cessation des hostilités lui tenait beaucoup à cœur. Après tout, William était comme un fils pour elle et ainsi, comme une mère, Norah ne souhaitait que son bonheur, ce que la jeune femme pouvait très bien comprendre. Et puis, de toute façon, elle ne voyait pas quelle autre raison aurait pu justifier ce soudain émoi chez la vieille dame…

— *Je suis décidée à tout faire pour que William et moi vivions sous le même toit en harmonie. Il n'est pas question que nos enfants… enfin… que notre enfant grandisse dans un climat crispé et explosif. Moi-même, je ne le supporterais pas encore longtemps et je pense que William non plus. Il y a juste une chose qui m'ennuie, c'est de vous laisser toute seule ici.*

— *Lauriane, je ne le suis pas. Il y a des domestiques dans cette maison, sans compter que je me suis fait quelques amies au village. Je survivrai pendant votre absence, n'ayez crainte. Même que je vous encourage à demeurer auprès de mon neveu aussi longtemps que nécessaire. Ne me revenez pas tant que cet entêté ne sera pas converti à vos bonnes résolutions.*

Mais, quoi que prétende Norah, Lauriane savait qu'elle trouverait son heure d'ennui au détour d'un jour ou d'un autre. Elle ne put qu'espérer être en mesure d'améliorer favorablement et rapidement la situation avec William.

Toutes ses affaires en ordre, Lauriane avait finalement rejoint Neil, qui l'attendait devant l'entrée principale, comme prévu. Ainsi s'était-elle embarquée pour ce voyage inopiné, ayant peine à croire qu'elle y prenait part. Elle, filant tout droit vers le camp de bûcherons de son mari… Sa tante Adéline en serait la première étonnée. Plutôt la deuxième… après William.

Maintenant qu'elle se trouvait à bord du traîneau, forte de la réussite de cette cruciale étape liée à sa mission, la situation lui apparaissait sous un aspect auquel elle ne s'était pas encore attardée, trop absorbée par les préparatifs de son départ. Ou peut-être l'avait-elle involontairement occulté afin de ne pas faire pâlir la volonté qui l'animait. Quoi qu'il en soit, ses pensées se centraient à présent sur son mari et la réaction qu'il aurait en la voyant arriver. Assurément, il ne l'accueillerait pas à bras ouverts, bien au contraire ! Elle aurait toute une commande à gérer, car avant de pouvoir s'expliquer au sujet de l'aphrodisiaque, il lui faudrait surmonter deux colères : celle venant du fait qu'elle l'avait rejoint, ainsi que celle qu'il avait emportée.

À mesure que le chemin raccourcissait devant et s'allongeait derrière, des papillons de fébrilité prenaient vie dans son estomac, alors qu'un étau d'appréhension lui enserrait les entrailles. Une tension croissante s'insinuait dans ses muscles, comme si chacun d'eux était relié à un fil à coudre qu'une main malicieuse s'amusait à rembobiner.

Heureusement que Neil était là pour la détourner quelque peu de ses préoccupations. Réservé mais sociable, il s'efforçait d'engager la conversation, sans pour autant s'imposer, de sorte que Lauriane se sentait libre de parler ou non. Il leur devint cependant de plus en plus malaisé d'articuler des mots compte tenu du froid qui leur engourdissait le visage, et les silences s'étirèrent par la force des choses.

Le bras de Neil se tendit en avant. Suivant du regard la direction indiquée, Lauriane avisa des rondins empilés les uns sur les autres qui se montraient par intermittence entre les arbres. Son cœur fit un brutal bond dans sa poitrine avant de se lancer au triple galop : le camp était droit devant.

✳ ✳ ✳

Neil leur fit longer un imposant bâtiment en bois rond calfeutré avec de la mousse et au toit peu pentu où étaient fichées des cheminées fumantes. Le traîneau s'immobilisa finalement entre le mur arrière de la bâtisse, ouvert par une seule porte, et une cabane un peu en retrait flanquée de balles de foin recouvertes de branchages.

À peine furent-ils descendus du traîneau que ladite porte livra passage à un jeune homme maigre, court sur jambes. Il dévisagea Lauriane avec un étonnement manifeste.

— C'est la femme de monsieur Fedmore, l'informa Neil, sa voix vibrant d'une sorte de fierté mal contenue.

Le nouveau venu en sembla doublement surpris, mais n'eut pas l'air disposé à fournir un effort de politesse pour autant. Il salua Lauriane d'un signe de tête, puis s'avança vers le chargement. Évitant le regard de la jeune femme, Neil alla prendre ses bagages. Entre-temps, deux autres hommes s'amenèrent.

— La femme du boss, annonça l'homme maigre comme ils dévisageaient Lauriane à leur tour.

Neil invita la jeune femme à le suivre et l'entraîna vers le flanc du bâtiment, où se trouvait une seconde porte. N'obtenant pas de réponse après y avoir frappé, il se permit malgré tout d'entrer, s'effaçant ensuite pour laisser Lauriane faire de même. L'intérieur se composait d'une petite pièce sommairement meublée : un lit étroit, une armoire grossière, une paire de chaises de fabrication domestique et une table de travail sur laquelle se trouvaient un grand livre relié de cuir, une lampe à pétrole et de quoi écrire. Un poêle en fonte occupait un coin tandis qu'une porte close fendait la cloison sur leur gauche.

Neil posa les bagages de la jeune femme près de l'entrée.

— C'est ici que loge votre mari. Profitez-en pour vous réchauffer et vous installer. Je vais aller décharger ma marchandise et après, je repasserai voir si vous avez tout ce qu'il vous faut, ça vous va ?

— Oui, merci. Mais... est-ce que je peux vous quémander encore un service ?

— Tout ce que vous voudrez, Madame Fedmore.

— Est-ce que vous pourriez essayer de savoir où est mon mari ?

— Pas de problème, je vais me renseigner.

— Merci encore, Neil. Vous êtes vraiment très gentil de faire tout ça pour moi.

Le sourire amical et plein de gratitude qui courba ses lèvres alla droit au cœur du jeune homme, qui lui rendit la pareille, des étoiles d'adoration dans les yeux. Lorsqu'il fut parti, Lauriane approcha une chaise du poêle et enleva ses bottes pour exposer ses pieds gelés à la chaleur. Ces températures polaires étaient sans pitié pour l'inaction imposée par les voyages en voiture et elle grimaça de douleur quand la circulation sanguine commença à se rétablir dans ses orteils.

Un déluge de rires attira son attention sur la porte dans la cloison. Des voix se faisaient entendre en bruit de fond depuis son arrivée. Le dortoir des bûcherons devait se trouver juste à côté. C'était étrange pour elle d'être là. Univers d'hommes endurants et robustes, lieux de travail dur et de réclusion, les chantiers s'insinuaient en quelque sorte dans la tradition. Narcisse excepté, tous ses frères en avaient fait l'expérience. Un hiver dans les bois formait les hommes, aussi les jeunes devaient-ils y aller ne serait-ce qu'une fois, pour ensuite avoir la fierté de se considérer et d'être considéré comme tel.

Neil mit moins de temps à revenir qu'elle l'aurait cru. Il s'introduisit dans la pièce, ses lèvres gercées étirées dans un sourire.

— Les gars disent que votre mari est allé chasser.

— Il est parti depuis longtemps?

— Pas tellement. Ça se pourrait que vous ayez à attendre un peu.

L'heure de l'affrontement se voyait donc repoussée, et l'anxiété qu'éprouvait Lauriane étirée...

— Bon, je ferai avec. Merci de vous être dérangé, Neil.

— Il y a encore quelque chose que je pourrais faire?

La question était posée avec sollicitude, presque avec espoir. La jeune femme fit non de la tête.

— Vous en avez assez fait comme ça. Je me ferais honte de vous en demander plus! Je vais me débrouiller à partir de maintenant. Retournez à vos occupations et ne vous souciez plus de moi.

— D'accord, mais si vous avez besoin de quelque chose, de n'importe quoi, je ne suis pas loin.

Sur la promesse de Lauriane d'en tenir compte, le jeune homme prit congé. Laissant son sac de voyage en vue sur le lit, elle glissa la valise en dessous, rechaussa ses bottes et sortit à son tour. Puisqu'elle disposait de temps avant de voir William et qu'elle n'avait pas particulièrement envie de poiroter seule à l'attendre, elle irait à la recherche de sa tante.

Un passage dans la neige suivait le flanc de la bâtisse. Lauriane s'y engagea, se souvenant qu'Adéline avait précisé que sa cabane se situait tout près du dortoir. Le mur était percé de quelques fenêtres. Elle s'aperçut, un peu gênée, que des visages s'étaient massés dans les carreaux.

Elle atteignit la façade, d'où se voyaient divers bâtiments, dont une petite cabane située au milieu d'un tapis de neige que le vent s'amusait à remodeler à sa guise. Le refuge de sa tante, sans aucun doute. Lauriane se sentit devenir fébrile. Elle avait hâte de voir la tête que ferait Adéline en l'apercevant.

À la manière d'une enfant espiègle, elle avança à pas sautillants et précipités tout en essayant de s'éviter d'être vue de la fenêtre située sur le côté de la cabane. Les derniers mètres franchis, elle se colla au mur, allongea un bras pour frapper à la porte et attendit. Sa tante invita son visiteur à entrer. La jeune femme sourit, soulagée de ne pas s'être méprise, mais ne bougea pas. Adéline renouvela son invitation en haussant la voix. Lauriane demeura toujours immobile. Des pas se déplacèrent à l'intérieur, se rapprochèrent. Quand la porte s'ouvrit enfin, la jeune femme fit un rapide pas de côté.

— J'ai besoin qu'on me soigne, vous prenez des patients aujourd'hui ?

Interloquée, Adéline la regarda fixement, puis un cri aigu s'échappa de sa gorge.

— Lauriane ! Bonté divine de bonté divine ! Soit ma tisane était trop forte, soit tu es réellement en face de moi !

— Soyez indulgente avec votre tisane, ma tante, parce que je suis bel et bien devant vous !

Adéline continua à la fixer, l'air de ne pas y croire. Enfin, un ample sourire fendit son visage et elle se précipita vers la jeune femme pour l'embrasser.

— Si j'avais pu imaginer une chose pareille! On frappe à ma porte et c'est ma Lauriane que je trouve en ouvrant, au lieu d'un de ces bûcherons mal engueulés. Veux-tu bien me dire ce que tu fais ici? Non, avant, prends le temps d'entrer et d'enlever ton manteau. Je vais refermer cette porte avant que ce froid de canard me gruge toute ma chaleur.

D'une main posée sur le bras de sa nièce, Adéline la fit passer à l'intérieur. Elle la débarrassa de son manteau, le suspendit à un clou fixé au mur et, dans un joyeux éclat de rire, vint ensuite cueillir le visage de Lauriane entre ses mains. Leur tiédeur, au contact de sa peau glacée, soutira un frisson à la jeune femme.

— Tu es la reine des cachottières! Tu ne m'avais pas dit que tu viendrais ici après les fêtes.

— C'est parce que ce n'était pas prévu.

— Comment ça, pas prévu?

— Je me suis décidée ce matin, sur un coup de tête. William n'est même pas au courant que je suis ici. J'ai fait le trajet à bord du traîneau de marchandises.

Adéline rit de nouveau.

— Ça, c'est toi tout craché. Thé?

Encore glacée par son voyage avec Neil, Lauriane accepta volontiers. Sa tante s'apprêtait à se détourner quand une pensée sembla la traverser. Elle s'arrêta, son regard se faisant soucieux tandis qu'il flottait sur la jeune femme.

— Un voyage à bord du traîneau de marchandises, dans ton état, ce n'est pas ce que je t'aurais recommandé.

— Ne craignez pas, ma tante. Neil connaît le chemin, il prenait soin de ralentir aux endroits plus cahoteux, la rassura Lauriane en caressant le léger renflement de son ventre, dissimulé sous les plis de sa jupe.

— Hum... si tu le dis, je te fais confiance, ma chérie. Je sais bien que tu ne mettrais pas tes enfants en danger. J'ai tendance à être un peu mère poule, je pense !

Lui adressant un clin d'œil, Adéline s'en alla préparer la boisson chaude. Pendant ce temps, la jeune femme laissa fureter son regard sur ce qui l'entourait. L'endroit n'était constitué que d'une seule pièce. Un lit bordait un mur, recouvert de la belle courtepointe que Norah et elle avaient confectionnée. Le bleu marine de son velours donnait du cachet à la pièce, entièrement faite de bois. Près de la fenêtre, une table et deux chaises servaient de coin-repas. La moitié d'un mur était consacrée à un comptoir où Adéline devait confectionner ses mélanges. En dessous, une jupe de tissu dissimulait des tablettes de rangement que la jeune femme put apercevoir entre deux pans mal fermés. Une armoire-garde-manger et un poêle à deux ponts complétaient l'ensemble.

— Dis-moi, tu crois que c'est sage d'être venue sans que ton mari le sache ? interrogea Adéline en posant deux tasses fumantes sur la table. Je sais que tu ne pouvais pas l'avertir puisque tu t'es décidée à la dernière minute, mais attends-toi à ce qu'il te dise qu'il aurait aimé être au courant.

— Je m'y attends. Et même à plus que ça...

— Tu penses qu'il sera fâché ?

La jeune femme opina du chef. Sa tante haussa les épaules.

— Il faut comprendre qu'ici, c'est un camp de bûcherons, c'est son lieu de travail. Tu n'y es pas nécessairement à

ta place. Moi, c'est tout juste si on me tolère parce que je suis
utile. Ça n'a pas été évident, au début, de me faire accepter
dans ce repaire d'hommes et, crois-moi, même aujourd'hui,
ça ne l'est pas toujours. Ils se montrent très respectueux
pour la plupart; d'ailleurs je pense que ton mari a insisté là-
dessus. Mais ça ne fait rien, il y en a toujours un pour passer
une remarque désobligeante qui tourne parfois en proposition indécente et vulgaire. Ils me testent, ils sous-estiment
mes capacités parce que je suis une femme. Alors toi qui
n'es venue que pour... Au fait, pourquoi es-tu venue au
juste?

— C'est un peu long à expliquer. Il y a eu un malentendu entre William et moi. Nous nous sommes disputés,
confia Lauriane, que la scène de la veille faisait encore
frémir. Tante Adéline... William sait pour l'aphrodisiaque.
Il s'imagine que je l'ai piégé pour tomber enceinte et l'obliger
à se marier avec moi. J'ai essayé de lui expliquer ce qui s'était
vraiment passé ce jour-là, mais il ne m'a pas laissée placer
un mot. Je suis venue ici en espérant avoir une autre chance
de lui parler et pour essayer d'effacer la haine qu'il avait
dans les yeux hier soir.

Lauriane remarqua que sa tante avait subitement changé
d'expression. De l'inquiétude avait creusé des plis sur son
front et ravi la gaieté qui illuminait son visage jusque-là.

— Tu veux dire qu'il n'était pas au courant? Enfin, qu'il
n'était pas censé être au courant? s'étonna-t-elle d'une voix
oppressée.

— C'est ce que je pensais. Je me disais que Norah ne lui
en parlerait pas, justement à cause des conclusions qu'il risquait d'en tirer.

— Tu crois que c'est Norah qui le lui aurait dit?

— Qui d'autre ? À part elle, il n'y a que vous et moi dans la confidence.

— D'après toi, Norah lui en aurait parlé quand ?

— Je ne sais pas, mais c'était après le mariage, sinon William n'aurait jamais demandé ma main, sachant qu'il tomberait dans un piège.

Sa tante pâlit. Le bout de ses doigts effleura sa bouche tandis que ses yeux affolés accrochaient ceux de Lauriane.

— Seigneur... Ce n'est pas Norah..., bredouilla-t-elle.

Comme la jeune femme l'observait d'un air interrogateur, Adéline but une gorgée de thé, ferma les paupières, les rouvrit en soupirant bruyamment.

— Ce n'est pas Norah qui l'a dit à ton mari, Lauriane, articula-t-elle d'une voix blanche. C'est moi...

— Vous ? Quand ? Où ?

— Le soir de votre mariage, au manoir. Bonté divine ! Je pensais qu'il savait... Oh ! Ce que je peux être tête de linotte, moi, quand je veux !

Elle secouait la tête, une main posée en travers de sa figure.

— Qu'est-ce qui vous a fait croire qu'il le savait ? Que lui avez-vous dit ? Expliquez-moi, tante Adéline, que je puisse comprendre, la pressa Lauriane.

— Je ne sais plus exactement. William et moi avions entamé une conversation, tu venais de monter pour aller te coucher. J'ai voulu le féliciter de... je pensais qu'il était au courant pour l'aphrodisiaque, mais qu'il avait compris que ce n'était rien de plus qu'un accident... Oh Lauriane... si tu savais comme je m'en veux ! J'aurais dû te poser la question avant de trop m'avancer sur le sujet !

Elle se détourna, marcha dans la pièce, voûtée, ses traits empreints de colère et de contrition.

— Ne vous en voulez pas, ma tante. Vous ne pouvez pas vous en vouloir si, moi-même, je ne vous en veux pas.

— Mais c'est moi qui suis responsable de cette situation, tout est ma faute encore une fois ! William ne saurait rien si je n'avais pas été aussi imprudente !

— J'aime mieux qu'il le sache. Il est directement concerné et il a le droit de connaître la vérité. Qu'est-ce que vous lui avez dit au juste ?

— J'ai seulement parlé de l'aphrodisiaque dans le thé. Je ne suis pas entrée dans les détails. Avoir su... j'aurais été plus explicite et William aurait peut-être une autre opinion de toi aujourd'hui...

— C'est aussi ce que je me dis.

Adéline sembla reprendre un peu contenance.

— Il en aura une autre quand tu lui auras tout raconté. Il ne peut pas comprendre parce qu'il ne sait pas. Dis-lui que je me suis trompée de fiole, raconte-lui comment il y a eu confusion entre vos tasses et le reste. Il verra les choses autrement après, c'est sûr.

— J'espère. En tout cas, c'est ce que j'ai l'intention de faire : tout lui raconter dans les moindres détails. Je ne veux pas qu'il continue à croire qu'il a été manipulé, je ne veux pas qu'il me haïsse. C'est mon mari, après tout, et je voudrais qu'on arrive à s'entendre. J'ai longuement réfléchi et j'ai décidé de me donner la chance d'apprendre à mieux le connaître. Je vais tâcher de dissiper le malentendu et ensuite, la voie sera libre pour s'apprivoiser. Je ne me suis pas mariée avec cet homme de gaieté de cœur, j'ai été en colère, je me suis fermée à lui, à toute relation entre nous. Il a fait la même chose de son côté. Mais je me rends compte que tout ça est une impasse. Quel genre de vie aurons-nous, lui, moi et nos enfants ? Mon père a raison. Avec la sagesse que je lui connais, il a un jour dit qu'il n'existe pas pire fissure à l'âme que de vieillir dans les regrets. C'est ce qui m'arrivera si je me mure dans ma rancune. Si je dois partager ma vie avec William, autant essayer de nous rendre les jours, les mois, les années moins pénibles.

On frappa à la porte. Pour Lauriane, ce fut comme si chaque coup résonnait jusque dans son corps crispé par la nervosité. Son regard anxieux croisa celui de sa tante. Toutes deux devinaient qui devait se tenir de l'autre côté. On aurait presque dit que l'air s'était chargé de minuscules bulles de colère passées à travers le panneau de bois.

— C'est le moment de vérité, murmura Adéline en se dirigeant vers l'entrée.

Le cœur de Lauriane battait fortement dans sa poitrine. Lui décochant un sourire rassurant, sa tante ouvrit la porte. Une bouffée d'air glacial pénétra dans la cabane et pendant un instant, la jeune femme se demanda si le froid venait du dehors ou de William, dont la haute silhouette se dessina dans l'embrasure. Par-dessus l'épaule d'Adéline, les yeux d'acier transpercèrent Lauriane, qui affichait un calme trompeur.

Adéline s'écarta, invitant son visiteur à entrer, mais il ne bougea pas d'un millimètre. Sa main gainée de peau de mouton refermée sur la crosse de sa carabine, dont le canon s'appuyait sur son épaule, il continua à fixer Lauriane.

— Habillez-vous, je vous attends dehors, jeta-t-il, péremptoire.

Adressant à Adéline un bref signe de tête, il tourna enfin les talons. La jeune femme vida prestement sa tasse, se leva. Pendant ce temps, sa tante lui décrocha son manteau.

— Tout se passera bien, tu verras, l'encouragea-t-elle en lui ouvrant le vêtement. Prends le temps de tout lui expliquer en détail et je suis sûre que ça va s'arranger.

Lauriane étira un coin de sa bouche en guise de remerciement pour son soutien.

— En passant, reviens pour souper si tu veux, proposa sa tante. Je vais nous faire chauffer un pâté à la viande, il m'en est resté quelques-uns.

— D'accord. Un pâté à la viande, ça ne se refuse pas !

— Parfait et en attendant, je serai avec toi en pensées.

Dehors, William s'était adossé à la cabane. Il s'en distança lorsque la jeune femme le rejoignit et se tourna vers elle. Ses yeux avaient la teinte d'un ciel orageux. À l'angle de sa mâchoire, le tressautement d'un muscle trahissait la colère qu'il essayait de contenir derrière la façade impassible de ses traits. Une crampe d'appréhension barrait le ventre de Lauriane, mais elle n'eut qu'à se rappeler ce qui s'était passé la veille pour que sa détermination, celle-là même qui l'avait menée à ce chantier, se gonfle comme la voile d'un navire.

Tout près, un cheval s'éboura. À l'écurie, Neil était en train de dételer les chevaux du traîneau, assisté d'un valet de camp. William coula un regard vers eux avant de ramener son attention sur Lauriane.

— Suivez-moi.

Il avait parlé à voix basse, mais pour elle, c'était comme s'il avait crié. Elle obéit, enfermée dans un silence qu'elle était affamée de briser. Ils progressèrent en direction du bureau. William la laissa entrer la première et, au son de la porte qu'il refermait derrière lui, le pouls de Lauriane s'emballa.

Son mari se dénuda la tête, déboutonna son épais manteau de fourrure, lança négligemment ses gants sur la table de travail et se mit à l'observer froidement.

— Qu'avez-vous promis à Neil pour qu'il accepte de vous amener avec lui ?

— Je ne vois pas le but de cette question.

— Quand on sait de quels moyens vous usez afin d'obtenir ce qui vous fait envie, ce genre de question afflue systématiquement, précisa son mari d'une voix contenant un accent haineux et dédaigneux.

Bouche bée, Lauriane sentit son niveau de tension grimper en flèche. Elle arrivait à peine que déjà, ce rat grossier s'empressait de l'assommer avec ses imputations outrageuses !

— Comment est-ce qu'on peut être aussi obtus ! éructat-elle, offusquée. Tout ce que vous voyez, c'est votre amertume ; vous ne cherchez même pas à connaître les vraies circonstances de ce jour maudit...

Elle baissa les yeux, laissant sa phrase en suspens, submergée d'images d'elle dans les bras de William. Le souvenir physique des effets de l'aphrodisiaque mélangé au vin lui donnait le tournis.

— Ce que vous pensez de moi est une chose, mais je voudrais que Neil n'y soit pas mêlé, reprit-elle plus calmement.

Un hoquet de dérision vibra dans la gorge de William.

— Je vous ferai remarquer que vous l'y avez vous-même mêlé en le rendant complice de vos agissements. Il ne fera l'objet d'aucune réprimande, cependant. Le pauvre diable a eu la malchance de tomber dans le nid d'une vipère et n'a pu échapper au venin qu'elle s'est plu à lui injecter. Par ailleurs, j'espère que vous savez que venir ici était d'une totale inutilité, conclut-il avec acidité.

Il lorgna le sac de voyage, posé sur le lit.

— Vous n'avez pas défait vos bagages. Bien. Neil repart demain matin. Vous l'accompagnerez.

Lauriane se pencha légèrement en avant, puis accrocha son regard au sien, outrée qu'il veuille se débarrasser d'elle aussi vite.

— Il ne vous est pas venu à l'idée que, si je me suis donné la peine de faire tout ce chemin, c'est peut-être parce que les accusations que vous me portez sont très graves et qu'étant innocente, je tiens absolument à me laver de ces éclaboussures? Vous m'avez obligée à employer les grands moyens en ne me laissant aucune chance de m'expliquer! Vous m'avez condamnée, puis vous m'avez muselée avec votre départ. Je m'attendais à ce que vous réagissiez comme vous le faites en me voyant débarquer ici, mais j'espère que vous n'avez pas eu la naïveté de croire que vous alliez vous en tirer si facilement.

— Ce ne sont pas des accusations, mais des faits. Directement sortis de la bouche de votre propre tante.

— Oui, seulement vous ne savez pas tout !

L'indignation avait percé sa voix. L'attitude sereine qu'elle avait souhaité opposer à la fureur de son mari venait de s'écraser sur les falaises de sa frustration.

— Ma tante vous pensait au courant, elle n'a fait qu'effleurer le sujet. Ce que vous savez n'est pas la vérité.

— Ah non ? fit William, caustique, en arquant un sourcil.

— C'est la vérité, mais la vérité déformée. Votre opinion ne repose pas sur le bon socle. C'est comme croire que la lune n'est faite que d'un fin quartier sans l'avoir vue pleine. Vous saisissez ce que j'essaie de vous faire comprendre ?

On martela contre la porte d'entrée. Le pont, que Lauriane avait précairement commencé à ériger entre eux, fut rompu.

— C'est ouvert ! aboya impatiemment William.

Un homme entra, que la jeune femme identifia comme étant Martin Dubois. Il resta à la fixer durant un moment, juste assez pour qu'un silence inconfortable les absorbe, au cours duquel William les évalua, son œil scrutateur passant de son employé à sa femme. Puis, Martin se défigea, l'air de se rappeler soudainement ce qu'il était venu faire. Il porta son attention sur son supérieur, son expression teintée de gravité.

— Mauvaise nouvelle. Des gars ont aperçu un autre coyote, l'écume à la gueule, pas très loin d'ici.

William se raidit aussitôt.

— Dawson est à l'écurie. Va dire à Joseph de ne pas le laisser sortir. Je te rejoins tout de suite.

Martin acquiesça d'un signe de tête et, après que son regard eut croisé celui de Lauriane une dernière fois, il disparut. Une vague de déception submergea la jeune femme quand William reboutonna son manteau et attrapa ses gants.

— Ne vous avisez pas de déboucler vos bagages, l'avertit ce dernier en s'arrêtant près de la sortie, ou je vous réveillerai au milieu de la nuit pour que vous les refassiez.

Sur cette recommandation, ou plutôt cet ordre impérieux, il s'évapora à son tour, fermant la porte avec fracas. Lauriane expira son désappointement et son indignation par un long soupir. Ignorant combien de temps il resterait absent, elle crut bon de se mettre à l'aise en retirant son manteau et ses bottes. Elle passa à ses pieds une paire de pantoufles en laine dénichée dans sa valise. William s'opposait à ce qu'elle s'installe. Elle respecterait sa volonté afin de ne pas provoquer d'inutiles frictions, certaine que, de toute façon, ce n'était qu'une condition provisoire.

Sa nuit d'insomniaque, additionnée aux heures étirées sur la route, l'avait rompue. Elle céda à l'envie de s'échouer sur le lit. Bercée par les crépitements sporadiques du feu et par le bourdonnement sourd des voix d'hommes, ses paupières s'alourdirent, sa respiration se ralentit, son corps devint une pierre semblant s'enfoncer toujours plus creux dans le matelas. Elle ne franchit pas la barre du sommeil, se complaisant simplement dans une reposante somnolence.

La réalité la rattrapa grâce à un relent appétissant qui lui titillait l'estomac. Lauriane s'étira et ouvrit un œil. L'obscurité avait envahi la pièce et il y faisait frisquet. Son mari ne s'était apparemment pas remonté. Réprimant un frisson, elle se leva et, à pas incertains, alla allumer la lampe. Sa tante devait l'attendre pour le souper ; elle espéra ne pas être en retard, cherchant en vain une pendule des yeux. Le temps de regarnir le poêle, d'apporter quelques retouches à son chignon, puis de retirer sa valise de sous le lit et elle fut prête à sortir. Dans la partie principale du bâtiment, une bruyante animation régnait. En longeant le mur extérieur, Lauriane risqua un coup d'œil curieux vers les fenêtres, mais des rideaux à carreaux l'empêchèrent de voir autre chose que de vagues mouvements d'ombres.

Adéline remarqua tout de suite, dans l'expression de son regard, que quelque chose clochait et ne manqua pas de s'en enquérir, inquiète :

— Est-ce que ça se serait mal passé avec ton mari ? Il ne t'a pas crue ? Pire, il n'a pas voulu t'écouter ?

— Je ne lui ai pas encore parlé. On nous a interrompus juste au moment où je commençais à le faire, soupira Lauriane sans masquer sa déception.

Sa tante lui frictionna le bras affectueusement.

— Ce n'est pas grave, tu te reprendras ce soir, ma chérie, l'encouragea-t-elle, optimiste. Ne fais pas cette tête. Dis-toi que le plus difficile est derrière. Toute cette route que tu as faite pour venir t'expliquer avec lui ! C'était quelque chose. Maintenant, il ne te reste plus qu'à trouver le bon moment pour avoir une longue conversation avec ton mari et tout faire rentrer dans l'ordre.

— Je sais, mais c'est quand même dommage, j'y étais presque. En tout cas... Est-ce que vous pourriez garder ça ici pour moi ?

Adéline porta un œil étonné sur la valise que sa nièce venait de poser sur le sol.

— Pourquoi ? Il n'y a pas de place dans le *forepic*[1] ?

— Je vous expliquerai, se contenta de dire la jeune femme d'un air énigmatique.

Le pâté à la viande fut délicieux et pour dessert, elles se régalèrent de morceaux de pain trempés dans du sirop d'érable. Lauriane aida sa tante à faire la vaisselle, puis elles burent une tisane aux propriétés digestives tout en faisant une partie de cartes. Enfin, la jeune femme prit congé, l'heure étant venue pour elle d'aller rejoindre William.

Or, ce fut un bureau désert qu'elle trouva à son arrivée. Ne voyant ni bottes ni manteau, Lauriane écarta la possibilité que son mari se trouve quelque part à l'intérieur de la bâtisse. Un grognement irrité lui échappa. Tout pour être n'importe où, sauf avec elle ! Il savait qu'elle tenterait de plaider sa cause, ce qu'il cherchait à s'éviter, évidemment. Qu'à cela ne tienne, elle saurait s'armer de patience. Il reviendrait tôt ou tard et alors, elle s'opposerait à le laisser filer sans lui avoir tout raconté. Il ne se jouerait pas d'elle éternellement.

Elle remit du bois dans le poêle puis, songeant à Neil, qui partirait sûrement tôt le lendemain, elle entreprit de rédiger les lettres à lui remettre. Le temps lui ayant manqué pour aller saluer Ryder et Harrison avant son départ de Côte-Blanche, Lauriane avait chargé Norah de leur dire qu'elle leur écrirait dès qu'elle serait installée au camp. Elle

---

1. Pièce cloisonnée servant à la fois de chambre et de bureau pour le maître du camp.

ferait de même pour la vieille dame, afin de lui fournir un meilleur éclairage sur la situation, ainsi que pour son père, question de l'informer de son absence. La jeune femme pensait prétexter une assistance apportée à Adéline dans son travail, faute d'avouer ses problèmes de couple. Elle composerait également une lettre à l'attention de Marie-Louise, à qui elle pourrait se confier plus aisément puisque son amie connaissait maintenant toute la vérité sur les circonstances entourant sa grossesse et son mariage.

L'heure avança et ses yeux se fatiguèrent. Ils peinaient à demeurer ouverts lorsqu'elle se décida à ranger plume et papier. Rageant contre William qui ne s'était toujours pas montré, Lauriane se prépara pour la nuit, incapable de lutter contre la lourdeur de son corps vanné, et s'introduisit entre les draps du lit, où vint l'accueillir une odeur masculine fort agréable. Elle ne dormirait sûrement pas profondément, de toute façon. Dès que son mari franchirait la porte, elle se réveillerait. Ce fut ainsi qu'elle put se livrer, l'esprit tranquille, à un sommeil gourmand qui l'avala rapidement.

Le contremaître avait terminé de dire le chapelet, les hommes étaient à présent tous couchés. À l'aube allaient reprendre les activités interrompues pendant la période des fêtes. Les pins recommenceraient à tomber sous les assauts des godendards et seraient ensuite extraits des bois par les *skiddeurs*[2] pour aller grossir les cordées de la *roule*[3]. Une fois

---

2. Équipe composée d'un conducteur de bêtes et de son aide. Ils se déplacent en forêt avec un cheval attelé à un bobsleigh qui remorque les billots attachés par une chaîne. Ils évacuent de cette façon tous les arbres que les bûcherons abattent et les dirigent vers le maître chemin où le charretier vient en faire la cueillette.

3. Lieu où s'empilent les billots recueillis dans les bois.

mesurés, ils seraient amenés au bord de la rivière où ils poursuivraient le voyage en drave après la débâcle.

William s'introduisit à pas de loup dans la pièce éclairée par la faible lueur d'une chandelle. Il appuya sa carabine dans l'angle du mur à côté de la porte et retira ses bottes sauvages[4], qui allèrent rejoindre l'arme. Débarrassé de son manteau, il se passa les mains sur le visage, les glissa dans ses cheveux, qu'il ébouriffa. Son regard coula sur le lit où dormait sa femme à poings fermés. Il s'en approcha. Étendue sur le dos, les couvertures remontées jusqu'au menton, tête légèrement inclinée vers lui, elle respirait à peine. La lumière de la chandelle semblait enflammer sa chevelure éparse sur l'oreiller et cuivrait la peau satinée de son visage. William s'attarda à contempler la bouche aux lèvres pulpeuses et veloutées.

L'instant d'après, il s'éloignait. Une étincelle de désir avait jailli en lui, fouettant son sang qui s'était mis à lui cravacher furieusement les tempes. Il alla se chercher des couvertures dans l'armoire, les étala par terre, en conserva une en guise d'oreiller. La dormeuse remua quand il alla s'occuper du poêle, mais ne se réveilla pas. Elle ne fit que changer de position, se tournant sur le flanc en tirant sur les couvertures comme si elle avait froid. En sélectionnant une parmi les siennes, William alla l'en couvrir et, avec précaution, en profita pour repousser du doigt une mèche qui lui barrait le visage. À nouveau, il se mit à la contempler.

Certes, elle éveillait en lui des appétits charnels voraces qui avaient trop souvent menacé de lui faire perdre toute maîtrise. Mais le rappel de ses manigances avait jusqu'à

4. Bottes en cuir de bœuf, dérivées des mocassins amérindiens. On les appelait également «bottes de bœuf».

maintenant suffi à lui inculquer la force de résister, excepté lors de leur nuit de noces. Il avait bu plus que de raison et venait d'apprendre dans quel piège elle l'avait attiré ; sa colère avait inexplicablement fusionné avec son désir, déchaînant en lui une violente soif de la posséder et de la punir en même temps. Étrangement, céder à cette soif avait temporairement libéré William de l'emprise de ses noires émotions. Celles-ci avaient fait rage avec tant de fureur que d'instinct, c'était comme s'il avait su que son seul exutoire consistait à obéir à une pulsion sexuelle tout aussi puissante.

Il fit doucement glisser son doigt sur la cicatrice encore rosée qui courait près de l'oreille de la dormeuse. Faire un tel voyage dans ce froid sibérien... Il se devait d'admettre qu'elle ne s'avouait pas facilement vaincue. Mais comme toujours, cet acharnement à jouer les victimes ne faisait qu'attiser sa colère et son mépris qui fusèrent de nouveau en lui. Il serra la mâchoire, laissa retomber sa main et s'éloigna brusquement d'elle.

L'obscurité avait tiré sa révérence, mais les rideaux clos de la fenêtre entretenaient sur la pièce une pénombre certaine. Dans le lit, la jeune femme, qui émergeait d'un sommeil réparateur, ouvrit de grands yeux affolés.

— Oh non ! Déjà le matin ! Et je ne me suis même pas réveillée...

Ou bien elle avait eu le sommeil dur ou bien... Son regard passa en revue ce qui l'entourait. Rien ne semblait avoir bougé. Hormis la chandelle, éteinte, ce qui laissait penser que William était venu. Lauriane se rendit aussi compte qu'une nouvelle couverture s'était ajoutée aux siennes. Ainsi, c'était elle qui avait dormi à poings fermés. Un calme plat régnait dans le camp. Habillée, elle se risqua à ouvrir la porte dans la cloison. Un passage court et étroit partait vers la droite. Deux autres portes se faisaient face à l'extrémité. Un tintement d'une nature inconnue provenait de derrière celle de droite. Lauriane y frappa. Le bruit cessa aussitôt, des pas retentirent, puis le battant s'ouvrit sur un homme corpulent à la barbe fournie. Il la considéra, une pipe fichée au coin de la bouche. Les manches de sa chemise étaient relevées et les poils trempés de ses avant-bras étaient plaqués sur sa peau rougie. Un tablier graisseux le couvrait.

— Je vous attendais, Madame Fedmore, dit-il en ébauchant un sourire de travers à cause de sa pipe. Je vous ai gardé des bonnes bines au chaud. Ah... au fait... je m'appelle Guss. Enfin, Angus, mais appelez-moi Guss.

Il baissa les yeux sur ses mains humides, qu'il montra, doigts écartés, paumes vers le haut.

— Je ne vous serrerai pas la pince, si ça ne vous fait rien, reprit-il avec jovialité alors que son sourire s'élargissait. Mon *show boy*[5] nous est revenu du congé des fêtes avec une grippe qui s'est changée en pneumonie, alors je suis dans la vaisselle jusqu'aux coudes, c'est le cas de le dire ! C'est votre tante, la doc, à ce qui paraît ?

— C'est exact, confirma Lauriane en riant sous cape, trouvant comique qu'il appelle sa tante « la doc ».

L'homme hocha la tête, l'œil brillant.

---

5. Marmiton. Il est l'assistant du cuisinier.

— Comme on dit, c'est pratique de l'avoir ici, à portée de main. Personnellement, je n'ai pas encore eu affaire à elle ; jusqu'ici la santé m'a collé à la peau. Il faut dire que je ne travaille pas comme les gars onze heures par jour dans le froid et tout ça. Quand même. Pour ceux qui en ont besoin, votre tante est une bénédiction.

— J'imagine que ça fait de ce chantier un endroit un peu différent des autres ?

— Bah oui, ça… D'habitude, quand il y a quelque chose que les gars ne peuvent pas soigner par leurs propres moyens, pas le choix, il faut aller trouver le docteur le plus proche, c'est comme ça.

Guss avait retiré sa pipe de sa bouche pour mieux articuler. Il se la ficha entre les dents et frotta ses mains sur son tablier.

— Bon. Vous me donnez deux minutes si vous voulez bien et je vous apporte votre petit déjeuner.

— Je peux aller me servir moi-même, je ne voudrais pas vous surcharger.

— Pas de souci, c'est une affaire de rien, Madame Fedmore. Allez vous tirer une bûche de l'autre côté, je vous apporte ça en moins de deux.

— Je mangerai plutôt dans le bureau, si ça ne vous dérange pas.

— C'est vous qui voyez.

Quelques instants plus tard, assise à la place de son mari derrière la table de travail, Lauriane plongeait avec appétit dans l'assiette posée devant elle, généreusement garnie de fèves au lard fumantes, accompagnées de bonnes tranches de pain chaud. Guss lui avait servi une portion d'homme, ce qui lui convenait, tout affamée qu'elle était. Cela dit, elle se considérait privilégiée de pouvoir goûter aux fameuses fèves au lard de chantiers. Aliment incontournable de ces lieux, on n'en mangeait apparemment pas de meilleures ailleurs. Une affirmation qu'elle ne put contredire après avoir senti la petite légumineuse s'écraser contre son palais, baignant dans sa sauce grasse copieusement arrosée de mélasse.

S'arrêtant pour boire un peu de thé, Lauriane avisa la fenêtre qui laissait voir la chute de gros flocons à l'extérieur et se demanda à quelle heure Neil projetait de partir. Il lui faudrait sans doute terminer l'écriture de ses lettres sans tarder. Elle se demanda aussi où pouvait se trouver William ; pas bien loin, assurément. Qu'il ne se montre pas pour le départ de Neil serait étonnant, désireux qu'il devait être de voir battre en retraite cette si indésirable femme… Il n'avait alors qu'à venir, songea Lauriane, investie d'un regain d'assurance. Pour sa part, elle l'attendrait de pied ferme.

2

À la guerre comme à la guerre

*P*lantant ses broches dans la balle de laine, Lauriane examina le foulard entrepris et sa lèvre supérieure se retroussa d'insatisfaction.

— J'ai tricoté les derniers rangs bien trop serrés, je vais devoir les défaire. Voilà ce qui arrive quand les idées s'envolent au loin! se sermonna-t-elle, déjà en train de tirer sur son fil de laine.

À vrai dire, elle avait passé la matinée sur la corde raide. La journée avait pourtant bien débuté. La tranquille pluie de flocons qui tombait à son réveil avait fini par prendre des allures de tempête, si bien que Neil avait fait irruption dans le bureau afin de prévenir la jeune femme qu'il retardait le départ. Elle avait bien sûr vu d'un bon œil ce blanc sursis qui lui était accordé et en avait profité pour terminer d'écrire ses lettres et faire un peu de tricot.

Seulement, à mesure que le temps passait, la tempête avait diminué en intensité, jusqu'à connaître une complète accalmie. Le ciel demeurait couvert à l'heure actuelle, mais la couche de nuages s'était éclaircie. Lauriane anticipait donc le départ imminent de Neil et en était à guetter la porte, se demandant qui de lui ou de William allait la franchir incessamment.

Des bruits se manifestèrent du côté du dortoir. Probablement des hommes qui rentraient pour se sustenter après de longues heures d'ouvrage. En faisant un saut à la cuisine un peu plus tôt pour aller chercher son repas, Lauriane avait trouvé Guss fort affairé. Penché sur ses chaudrons, il lui avait expliqué que ceux qui travaillaient assez près du camp avaient la chance de bénéficier, à l'heure du midi, d'une bonne soupe aux pois, bien à l'abri dans la tiédeur du bâtiment. Quant aux autres, ils devaient se contenter d'un repas froid dans les bois. D'autre part, la jeune femme avait également pu apprendre à quoi son mari avait occupé son temps pendant toute la matinée. En plus de ses responsabilités administratives, liées entre autres aux travaux de coupe et aux divers approvisionnements sur l'ensemble du chantier, il aimait apparemment œuvrer à l'abattage des arbres. Il aurait quitté le camp tôt ce matin en compagnie des hommes, ce qui expliquait son absence au moment où Lauriane s'était réveillée.

Ce fut en fin de compte William qui fit son apparition dans le bureau. Il franchit la porte dans la cloison, un plateau en main. Il le déposa sur la table de travail, puis vint mettre son manteau à sécher sur une chaise près du poêle. Lauriane capta l'effluve qui se dégageait de lui, une odeur de neige et de résine mêlée à celle de son corps, que l'activité physique avait rendue plus masculine, plus virile. Elle se surprit à en avoir une palpitation au creux du ventre. L'œil de William se porta un instant sur elle et pour ne pas rougir, elle se concentra très fort sur ses mailles.

Il se détourna, allant prendre place sur la chaise à accoudoirs qui lui était réservée. Lauriane se sentit observée tandis qu'il se sustentait avec appétit, mais, encore en émoi, elle ne releva pas la tête, s'occupant à répéter les mêmes erreurs qui la contraignirent à devoir défaire deux autres rangs.

— Plutôt que de vous acharner sur ce tricot, préparez-vous. Neil est en train d'atteler : l'heure du départ a sonné. D'ailleurs, je crois qu'il arrive.

Des coups retentirent contre la porte, sonnant l'alerte en Lauriane. Elle se raidit, déposa broches et laine, puis glissa un regard furtif à l'homme qui fit son entrée. Ce n'était pas Neil.

— Excusez-moi, boss. Neil m'envoie vous dire qu'il sera prêt dans 10 minutes.

Puis, apercevant la jeune femme, le nouveau venu s'empressa de se décoiffer et de la saluer en étirant timidement les lèvres. Se redressant, William avala debout son restant de thé.

— Merci, Nathan. Dis-lui que nous le rejoindrons dans un petit moment.

L'homme hocha la tête et s'apprêtait à repartir quand il aperçut le sac de voyage de Lauriane au pied du lit.

— Voulez-vous que je prenne les bagages tout de suite, boss ?

Lauriane bondit alors de sa chaise et darda son mari d'un regard sévère et décidé.

— *I'm not leaving, understood*[6] ?

Ce fut si inattendu que, pendant un instant, William crut qu'elle s'était exprimée en français. Quand il se rendit

---

6. Je ne partirai pas, compris ?

compte que des mots de sa langue natale étaient sortis de la bouche de sa femme, il la dévisagea sans masquer son étonnement.

N'ayant utilisé l'anglais que dans le but de ne pas être comprise de l'employé, Lauriane ne pensa pas à se réjouir de son effet, se concentrant plutôt à préparer sa nouvelle offensive :

— *I haven't unpacked my bags yet, but that doesn't mean I've decided to leave. Send this man to tell Neil that he won't have a passenger[7].*

Bien qu'elle s'exprimait lentement, elle le faisait presque sans hésitation, signe d'efforts d'apprentissage soutenus, remarqua William, que le sens des mots, de même que le ton impérieux sur lequel ils étaient prononcés, laissait absolument indifférent. Il ne se sentait en aucune façon menacé par l'entêtement de sa femme, qu'il comptait bien voir repartir avec Neil dans quelques minutes.

Sur ce, il se tourna vers Nathan, qui attendait ses instructions.

— Cela ira, je me chargerai des bagages.

Hochant de nouveau la tête, l'employé adressa un petit salut à la jeune femme et prit congé.

— *Since when do you speak English[8] ?* interrogea William tout en regroupant dans le cabaret ce qui avait servi à son repas.

— Norah me donne une leçon chaque jour depuis le mariage.

— Dans quel intérêt ?

---

7. Je n'ai pas défait mes bagages, mais ça ne veut pas dire que j'ai décidé de partir. Envoyez cet homme dire à Neil qu'il n'aura pas de passagère.

8. Depuis quand parlez-vous anglais ?

— Connaître la langue maternelle de mon mari me semblait naturel. Et puis, pour quelqu'un qui cherche désespérément quoi faire de ses dix doigts, c'est une occupation comme une autre.

William haussa les épaules et prit le cabaret.

— Sur l'heure, occupez-vous de rassembler vos effets. Je vais porter ceci et ensuite, je vous accompagnerai à l'écurie.

— Je ne pars pas aujourd'hui avec Neil, protesta Lauriane avec véhémence. Pour ça, il va falloir que vous me fassiez monter de force dans le traîneau et au bout de deux cents pieds, je dirai à Neil de s'arrêter. S'il refuse, je menacerai de sauter.

— Je lui ferai part de votre délicate condition, de sorte qu'il n'y ait pas lieu de s'inquiéter de vous voir mettre votre menace à exécution.

Il écartait avec désinvolture le dernier de ses arguments ! pensa la jeune femme, fulminante. Pour lui, elle se trouvait déjà loin du camp ; la mettre dans le traîneau ne constituait qu'une formalité. Sa tactique avait été efficace. Il avait joué sa bataille par l'absence et à présent, il ne lui restait plus qu'à en savourer le succès.

— On dirait que vous avez peur de vous rendre compte que celle avec qui vous vous êtes marié n'est pas la méchante sorcière que vous imaginez, laissa-t-elle tomber âprement.

— Et vous, l'ampleur de votre fourberie vous ferait-elle à ce point honte que vous seriez prête à tout pour que le masque qui la camoufle ne vous soit pas arraché ? la piqua son mari, acrimonieux.

Lauriane ouvrit la bouche pour répliquer, mais crut bon de se raviser, préférant ménager ses efforts. Devant son silence prolongé, qu'il dut interpréter comme une abdication, William franchit la porte dans la cloison. Refoulant un amer sentiment d'échec, la jeune femme commença à rassembler ses quelques effets.

William reparut tandis qu'elle achevait de mettre son manteau. Sans prendre la peine d'attendre qu'il en fasse autant, elle se glissa dehors. Neil attendait devant l'écurie. Tandis qu'elle se dirigeait vers lui, elle aperçut sa tante en train de la guetter de sa fenêtre. Lauriane lui fit un petit signe de la main, geste qui devait passer pour une salutation aux yeux des autres, mais qui avait en réalité une signification cachée pour elles.

Peu après, William arriva avec son sac de voyage. Il s'entretint avec Neil pendant que Lauriane, crispée davantage par ses émotions que par le froid, se tenait prête, debout à bord du traîneau. Le sol devenu moelleux par la récente chute de neige rendait les pas silencieux, aussi son mari apparut-il près d'elle sans qu'elle l'ait entendu venir.

— La température dégringole, il fera nuit lorsque vous atteindrez Côte-Blanche. Vous ne devez qu'à vous-même ce déplacement long et inconfortable.

— En ce moment, ce n'est pas à moi que j'ai envie de m'en prendre, rétorqua froidement Lauriane.

— Lorsque vous comprendrez que votre quête était perdue d'avance, vous vous reprocherez ce coup de tête insensé. Mais d'ici à ce que cela arrive, faites de moi l'objet de votre ressentiment : je m'en réjouirai. Ce sera votre châtiment, bien que trop faible à mes yeux, pour vous être jouée de moi tel que vous l'avez fait. Vous avez ma parole que je veillerai à ce que le prix de votre fourberie vous soit réclamé doublement. Je compte me saisir de la moindre occasion pour vous rendre ce mariage infernal et je vous promets qu'un jour, c'est contre vous que votre fiel se retournera.

Lauriane se contraignit à garder la tête droite, fixant le lointain, afin que ne s'ajoute pas le poids du regard d'acier à celui de la haine qui avait vibré dans sa voix. Une note souvent entendue, et tout son corps en tressaillait chaque fois. William resta à étudier son profil tandis qu'elle observait un silence voulu et souhaitable, puis il se détourna enfin et s'éloigna. Un au revoir à Neil et il reprenait le chemin du dortoir sans se retourner, balayant d'un dos indifférent ces insignifiantes vingt-quatre dernières heures.

Le traîneau s'ébranla et se mit à filer sur la neige dans un doux bruit de glissement. L'épais manteau des résineux s'était encore alourdi. Au prochain redoux, il glisserait de leur verte parure comme un vêtement trop lourd à porter qu'on laisse tomber sur le sol. Les deux voyageurs se retrouvèrent bientôt entourés par ces personnages emmitouflés qui ne leur ouvraient que la largeur d'une route.

Un léger virage fit définitivement disparaître les bâtiments du chantier derrière eux et ce fut à ce moment que le cœur de Lauriane s'emballa. Se composant une expression des plus affolée, elle commença à s'agiter en faisant des gestes de dépit avec les mains.

— Oh non! Ce n'est pas possible! Seigneur! Ce n'est pas vrai! Je n'ai pas pu faire ça!

Neil la considéra d'un air surpris.

— Ça ne va pas, Madame Fedmore?

— Ce que je peux être dans la lune! Vraiment, je suis la reine des étourdies!

Enchaînant les signes de dénégation de la tête, donnant du talon sur le plancher, Lauriane continuait de se sermonner, très consciente d'éveiller chez son compagnon une curiosité et une inquiétude croissantes.

— Quelque chose vous embête, Madame? risqua encore ce dernier, décontenancé de l'entendre se critiquer de la sorte alors que lui n'aurait eu que des éloges à la bouche si on lui avait demandé de parler d'elle.

— C'est affreux! J'ai... j'ai oublié mon anneau de mariage dans le bureau de mon mari... Je ne l'enlève jamais, d'habitude, mais il a suffi d'une fois pour que ça arrive!

Tournant brusquement vers lui son regard désespéré, elle l'agrippa par le bras.

— Arrêtez-vous, s'il vous plaît... Je ne peux pas partir sans lui, vous comprenez, c'est absolument impossible!

Contrairement à ce qu'elle avait anticipé, Neil obtempéra sur-le-champ. Il tira vivement les rênes et le traîneau s'immobilisa.

— Je ne pourrai pas nous faire faire demi-tour, Madame. C'est que la route n'est pas bien large.

L'air navré, Neil jeta un coup d'œil par-dessus son épaule, puis son visage s'éclaira.

— Si ça ne vous gêne pas de m'attendre, je pourrais retourner au camp à pied, on n'en a pas encore un grand bout de fait...

— Non! Laissez-moi plutôt y aller, s'empressa de dire Lauriane, déjà en train de descendre. Vous comprenez, je ne me souviens pas exactement où j'ai mis mon anneau et vous risqueriez de ne pas le trouver.

Elle ponctua cette déclaration d'un charmant sourire auquel Neil ne pouvait décidément pas résister.

— Je vais vous attendre, dans ce cas.

Ravie de la façon dont les choses se déroulaient, Lauriane s'en alla d'un bon pas. Elle attendit de s'être éloignée de plusieurs mètres avant de faire demi-tour et de revenir vers la voiture. Neil parut décontenancé de la revoir si vite.

— En fait, plus j'y pense... Je crois que vous ne devriez pas m'attendre, Neil. Je... j'ai vraiment très envie de rester avec mon mari encore quelque temps.

Elle émit un petit rire gêné, portant coquettement une main à sa bouche.

— C'est soudain comme décision, mais je n'y peux rien, partir me déchire trop, je suis sûre que vous comprenez... Alors, je vous souhaite bon voyage et bon retour à Côte-Blanche. Oh! Et voici des lettres. Vous seriez bien aimable de les remettre à Norah pour moi, elle saura quoi en faire.

Elle lui confia la pile d'enveloppes, puis cueillit son sac de voyage attaché dans le traîneau. Neil n'eut pas le temps de placer un mot qu'elle repartait. Cet empressement arracha un soupir d'envie au jeune homme. Son patron était l'homme le plus chanceux du monde! Étirant béatement les lèvres tandis qu'il se remémorait la douceur du sourire que la jeune femme lui avait adressé, il ne songea même pas à se demander comment il était possible qu'elle ait écrit des lettres à des gens qu'elle s'apprêtait à retrouver. Il claqua les rênes et reprit sa route, souriant toujours.

Presque déconcertée par la facilité avec laquelle elle s'en était sortie, Lauriane pressa le pas. Évidemment, Neil n'avait aucune raison de ne pas la croire : il ne savait rien des conflits qui les divisaient, William et elle. Son attitude avenante portait même à penser que son mari n'avait donné

aucune instruction particulière au jeune homme relativement à elle, par opposition à ce qu'il avait laissé entendre.

— Votre première erreur, mon cher mari, murmura-
t-elle avec satisfaction.

Parvenue en vue des bâtiments, elle ralentit son allure,
se méfiant de l'éventuelle présence de William dans les
parages. Dès que ce fut possible, elle se hâta en direction de
la cabane de sa tante, où elle pénétra sans frapper. Une
odeur d'ail flottait à l'intérieur. D'un chaudron sur le poêle
s'échappait une vapeur blanche et Adéline s'affairait à
pilonner quelque chose dans un mortier. À l'entrée de sa
nièce, elle s'interrompit, se frotta brièvement les mains l'une
contre l'autre et s'approcha d'elle en arborant un air à la fois
interrogatif et plein d'espoir.

— Tu as réussi ?

— Tout s'est parfaitement déroulé ! Le traîneau et son
conducteur sont partis sans moi, annonça Lauriane en
triomphe.

Pas encore complètement rassurée, cependant, elle
lorgna la fenêtre.

— J'espère seulement que William ne m'a pas vue, il
serait bien capable de rattraper Neil.

— Si c'était le cas, il frapperait à ma porte en ce moment
même.

Comme s'il n'était pas exclu qu'une telle chose puisse se
produire, elles gardèrent le silence durant quelques instants, s'observant, à l'affût d'un bruit susceptible de les
alerter. Adéline finit par laisser échapper un rire malicieux
et pivota en esquissant un petit geste désinvolte qui fit tinter
les bracelets à son poignet.

— Mais non ! Il ne t'a pas vue, Lauriane, l'assura-t-elle
en allant placer un couvercle sur le chaudron qu'elle retira

du feu. Il doit être parti au bois, à l'heure qu'il est. Tu es à l'abri du danger pour tout l'après-midi.

— Ce que vous êtes rassurante, tante Adéline !

Jetant sur la table les deux sous-plats en laine qu'elle avait utilisés pour saisir les poignées brûlantes du chaudron, sa tante la regarda en haussant les sourcils avec éloquence.

— Ce n'est pas trop fort comme mot si on pense à combien ton mari risque d'être furieux. Je ne veux pas te décourager, mais ce nouveau tour que tu viens de lui jouer ne t'aidera pas à entrer dans ses bonnes grâces.

— Ça, c'est sûr, mais il m'y a obligée, je ne ferais pas tout ça s'il acceptait de m'écouter. Il est plus têtu qu'un âne et plus fermé qu'un coffre enchaîné et cadenassé !

Voyant les lèvres de sa tante s'incurver, Lauriane décida de la prendre en exemple et d'essayer de se détendre. Son plan avait marché, elle avait réussi à gagner du temps, c'était ce qui importait. Elle ne voulait pas penser à la colère de William, pas maintenant.

— Tu vas pouvoir récupérer ta valise, dit sa tante en extirpant l'objet en question de sous son lit. Elle est lourde, tu as bien fait de la laisser ici. Tu m'attendras quand tu seras prête à retourner au *forepic*, je la porterai pour toi.

— D'accord, merci.

Après sa première confrontation avec son mari la veille, comprenant qu'il ne lui serait pas aisé de l'amadouer et encore moins de lui faire abandonner l'idée de la renvoyer à Côte-Blanche, Lauriane s'était ménagé une porte de sortie, juste au cas. Son plan consistait à s'échapper du traîneau lorsqu'ils se seraient suffisamment éloignés des bâtiments. Sachant qu'elle aurait ensuite une marche plus ou moins longue à faire et que sa valise était effectivement plutôt lourde, la jeune femme s'était arrangée pour ne pas en être encombrée. Mais avant tout, il fallait que William croie qu'elle n'avait que le sac de voyage puisqu'il assisterait assurément à son départ. Comme il semblait ne pas avoir remarqué la valise lors de leur échange dans le bureau, Lauriane en avait profité pour la faire disparaître avant qu'il ne revienne.

Sa tante posa la valise près de la table et interrogea la jeune femme du regard. Trop peu de temps s'était écoulé, peut-être William n'avait-il pas encore quitté le camp pour les bois. Nul doute que Neil se trouvait assez loin à présent, mais affronter le « danger » maintenant…

— Je pense que je vais rester encore un peu, déclara Lauriane en déboutonnant son manteau.

❄ ❄ ❄

Un calme parfait régnait sur le dortoir. Ne se manifestait que le crépitement du feu dans l'âtre, au centre de la longue pièce bordée de lits faits de rondins recouverts de branches de sapin. Un environnement que peu de femmes avaient l'occasion de voir, songea Lauriane en déposant une pile d'assiettes sur une table et laissant brièvement errer son regard sur cet univers masculin.

Tout était fait en fonction du côté pratique, non esthétique. Jusqu'à certaines pièces du mobilier d'une simplicité, mais aussi d'une efficacité déconcertante, comme les bancs le long des deux grandes tables, constitués d'une bille de bois fendue en deux sur le sens de la longueur, dans lesquelles étaient fichées quatre pattes. Avec les rigueurs de l'hiver, il fallait aussi faire en sorte que le bâtiment conserve sa chaleur; le plafond était bas, constitué de pièces de bois dégrossies, aux fentes calfeutrées avec de la mousse. Les quelques fenêtres avaient une orientation au sud de façon à accueillir un maximum de rayons de soleil.

Afin de se rétablir de sa pneumonie, le *show boy* avait besoin de tout le repos possible, aussi ne quittait-il plus la chambrette attenante à la cuisine qu'il partageait avec Guss. Ayant vu, à l'heure du midi, à quel point ce dernier semblait débordé, Lauriane lui avait offert ses services et, loin de rechigner, le cuisinier avait même paru soulagé de recevoir cette aide inattendue.

Les gonds de bois de la large porte de planches gémirent et les premiers hommes firent leur entrée, la barbe et les sourcils incrustés de frimas, les joues et le nez vermillonnés. Ils ne tardèrent pas à remarquer la présence de la jeune femme, qui eut droit à une nuée de regards curieux. Dans un joyeux brouhaha, ils se dépouillèrent de leur manteau; les bottes s'agglutinèrent autour de l'âtre ainsi que leurs propriétaires allant y chauffer leurs mains et leurs pieds gelés. Des cordages étaient suspendus au plafond et bientôt, la pièce se retrouva décorée de guirlandes de mitaines et de chaussettes mises à sécher.

Affamés comme des loups, les hommes s'approchèrent ensuite de la table où se tenait Lauriane, qui, derrière les chaudrons fumants, attendait pour les servir. Le premier à se présenter devant elle resta à la regarder fixement. Elle le gratifia d'un sourire en lui tendant une assiette pleine, mais il ne réagit pas. Un coup d'épaule le ramena à l'ordre et confus, il prit son assiette au son des rires étouffés de ses voisins.

— Ex... cusez... Madame..., bafouilla-t-il, rougissant.

— C'est pas notre *show boy* que tu fixerais comme ça, Fortin! taquina l'un des hommes à ses côtés, ce qui déchaîna une nouvelle bordée de rires.

Fortin fut repoussé et un nouveau visage souriant se présenta devant Lauriane.

— Je suis Georges St-Pierre, déclara-t-il pompeusement. Enchanté, Madame Fedmore.

— Moi pareillement, Monsieur St-Pierre.

Suivant l'exemple de Georges, chacun se présenta à tour de rôle tout en se faisant servir. Ceux que Lauriane connaissait la saluèrent, se montrant ouvertement heureux de la voir.

Quand vint le tour de Martin Dubois, ils n'échangèrent qu'un petit signe de tête. Lauriane avait oublié qu'il se trouvait au chantier. Le léger malaise qui venait de poindre en elle ne fut toutefois rien en comparaison avec celui qu'elle ressentit lorsque son mari émergea du bureau. Son visage affichait une totale impassibilité, sans doute commandée par la présence des hommes.

La jeune femme continua à s'acquitter de sa tâche en essayant de l'oublier, jusqu'à ce qu'il se retrouve devant elle, à la transpercer de son regard de stalactite.

— Qu'aurait-il fallu que je fasse? Vous enchaîner au traîneau en prenant soin de ne surtout pas confier la clé à Neil?

— Vous auriez juste eu besoin de faire preuve d'un brin d'indulgence, si peu! Mais vous n'en avez pas été capable.

— Si peu! Et qu'ai-je besoin de faire, selon vous, maintenant que vous avez décidé de me parasiter en usant encore une fois de votre sens si aiguisé de la ruse?

— Vous me parlez de ruse alors que vous faites peser sur ma tête une grande injustice! Portez plus d'attention à ce que vous semez si vous ne voulez pas que la récolte vous désappointe!

Lauriane venait de remplir une assiette et la lui tendit. Son geste, empreint de brusquerie, faillit lui faire renverser une part de son contenu sur la table. Cela l'incita à se ressaisir. Ils se trouvaient au centre de l'attention générale, comme en attestaient les nombreux regards curieux dirigés sur eux.

Elle inspira lentement, serra les lèvres pour les sceller et tâcha d'évacuer toute émotion de son visage. Celui de William, qui faisait dos à leur public, montrait quelques signes de la tourmente intérieure qu'il s'efforçait de maîtriser : la ligne dure de la bouche, la mâchoire crispée et surtout, les deux minces fentes grises à l'éclat tranchant comme une lame... Si elles avaient été en mesure de l'atteindre physiquement, Lauriane serait décapitée en ce moment même.

Son mari se détourna enfin et alla prendre place à l'une des tables. Le bruit des conversations qui s'animaient, des rires qui fusaient, et l'atmosphère de bonne humeur redonnèrent un certain entrain à la jeune femme, qui continua de s'activer, s'occupant entre autres de resservir les plus affamés. Elle se dirigea ensuite à la cuisine, où elle s'acquitta de quelques tâches en compagnie de Guss.

La majeure partie des hommes terminait de manger quand elle regagna le dortoir avec une desserte. Un accident survenu en cours de matinée à cause de la poudrerie était au centre des discussions. Semblerait-il qu'un charretier et son *helper*[9] se seraient engagés trop rapidement dans une descente qu'ils n'avaient pas vue venir. Le chargement de billots qu'ils remorquaient aurait dévié de sa course et fait

---

9. Assistant du charretier.

carrément chavirer le traîneau ainsi que les deux hommes. Le charretier aurait été retrouvé enseveli sous une bonne épaisseur de neige qui avait bien failli le faire suffoquer. Son assistant s'en serait quant à lui tiré sans encombre. Malheureusement, l'un des chevaux attelés au véhicule se serait fait broyer sous un amas de billots. Ses blessures étant trop importantes, ont avait dû se résoudre à l'abattre. C'était William qui, semble-t-il, se serait chargé d'accomplir cette tâche ingrate.

— On parle de cet accident, mais je m'en vais vous dire qu'il y en a un autre qui a failli arriver, annonça un homme au visage jeune, mais dont les cheveux étaient pourtant gris presque en totalité. C'est Gervais qui a manqué de se faire foudroyer par une faiseuse de veuves[10] ! Elle a plongé droit sur lui et si je n'avais pas eu le réflexe de le pousser, il ne serait sûrement pas ici, assis avec nous autres.

— Ouais… Tu m'as fait prendre un bon bain de neige, Dupré ! geignit Gervais en s'ébrouant comme s'il y était encore.

— Une petite trempette de rien. Quand tu te retrouveras enseveli sous trois pieds de neige, tu verras ce que c'est.

Dupré se tourna vers celui qui venait de parler.

— Toi, ce n'était pas un bain, charretier, c'est la chute au complet qui t'est tombée dessus. Bout de bon Dieu ! Ce que tu devais chercher ton air là-dessous !

— Tu dis ? J'essayais de respirer, mais c'est des flocons qui me rentraient par le nez et dans la bouche, maudit verrat !

10.Branche d'arbre cassée par la chute d'un arbre voisin. Ces branches représentaient un réel danger pour les bûcherons.

— Moi aussi, j'en ai eu, des flocons dans le nez, fit observer Gervais.

Une main s'éleva pour lui assener une bonne claque entre les omoplates.

— C'est mieux d'avoir respiré un peu de neige que d'avoir reçu à la figure une branche cassée et de ne pas être ici bien vif ce soir, l'encouragea Dupré.

— ... et de manquer le spectacle, ajouta un homme à voix très basse en coulant un regard admiratif à la jeune femme qui passait derrière lui.

Lauriane sentit converger sur elle tous les regards, puis une vague de rires déferla sur le groupe. Un peu gênée, elle poussa sa desserte le long d'une table et commença à ramasser les assiettes, couverts et tasses de ceux qui en avaient fini.

— Nous voilà rendus avec une *show girl*, ça parle au diable! lança quelqu'un, déclenchant à nouveau l'hilarité générale.

L'homme qui se trouvait en face de celui qui venait de parler fronça les sourcils.

— C'est quoi, *girl*?

— Ça veut dire fille.

— Faudrait pas plutôt dire une *show woman*? avança quelqu'un d'autre. *Girl* pour fille, *woman* pour femme. Madame Fedmore est une femme.

— Content que tu t'en sois rendu compte, le taquina Dupré.

La jeune femme, qui suivait les échanges avec amusement, joignit son rire à celui des hommes.

— Moi, j'aime bien le terme que Monsieur a trouvé : *show girl*.

Un évident sentiment de fierté envahit l'homme en question, qui bomba le torse pendant que chacun exprimait son approbation.

— *Show girl* ou *show woman*, du moment que ça ne change rien au goût de ce qui nous sera servi ! commenta celui qui avait suggéré d'employer plutôt le mot *woman*.

— Pour ça, il faudrait que je passe de *show girl* à cuisinière, ce qui n'est pas mon intention, à moins que monsieur Guss tombe malade à son tour, affirma Lauriane.

— Et le jeunot, lui, il va comment ? questionna un moustachu à sa gauche.

— Il tousse beaucoup, il est faible et courbaturé, en plus de la fièvre, mais avec du repos et ma tante pour s'occuper de lui, il s'en remettra vite, vous verrez.

Plus loin, au bout de la table, on murmura quelque chose. Lauriane avisa les visages rieurs, croyant avoir entendu que le *show boy* n'avait pas besoin de guérir trop vite.

— Une femme à la *cookerie*[11], on n'aurait rien contre ça, nous autres…, chuchota Dupré.

— Ça non, absolument rien contre ! approuva un homme à la forte odeur corporelle. Ça manque saprément de jupons tout l'hiver dans ces camps reculés.

La jeune femme plissa les yeux malicieusement.

— Méfiez-vous. Ce ne sont pas les jupons qui manient les ustensiles et les chaudrons !

— Croyez pas qu'on est en train de souhaiter que le *cook* attrape un virus, Madame.

— Non, évidemment. Je ne souhaite ni à lui ni à vous que ça arrive, parce que je prédis que ça ne serait pas très long avant qu'on vous entende vous en plaindre.

---

11. Cuisine du camp.

— Ah oui? Et pourquoi, Madame Fedmore?

— Parce que je n'ai pas le talent de Guss pour cuisiner de délicieuses bines.

Les hommes s'observèrent et, convaincus par cette logique, plusieurs hochèrent la tête.

— C'est vrai que les bines de Guss sont un vrai péché, elles nous font tout un effet! Il est bon, notre *cook*. Tout le monde sait que le talent d'un *cook* à préparer de bonnes bines se mesure à l'odeur de nos...

— C'est correct, St-Yves, coupa Dupré. Madame Fedmore n'a sûrement pas besoin que tu entres plus que ça dans les détails.

Le petit rire musical de Lauriane sonna au milieu des autres plus graves. Hautement divertie par les façons de cette bande d'hommes des bois, elle avait complètement retrouvé sa bonne humeur et s'activa parmi eux avec entrain, si bien que quand elle passa à l'autre table, où se trouvait son mari en compagnie de Martin Dubois, elle ne se laissa pas atteindre par son regard glacial qui ne la quittait pas.

— Elle vole la vedette au charretier, votre femme, boss, remarqua Mercier, assis à la gauche de William.

Le haut de son corps tourné pour mieux observer la jeune femme, Mercier posa le coude sur la table et inclina l'épaule et la tête en direction de son patron.

— Il faut dire que c'est une sublime créature que vous avez là...

Au ton avide qu'avait sa voix, William vérifia s'il n'avait pas de bave qui lui coulait de la bouche. Voler la vedette au charretier était la moindre des conséquences occasionnées par la présence de sa femme. Un cygne venait d'être lâché dans une tanière de coyotes. Qu'il leur soit inaccessible ne les empêchait pas de renifler l'appétissante pâture et de saliver à profusion devant ses attributs alléchants.

William se surprit lui-même à suivre des yeux le gracieux balancement de ses hanches alors que s'éveillait en lui une fulgurante convoitise. L'état de fureur froide dans lequel il se trouvait s'en décupla conséquemment, alimenté par sa propre traîtrise. La défection de ses sens à l'égard de son esprit ne cessait de le tarauder depuis le jour du mariage, mais de la subir à cet instant même dépassait l'entendement. Désirer cette diablesse avec une force équivalente à celle de son aversion n'avait pour lui aucun sens !

— Bizarre, les gars ne sont pas pressés de sortir de table ce soir, observa encore Mercier.

Il jeta un coup d'œil aux deux hommes en face de lui. L'un d'eux se trémoussa sur le banc, accrochant sans le vouloir le bras de son voisin qui venait d'enfourner une fourchetée. Grognant, ce dernier retira l'ustensile de sa bouche et l'utilisa pour frapper l'autre sur le sommet du crâne en le foudroyant du regard.

— Et on dirait bien qu'ils ont mangé de la vache folle, commenta William, que cette agitation inhabituelle irritait.

Sa femme avait transformé ce repas en cour de récréation. Il n'avait rien contre le fait que ses hommes s'amusent après une rude et longue journée, mais que tout ce débordement soit provoqué par *elle* l'excédait particulièrement. Chacun semblait avoir son commentaire à dire et, patiente, sa femme y allait de réparties amicales qui lui gagnaient l'admiration et la sympathie de tous avec une rapidité inouïe. Lui-même se sentait agité, mais pas pour les mêmes raisons. Elle aurait dû être à Côte-Blanche à cette heure, pas dans ce camp à distraire les travailleurs et à exhiber sous ses yeux le succès de ses petites manigances!

Venue se pencher auprès de lui pour prendre son assiette, Lauriane vit les traits du visage de son mari se durcir quelque peu. Relevant le menton avec hauteur, elle se redressa puis, ayant terminé de desservir, poussa sa desserte en direction de la cuisine. Pendant que Guss commençait la préparation des bines pour le lendemain, elle termina ses tâches, l'esprit concentré sur celle qui l'attendait ensuite. La plus importante de toutes, la plus ardue à remplir, celle qui avait sans cesse occupé ses pensées au cours de la journée, soit en finir avec cette guerre qui les opposait, William et elle.

3

Douloureux souvenirs

Avec un sourire amical, Martin accepta la larme de cognac que lui offrait son supérieur. La gorgée lui brûla agréablement l'intérieur. Il résista à l'envie de tremper de nouveau ses lèvres dans l'alcool et déposa son verre sur la table de travail, choisissant comme d'habitude de savourer ce privilège dans la modération. Ramené à l'ordre par son sens du devoir, il revint aux feuilles de comptes qui se trouvaient sous ses yeux.

— Soixante-huit billots bien sonnés pour Ferron et Boutin.

— Ils reprennent leur excellent rythme d'avant les fêtes, commenta William, que le travail des deux bûcherons ne cessait d'impressionner depuis l'automne.

— Ils repartent en grand pour la nouvelle année, et le plus épatant dans tout ça, c'est qu'ils n'ont rien abattu en bas de trente-cinq pouces de souche. Ce sont des ogres. Ils ont une rapidité d'exécution et une précision de maîtres. Difficile d'imaginer que Ferron bûche depuis seulement deux ans, il travaille comme un vétéran.

— Boutin a de l'expérience, il l'encadre bien. Il ne sera pas nécessaire d'envoyer une autre équipe dans leur *fourche*[12]. Pour Fortier et Boisclair, ça s'est fini à combien ?

L'accident dans la côte avait abruptement interrompu le travail des deux bûcherons, qui s'étaient portés au secours du charretier et de son *helper*. Ils avaient ensuite donné un coup de main pour dégager le traîneau et rassembler les billots qui s'étaient détachés dans la descente. Tout cela leur avait grugé du temps, et Martin annonça sans surprise qu'ils étaient en déficit dans leur production, n'ayant pas atteint la quantité réglementaire de billots qu'ils devaient couper chaque jour.

— Ils ont débuté avec un bon rythme. N'eût été cet accident, ils se dirigeaient certainement vers un excédent, dit William après avoir avalé une gorgée d'alcool. Puisque cela leur arrive assez souvent, ils pourront compenser le manque d'aujourd'hui par les surplus d'autres jours qu'ils ont mis en banque.

Sagement couché à proximité de son maître, Dawson sembla décider que ce coin de plancher n'était plus confortable et redressa son grand corps poilu. Il se dirigea vers le poêle d'un pas somnolent, mais trouvant apparemment qu'il y faisait trop chaud, il finit par s'affaler à l'écart, près de la chaise qu'occupait Lauriane.

Se faisant discrète, la jeune femme avait repris son travail de tricot. Martin était déjà là quand elle avait regagné le bureau après en avoir terminé à la cuisine. Sa présence l'avait prise au dépourvu. Les deux hommes étaient plongés dans le compte rendu de la journée. Depuis, elle entendait leurs propos d'une oreille un peu étonnée. William semblait avoir investi le jeune homme d'un rôle dépassant celui du commun des bûcherons.

---

12. Section de coupe pour chaque équipe de bûcherons.

La chaise qu'occupait Martin émit quelques craquements. Son rapport terminé, il était sur le point de se retirer. William, qui s'apprêtait à lui verser une nouvelle larme de cognac, reposa la bouteille. Le jeune homme n'avait pas l'habitude d'être aussi prompt à partir ni de refuser un dernier verre. La cause directe de ce changement était aisée à deviner : elle se trouvait actuellement assise près du poêle. Et cela n'avait rien à voir avec une question de politesse.

— Je vais te prendre le lit que tu as en trop, dit William en s'extrayant de son siège.

— La couche du *culler*[13] ? Pas de problème. Au fait, quand est-ce qu'il doit venir ?

En discutant, les deux hommes franchirent la porte communiquant avec le reste du campement. Un moment plus tard, la base d'un lit apparut, transportée par William. Il la déposa le long de la cloison et quitta de nouveau la pièce, pour revenir aussitôt avec le matelas. Lauriane alla chercher des draps et entreprit de faire le lit tandis que son mari reprenait sa place derrière la table de travail après s'être resservi un verre. Elle s'occupa ensuite à transférer ses affaires provisoirement rangées sous l'autre lit.

Le profond silence qui courait depuis de longues minutes la frappa tout à coup. Elle n'y avait pas vraiment prêté attention jusqu'ici, mais maintenant que son petit coin à elle était prêt et que ses mains étaient libres, la jeune femme le sentait peser lourdement sur eux. William n'avait pas levé les yeux une fois, fermé à toute communication. Son visage hermétique était un découragement en soi.

Sa lèvre inférieure coincée entre ses dents, Lauriane traversa lentement la pièce, se demandant de quelle manière l'aborder sans qu'il se hérisse. Dawson battit de la queue à

---

13. Mesureur de bois.

son approche. Elle le gratifia de quelques grattements derrière l'oreille, puis regagna sa chaise près du poêle et posa son tricot sur ses genoux.

— Est-ce qu'il a souffert, le cheval que vous avez dû abattre ce matin?

Sa question fut avalée par un nouveau silence. Elle porta son regard sur Dawson, le seul des deux à lui accorder de l'attention.

— Ses souffrances ont été vite abrégées, répondit son mari contre toute attente.

— Tant mieux… Tant mieux si vous avez pu agir vite.

Le menton de William hocha brièvement. Il concédait peu, mais il concédait. Au moins était-ce de bon augure, s'encouragea la jeune femme en fixant la laine qu'elle triturait. Ce geste de nervosité finit par l'agacer et elle se leva pour aller ranger le tricot.

La voix de son mari s'éleva alors dans son dos :

— Pourquoi laissez-vous persister ce malaise qu'il y a entre vous?

Surprise, Lauriane se retourna. Appuyé contre le dossier de sa chaise, son verre à la main, William s'était désintéressé de sa paperasse et l'observait.

— Je vous demande pardon?

— Vous et Martin. Il y a entre vous un malaise palpable que même un aveugle sentirait.

L'humeur de la jeune femme s'assombrit.

— Ce chantier est assez grand pour que je puisse faire en sorte que ça ne soit pas un problème, affirma-t-elle, ayant envie ni de nier ni de donner des précisions.

— Il n'est pas si grand. Martin est mon *foreman*, je lui ai fait aménager une chambrette juste à côté et il vient ici chaque soir pour me faire son rapport.

— Martin est contremaître?

— Il est jeune, j'en conviens, mais ce sont ses compétences qui lui ont valu ce poste. Son père est contremaître de chantier depuis vingt ans et jouit d'une réputation enviable dans le milieu. Martin a tout appris de lui, il connaît le bois mieux que quiconque en ce lieu, de même que les rouages du métier. À l'instar de son père, il possède tout ce qu'il faut : du doigté, un souci constant du travail bien fait et une aptitude innée pour la résolution de problème. En outre, il sait se faire apprécier et respecter des hommes en dépit de son jeune âge. Jusqu'à maintenant, il s'en sort parfaitement bien, je n'ai pas eu à me repentir de mon choix.

L'œil toujours sur sa femme, William avala une gorgée d'alcool.

— Ce problème qu'il y a entre Martin et vous ne me serait d'aucun intérêt si ce n'était de ce chantier. Votre présence perturbe visiblement l'un de mes bons employés et c'est à partir de ce moment que cela me concerne.

— Êtes-vous en train de me servir un nouvel argument pour justifier le fait que vous êtes tellement irrité par ma présence ici? À quoi ça vous servirait puisqu'il est trop tard maintenant?

— Je n'ai besoin d'aucun autre argument que celui de votre fourberie en justification à ma colère, jeta William âprement.

Sans doute alarmé par le ton de voix de son maître, Dawson se leva et, l'air piteux, alla se poster près de sa chaise. William porta son attention sur lui et on entendit aussitôt battre la queue du chien contre le sol. Avançant son museau d'un air hésitant, il donna quelques coups de langue sur la main qui tenait le verre, incitant William à le transférer dans son autre main.

— Femmelette, gronda-t-il en lui grattant le cou vigoureusement, ce qui fit tinter la médaille pendue à son collier.

Dawson parut heureux de ce surnom et se mit à fixer son maître avec une grande admiration. Lauriane remerciait pour sa part le chien d'avoir détourné l'attention de son mari, qui s'apprêtait vraisemblablement à lui dérouler la liste des griefs et des mauvais sentiments qu'il entretenait à son endroit.

Par hasard, son regard tomba sur sa valise. Ah! Il lui semblait, aussi, avoir oublié quelque chose! Comme elle se trouvait sur le lit de William, bien en évidence, son oubli n'en était que plus insensé. Vraiment, il était temps qu'elle se déleste des préoccupations qui l'obnubilaient!

— Laissez ça, ordonna la voix impérative de son mari alors qu'elle saisissait la poignée.

La jeune femme se figea, le vit abandonner son siège et venir lui prendre la valise. Dès qu'elle se retrouva en suspens au bout de son bras, il sourcilla.

— *Damn!* Les bagages des femmes pèsent une tonne! Où la voulez-vous?

D'un geste, Lauriane indiqua un espace au bout de son lit. Son mari alla y déposer la valise. Il se tourna ensuite vers la jeune femme et la scruta d'un air perplexe.

— Vous ne l'aviez pas ce matin.

— Non...

Elle hésita, puis ajouta :

— Je ne pouvais pas faire une longue marche en la transportant. Je l'avais laissée chez ma tante.

— Vous ne l'aviez pas hier non plus.

— Elle était chez ma tante depuis hier.

Un rire sarcastique secoua William. C'était avec un étonnement sans cesse plus désabusé qu'il assistait au déploiement des mécanismes complexes qui régissaient le cerveau de sa *charmante* épouse.

— Vous êtes encore plus habile dans l'art des manigances que je le croyais, grinça-t-il.

— Ah! Je savais que vous diriez ça! Je savais que c'est ce que vous penseriez tout de suite, mais tant pis! Moi, je m'estime chanceuse d'avoir pu anticiper toutes vos réactions et m'en prémunir. Oui, je suis contente de moi. Mais pas juste pour mon bénéfice personnel. Ça tombe bien que je ne me sois pas laissée mener par vous puisque j'ai pu donner un coup de main à Guss. Il en avait grand besoin et lui, il en est bien content. Ma tante aussi est contente de ma présence, même vos travailleurs le sont parce qu'ils n'attraperont pas un virus distribué par un *show boy* qui se tousse les poumons. Tenez-vous-le pour dit. Je suis bien tombée et en vérité, vous êtes le seul à ne pas vouloir l'apprécier.

— Il faudrait d'abord consulter Martin. Nous pourrions être plus nombreux que vous le croyez à ne pas nous réjouir que vous vous imposiez sur ce chantier.

Reprenant sa place derrière la table de travail, William se resservit un verre, puis se mit à observer sa femme en laissant courir un long silence.

— Du temps s'est écoulé depuis l'assassinat de votre frère. Ni vous ni Martin n'êtes responsables de sa mort. Pourtant, elle flotte entre vous comme un spectre.

Il s'acharnait à revenir sur ce sujet encore vif au cœur de la jeune femme. Elle craignit qu'il s'en serve dans le mauvais escient de la blesser, afin d'entrer en elle et la broyer.

Elle marcha vers le poêle pour lui faire dos, pour se donner l'impression de mieux maîtriser ses émotions.

— Pourquoi me parlez-vous de ça…

— Parce que c'est ce qu'il en est. Vous ne supportez pas d'être en présence l'un de l'autre.

— Vous l'avez dit, la mort de Thomas flotte entre nous comme un spectre, murmura Lauriane d'une voix ténue. Je la vois à travers Martin. Nous partageons, lui et moi, la laideur de cette tragédie, et je me la rappelle chaque fois qu'il est devant moi.

— Ne comprenez-vous pas que vous l'entretenez par votre attitude ? Que vous vous empêchez de passer à autre chose en la perpétuant ?

— Comment est-ce que je pourrais passer à autre chose ? Alors que c'est si récent dans mon cœur ? Alors qu'il y gronde toujours la révolte ? Alors que la vue de Martin me la rejette au visage avec la frappe d'un fouet ? C'est tellement difficile…

Sa nuque courbée, ses menues épaules affaissées, toute sa posture appuyait l'affliction dont sa voix vibrait et William, en dépit du mépris qu'il avait pour elle, eut pitié de sa douleur. Ce même mépris, cependant, lui fit aussi penser que les manipulateurs les plus fins savaient se rendre sympathiques, parfois par la sincérité, sans que ce soit calculé.

Il grimaça cependant que de fugaces souvenirs cherchaient à s'imposer à sa mémoire, des segments d'un lointain passé qu'il avait soigneusement occultés. Sa femme les faisait ressurgir, ce qui ne la lui rendait que plus antipathique. Pourquoi elle… Peut-être parce qu'elle leur ressemblait. Il serra les poings, puis chassa ces idées avant qu'elles le mènent trop loin.

Respirant pour se détendre, il siffla son verre et se remit à contempler sa femme. Si délicate, si angélique, si incroyablement belle... Aurait-elle pris le risque, dans son état, de faire cette route rien que pour continuer à lui mentir ? Sa détermination, en tout cas, semblait avoir été forgée dans un fer indestructible, constata-t-il en songeant à ses nouveaux efforts de la journée.

— La mort d'un frère est une affligeante épreuve, une blessure longue à guérir, d'autant quand il s'agit d'un assassinat et que vous êtes aux premières loges pour assister à cette scène abominable.

Telle une bobine de fil sous la patte d'un chat, les mots de son mari déroulèrent la trame des souvenirs de Lauriane et firent défiler dans sa tête des images à la charge émotive toujours aussi puissante.

— Cette mort est une injustice ! gémit-elle, n'arrivant toujours pas à lui faire face. Une tricherie, une perfidie ! J'ai essayé de le convaincre, mais il n'écoutait pas, il n'écoutait pas ! L'honneur l'a tué... Ce monstre de Jean Cloutier l'a tué !

Son cœur battait à grands coups, tout son corps réagissait, tendu et moite, à la fureur de ses émotions qui jaillissaient brutalement et la replongeaient dans sa douleur.

Lauriane ferma un instant les yeux pour reprendre contenance et de ce court recueillement naquit un espoir lui inculquant une force nouvelle. Après une longue et lente respiration, elle se tourna enfin vers William, dont le regard absent errait sur la paperasse devant lui.

— Oui, vivre avec ça est une cruelle épreuve. Après la mort de mon frère, ma tante s'inquiétait de mon moral, alors elle m'a donné une potion pour que je me sente mieux.

J'hésitais à la prendre, j'essayais de puiser en moi la force de remonter la pente, tout en sachant qu'elle me ferait du bien. Puis, l'anniversaire de Norah est venu. Je me sentais sinistre et je ne voulais pas faire mauvaise figure un jour si particulier.

Elle observa son mari afin de savoir s'il devinait sur quelle voie elle les conduisait et quelle allait être sa réaction. Le pont à franchir, le lien lui permettant de communiquer avec William lui était apparu tout naturellement et elle souhaita ardemment qu'il ne le rompe pas. Il présentait une expression quelque peu rembrunie, mais, par bonheur, aucune objection ne franchit ses lèvres et Lauriane y vit l'ouverture tant attendue de sa part.

— J'ai apporté la fiole au manoir, me disant que je n'aurais qu'à en ajouter à mon thé, ce que j'ai fait. Après, Norah a demandé à ce que je la rejoigne à ses appartements et quand je suis redescendue au salon, vous étiez là avec monsieur Renière. Vous finissiez de boire une tasse de thé. Bruce en avait servi deux et j'ai compris que vous aviez pris la mienne. Ça m'a inquiétée sur le coup, puis je me suis rassurée en me disant qu'au pire, vous vous sentiriez plus euphorique, c'est tout. J'ai pris l'autre tasse et j'y ai versé de la potion. J'ai commencé à ressentir d'étranges effets durant le repas, ajouta-t-elle en sentant une chaleur lui happer les joues. Je ne comprenais pas ce qui m'arrivait. J'ai remarqué que vous sembliez les ressentir vous aussi.

Elle se rapprocha de lui et plongea dans les yeux impassibles fixés sur elle.

— Croyez-moi, je n'avais aucune idée de ce que nous avions ingurgité en réalité, à la place de la potion. Je ne l'ai su que plus tard ce jour-là. Ma tante est venue à la ferme pour me dire qu'elle s'était trompée de fiole, qu'elle avait fait une erreur de classement.

Après les horreurs de l'assassinat de Thomas, dans son esprit revenaient son tableau de honte, son erreur ; elle sentait encore la morsure de sa culpabilité et de la haine qu'elle s'était vouée.

— La honte que je ressentais était tellement grande que je ne lui ai rien dit. Elle a cru s'être rattrapée juste à temps. Mais ma nouvelle condition a fini par tout faire éclater au grand jour. Quand elle a su la vérité, elle m'a dit que l'aphrodisiaque mélangé à de l'alcool amplifiait les effets. Maintenant, vous savez tout. Si vous vous êtes demandé ce qui vous avait pris ce jour-là, si vous vous êtes étonné de me voir vous tomber si facilement dans les bras, vous le savez aujourd'hui, vous en connaissez les vraies raisons. Je ne suis pas… je ne suis pas ce genre de fille… Je n'ai pas comploté pour vous piéger, je vous supplie de me croire. Je paie moi aussi très chèrement cette erreur.

Vidée tout à coup, Lauriane s'échoua sur son nouveau lit. Ces révélations venaient de lui aspirer toutes ses énergies. Un moment tant espéré ! Elle se rendait compte à quel point son obsession de rétablir la vérité l'avait complètement obnubilée. Mais elle ne trouvait pas la force de se sentir soulagée, souhaitant juste ne jamais plus y revenir et tourner définitivement la page.

Sa tête roula sur l'oreiller, son regard erra sur la pièce silencieuse, s'arrêta sur son mari. Il n'avait toujours pas bougé ni pipé mot, demeurant abîmé dans ses pensées en fixant le vide. Lauriane échoua à essayer de percer le mystère de son visage hermétique. Elle ne put qu'espérer l'avoir enfin atteint, et surtout convaincu.

Enfin, il bougea, s'extirpant de la chaise dans laquelle il avait semblé collé à jamais. Il alla prendre son manteau mis à sécher, l'enfila, ce qui donna le signal à Dawson de se dresser sur ses pattes. Il trotta jusqu'à la porte et fit un tour sur lui-même, surexcité par la sortie imminente qu'il devinait. Il s'écarta pour laisser la place à son maître. Ce dernier chaussa ses bottes au milieu des tourniquets du chien, que la chaleur faisait haleter, langue pendante. Un courant d'air glacé s'infiltra dans la pièce dès l'ouverture de la porte. Le calme revenu, Lauriane serra les dents, parcourue d'un long frisson.

❄ ❄ ❄

La rotation de la meule décéléra dès que le pied de William s'immobilisa sur la pédale. Avec son ongle, il éprouva le tranchant de la lame de sa hache fraîchement affûtée, le jugea adéquat et, dans un mouvement empreint de raideur, se leva pour aller ranger l'outil. Il avait mal partout : ses muscles gorgés de sang lui faisaient payer l'ardeur soutenue mise au travail ces deux derniers jours. Pendant que ses hommes s'affairaient à deux au godendard, lui jouait de la hache en solitaire. Il s'était particulièrement démené aujourd'hui, poussé par un besoin impérieux de se libérer de ses tensions et de faire le point.

Tout en effectuant des mouvements d'épaules, William refit le cheminement de ses réflexions de la journée. S'il adhérait à ce qu'il avait entendu hier, il lui faudrait croire que le jour de l'anniversaire de Norah avait été le point de jonction entre plusieurs mauvais coups du sort. Seule une incroyable malchance pouvait avoir fait en sorte que cet aphrodisiaque se retrouve dans leur tasse, mais plus grande encore avait été celle ayant fait que le ventre de sa femme ait été fertile à ce moment précis, et ce, lors de cette unique fois. Une seule fois… Bon sang! Une seule!

Il grogna. Il y était allé trop fort en étirant un muscle de son dos. Des cognements sourds venant du dehors indiquèrent que quelqu'un piétinait le sol devant la porte pour faire décoller la neige de ses bottes. Un moment plus tard, sa femme s'introduisait en hâte à l'intérieur. Elle se figea une seconde en l'apercevant, son regard étonné le parcourant brièvement de pied en cap.

— Désolée pour le courant d'air…, murmura-t-elle en s'empressant ensuite de refermer la porte.

William haussa une épaule.

— À force de côtoyer le froid, j'ai fini par l'apprivoiser, en quelque sorte.

Rougissante, Lauriane se détourna et entreprit de se dévêtir. Elle n'avait pu s'empêcher d'admirer son mari tout en retenant son souffle : son grand corps vêtu que d'un caleçon, baigné de la lumière ambrée de la lampe, se mouvant au gré des exercices d'assouplissement qui mettaient sa magnifique musculature en valeur. Il était en réunion avec Martin quand elle avait quitté le bureau pour se rendre à la cabane de sa tante. Comme elle n'y était pas restée longtemps, la jeune femme s'était attendue à trouver son mari encore plongé dans sa paperasse.

William retira le couvercle d'un petit pot et l'entêtante odeur de cannelle qui s'en échappait rappela fortement quelque chose à Lauriane. Il en fut de même, ensuite, pour la mixture de couleur rosée avec laquelle son mari commença à se badigeonner un bras.

— Ça ressemble à la pommade pour les muscles de ma tante, observa-t-elle, sourcils joints.

— Il serait dommage que cela ne fasse que lui ressembler. Tous, ici, s'en trouveraient bien mal.

Se penchant pour retirer ses bottines, la jeune femme laissa s'épanouir sur son visage un éblouissant sourire, fruit de la joie que ces mots semèrent dans son cœur. Décidément, elle avait de plus en plus de peine à croire que l'homme qui avait jugé si sévèrement Adéline au départ était celui-là même qui, aujourd'hui, l'employait pour soigner ses travailleurs, en plus d'utiliser ses remèdes à ses propres fins.

— On est loin de la fois où vous avez traité ma tante de sorcière ou encore du jour où il a fallu que je vous force la main pour qu'elle soigne Diana, ne put-elle s'abstenir de lui faire remarquer.

L'un des sourcils noirs de son mari s'arqua alors qu'il lui coulait un regard en biais.

— Me forcer la main ? Vous vous êtes comportée comme une petite impertinente en vous interposant dans une affaire ne vous regardant en rien.

Le ton de sa voix, dépourvu de toute trace de l'habituelle dureté qui le caractérisait lorsqu'il s'adressait à elle, eut sur Lauriane l'effet d'une percée de soleil un jour de grisaille. Comme parfois il suffisait de peu pour faire naître l'espoir, ce simple changement annonçait peut-être la réalisation de son souhait le plus cher, à savoir que ses explications de la veille avaient eu une résonnance positive chez son mari.

— Mais j'ai quand même bien fait, il me semble, renchérit la jeune femme, mue par un regain d'entrain, si on considère que la vie de Diana a été sauvée et que grâce à cette preuve de ses compétences, ma tante se retrouve aujourd'hui avec ce formidable travail, offert par vous-même.

— Vous connaissez les raisons qui motivaient mon refus et si c'était à refaire, je n'en changerais guère.

— Quoi ? Vous donneriez quand même la priorité au docteur Gélinas, même en sachant qu'il ne pourrait rien faire pour la soigner et donc, que ça entraînerait la mort de la malade ? Vous reprendriez ce risque ?

— Je considérerais d'abord la personne la plus qualifiée pour dispenser des soins, tel que je l'ai fait à l'époque, parce qu'il s'agit de l'option la plus logique et sensée, rien de plus.

— Oui, mais ça impliquerait de laisser mourir une femme !

— Nullement, puisqu'une certaine calamité en jupons de ma connaissance ne tarderait pas à se manifester pour imposer sa volonté en faisant du marchandage.

Commentaire que William ponctua d'un regard appuyé adressé à la jeune femme, qui s'empressa de réagir à grand renfort de hochements de tête frénétiques destinés à montrer la fermeté de sa position sur cette question.

— Oh oui ! Moi aussi, si c'était à refaire, j'agirais exactement de la même façon !

— Je n'ai pas même envie d'en douter.

Sur un sourire en coin des plus ambigus, tout autant qu'inattendu, son mari s'absorba dans l'application de la pommade. S'attardant à l'observer, Lauriane se laissa hypnotiser par le mouvement de ses mains qui allaient et venaient sur les régions endolories de son anatomie. Soudain assaillie par le souvenir de ces mains palpant son propre corps, osant s'aventurer là où aucune autre ne l'avait encore fait, elle sentit son pouls s'accélérer et un spasme de désir la chatouiller au cœur de son intimité.

Les mains s'étaient immobilisées. Tirée de ses réflexions, Lauriane rencontra le regard gris et, avec embarras, prit conscience d'être en train de fixer son mari avec insistance.

— Vous… voulez que je vous en applique dans le dos ? proposa-t-elle sans réfléchir.

La réponse de William la déconcerta complètement :

— Si vous voulez.

Déglutissant, elle le regarda s'essuyer les mains, puis s'allonger à plat ventre sur son lit. « Ne reste pas plantée, Lauriane ! » lui intima une voix intérieure. Elle se ressaisit et alla prendre le pot qu'il avait laissé sur le coin de la table de travail. Assise au bord du matelas, elle cueillit une petite quantité de pommade et se figea, intimidée. « Tu l'as fait des milliers de fois à tes frères, à ton père ! » Oui, mais c'était différent. Par ailleurs, admirer son mari était une chose, alors que le toucher…

Une fraîcheur commençait déjà à se faire sur ses doigts. Se lançant, Lauriane déposa un peu de la mixture rosée sur les muscles du haut du dos d'abord et commença à l'étaler en effectuant des cercles sur la peau tout en appuyant bien pour aider à la faire pénétrer. Nul besoin de masser habituellement, mais Lauriane le faisait toujours pour l'effet de détente.

Les muscles des épaules étaient durs comme du roc et elle se mit à les pétrir du bout des doigts. Isaac se mettait toujours à rire quand elle le faisait, il disait que cela le chatouillait. William resta bien immobile. Il avait enlevé l'oreiller et sa tête reposait sur le matelas. Lauriane n'apercevait pas son visage, tourné vers le mur.

— Vous avez dû avoir une rude journée, parce que vos muscles sont vraiment très tendus.

— Hmm hmm... Je me suis donné à fond, en particulier depuis hier.

— Depuis hier? Pourquoi?

— Devinez.

William étira les coins de sa bouche en sentant les doigts de sa femme se crisper brièvement contre sa peau.

— Je suppose que je dois me sentir en partie responsable de vos courbatures, alors...

— *Absolutely.*

Lauriane planta ses dents dans sa lèvre inférieure. Elle aurait dû exploser, lui signifier que s'il l'avait laissée s'expliquer dès le début, ses chers muscles en auraient été épargnés. Mais le contact de ses mains avec ce corps sublime avait sur son esprit un curieux effet paralysant, en plus de lui ravir avec une déconcertante facilité toute sa concentration.

— Dans ce cas, vous appliquer cette pommade me fera un peu déculpabiliser, puisque j'aurai l'impression de... réparer ce que j'ai contribué à... abîmer, se contenta-t-elle de dire.

Le dos de son mari vibra sous ses doigts dans le petit rire étouffé qui le secoua et Lauriane retint de justesse son propre rire nerveux. Son cœur battait la chamade, des bouffées de chaleur la balayaient, faisant adhérer ses vêtements à sa peau moite.

— Apparemment, vous n'avez pas non plus été en manque d'occupations aujourd'hui, enchaîna William. Vous vous seriez davantage investie dans votre rôle de remplaçante du *show boy*.

— Il faut bien que quelqu'un prenne la relève en attendant qu'il se rétablisse, et je suis contente d'être là pour le faire. Du moins d'en faire une partie, parce qu'en réalité, je me suis simplement occupée de la propreté du camp, en plus d'aider à la cuisine. Guss n'a pas voulu que j'en fasse plus.

— Il est évident que rentrer le bois de chauffage et l'eau potable, de même qu'entretenir le feu dans le dortoir durant la nuit, ne sont pas des tâches qui vous incombent.

— Sans doute. En tout cas, au moins, je contribue et c'est ce qui compte.

Lauriane trouvait que le camp était plutôt bien tenu de façon générale. Guss lui avait parlé de la discipline qu'imposait William concernant l'hygiène. Il n'était pas rare que ces installations soient infestées de poux ; la promiscuité qu'ils imposaient à ceux qui y séjournaient contribuait à leur propagation. Pour minimiser les risques que cela arrive, William tenait à ce que les hommes gardent entre autres les cheveux courts et la barbe rasée.

Elle fit glisser ses paumes le long de la colonne vertébrale en appuyant bien. Parvenue au niveau de la taille, elle s'arrêta, hésita, avant de se décider à faire descendre le caleçon de quelques centimètres puis, reprenant un peu de pommade, elle poursuivit l'application jusqu'au bas de la colonne.

Son mari se laissait faire et elle s'enhardissait : elle frottait, pesait, comme si c'était Isaac, en y prenant cependant bien plus de plaisir... Elle ne se lassait pas de promener ses mains sur la peau de plus en plus brûlante, de toucher à sa guise un peu de ce qu'elle avait auparavant admiré, grisée par le trouble grandissant que cela lui causait.

La tête de William pivota, il appuya son autre joue au matelas et garda les yeux clos.

— *That feels amazing... don't stop*[14]...

Il sentit un frisson lui courir le long de l'échine quand les doigts glacés de sa femme remontèrent vers son cou. Une douce brûlure avait investi chacun de ses muscles et allait en s'intensifiant. Combinés au massage, les effets de la pommade étaient décuplés. Le contraste du froid avec le chaud avait par ailleurs quelque chose d'étrangement bienfaisant. William se laissait aller aux mains de sa femme qui, si elles massaient avec énergie au départ, se faisaient maintenant plus délicates et douces. Il percevait une nouvelle sensibilité dans leur façon de glisser sur sa peau, trahissant le fait qu'elles avaient dépassé le stade de la simple application d'une pommade combinée à un léger massage. Ses mouvements se muaient peu à peu en effleurements, en caresses d'une extrême sensualité.

Largement émoustillé depuis le début, William sentit son sang se mettre à bouillir et son sexe déjà gonflé, pressé entre lui et le matelas, se durcir davantage et faire germer des idées lubriques dans son esprit. Mais, incapable de remuer, de faire un geste, il les sentit lui échapper tout doucement. Ses muscles étaient de pierre et plus les doigts magiques de sa femme parcouraient son corps, plus il s'enfonçait dans un état de détente complet, plus la réalité, ses intentions, s'estompaient...

Sa respiration était forte et régulière. Lauriane supposa qu'il devait s'être endormi. Ses doigts étaient frigorifiés, mais elle n'arrivait pas à s'arrêter. Elle se sentait capable de continuer ainsi toute la nuit, à contempler le beau profil

---

14. Cela fait un bien fou... ne vous arrêtez pas...

de son mari, à s'autoriser ce dont elle avait ardemment envie, soit le toucher à loisir, encore et encore.

Ce ne fut qu'un long moment plus tard qu'elle se décida à interrompre ce plaisir. Bien à regret, il fallait le dire. Une main se referma autour de son poignet alors qu'elle se redressait, la figeant de saisissement. Les yeux toujours clos, William conservait un visage paisible.

— Merci…, murmura-t-il d'une voix rauque à moitié étouffée par le matelas.

Écarlate d'embarras, Lauriane regarda la main retomber, molle, au-dessus du vide. Elle était certaine qu'il dormait !

— De rien…

Rangeant la pommade, elle se lava ensuite les mains, puis alla regarnir le poêle afin que son mari n'ait pas froid lorsque la chaleur dans ses muscles s'évanouirait. Tout en s'exécutant, elle lança un bref coup d'œil par-dessus son épaule. La main pendait toujours, William n'avait pas remué. Un petit soubresaut l'agita et ses paupières closes vibrèrent. Pas de doute, cette fois, il dormait vraiment.

4

Du feu sous la glace

Ce qu'il y avait de bien avec le samedi soir, c'était qu'il précédait le dimanche, jour de congé. Comme il leur était permis de se coucher plus tard, les hommes du camp en profitaient pour se divertir avec de la danse, de la musique et des chansons.

Lauriane pressait le pas, sa tante cramponnée à son bras. L'air froid qui lui entrait par le nez lui donnait mal à la tête et semblait lui geler le cerveau.

— On dirait qu'il y a déjà beaucoup d'ambiance là-dedans ! commenta Adéline.

Elles approchaient de la porte du dortoir, et l'agitation à l'intérieur leur parvenait en sons étouffés.

— Quand il est question de s'amuser, on n'a pas le temps d'attendre ! lança Lauriane gaiement. Vous me faites très plaisir en venant ce soir, ma tante.

— Tu sais que c'est parce que tu es là ; autrement, je n'aurais rien à faire au milieu de ce rassemblement d'hommes des bois.

Lauriane savait que sa tante ne se mêlait jamais aux hommes à la veillée du samedi. Ils allaient frapper à sa porte le dimanche afin qu'elle les aide à rédiger leurs lettres. Le reste du temps, elle ne les côtoyait que pour les soigner. Aussi la jeune femme se réjouissait-elle d'être arrivée à la convaincre de venir ce soir. La veillée lui faisait très envie, mais y aller en sachant Adéline seule dans sa cabane aurait été hors de question.

En s'engouffrant à l'intérieur, elles eurent l'impression de se retrouver dans la caverne commune d'une bande d'ours joyeux dispersés dans la fumée de leur pipe. Adéline s'efforça de ne pas ébaucher une grimace en respirant l'air chargé de mille odeurs dont toutes n'étaient pas des plus agréables. Cela ne devait pas sentir meilleur que dans une véritable caverne d'ours! Quant à Lauriane, elle remerciait ses nausées de l'avoir délaissée depuis quelques semaines.

Une bonne animation régnait, certains avaient commencé à chanter. L'arrivée des femmes ne passa évidemment pas inaperçue, des mots d'approbation s'élevèrent de part et d'autre et des galants s'avancèrent pour les aider à retirer leur manteau.

— Deux créatures dans le camp à soir avec nous autres! s'exclama un homme en souriant largement à Adéline. On aura tout vu! C'est bien la première fois que je vois ça en quinze ans de bois, crucifix!

— Avant, moi, j'étais sur un chantier à La Tuque, enchaîna un autre. Le *cook* avait sa femme pour l'assister, mais elle était saprément moins plaisante à regarder!

Un jeune homme se tenant à proximité gonfla ses joues d'air et arqua ses bras de chaque côté de son corps mince, feignant un embonpoint exagéré. Afin de rendre l'imitation plus convaincante, il écarta les jambes et les plia légèrement, puis esquissa quelques pas chaloupés, s'attirant une pluie de rires.

— Notre *mimeux* national, annonça celui qui continuait de sourire à Adéline. Ça ne dit presque jamais un mot, mais ça imite tout ce qui se dit !

Le jeune dressa un index pour réclamer l'attention. Il se pencha, fit mine de cueillir quelque chose du bout des doigts et le porta ensuite à son nez pour le sentir.

— Une fleur ! devina quelqu'un.

Le mime approuva d'un signe, puis il referma son poing autour de la tige de la fleur invisible et, avec l'autre main, traça une grande boule juste au-dessus.

— Un bouquet de fleurs ! devina quelqu'un d'autre.

Hochant la tête en souriant, le jeune s'approcha d'Adéline, se pencha en une profonde révérence et lui tendit le « bouquet ».

— Que c'est mignon ! s'extasia Adéline en prenant le présent invisible sous les « wouhhh » bruyants des hommes. Approche un peu, que je te remercie.

Attirant le visage juvénile vers elle, elle déposa un baiser sur sa joue, ce qui intensifia les exclamations autour. Cramoisi, le jeune fit de nouveau mine de cueillir une fleur, la porta encore à son nez pour la sentir et mima un bouquet qu'il offrit à Lauriane dans une nouvelle révérence.

— C'est trop gentil, merci !

Prenant le bouquet, elle jeta un regard malicieux à sa tante et déposa à son tour un baiser sur la joue du jeune homme. Les réactions autour ne se firent pas attendre et le mime s'empourpra violemment sous la flopée de taquineries qui fusa :

— Licheux !

— Des fleurs ! Dis, petit… tu ne pourrais pas me mimer une liasse de beaux billets de banque ?

— Le mime pour séduire les créatures, moi, je trouve qu'il a de la jugeote, le jeune !

Riant, le mime se colla sur celui qui l'avait traité de licheux et commença à faire semblant de le lécher partout. L'autre se dégagea en maugréant, au grand divertissement de tous. Momentanément détournée par le mime, l'attention des hommes se ramena sur les femmes. Telles deux princesses, elles se retrouvèrent entourées d'une cour joyeuse et animée. On leur approcha un banc, puis l'homme qui ne cessait de sourire à Adéline se frappa dans les mains.

— De la musique pour les créatures ! Hector, sort donc ta ruine-babines[15] qu'on se secoue les gigots !

Généreusement encouragé par tous, le Hector en question consentit à prendre place sur la bûche qu'on lui offrait. On se regroupa autour de lui dès qu'il tira l'instrument de sa poche. Il le porta à sa bouche et commença à jouer en tapant du pied, imité par son cercle de spectateurs qui s'exécuta à l'unisson. Certains semblaient jouer à qui frappait le plus fort et les coups résonnaient, faisant vibrer le plancher.

Le manque de femmes dans les camps de bûcherons, notamment à l'occasion des veillées, était une réalité à laquelle les hommes avaient la chance de pouvoir échapper pour une fois. Ils ne ratèrent pas cette occasion et sollicitèrent Adéline aussitôt que les jambes commencèrent à se délier. Lauriane, portant le deuil de son frère depuis trop peu de temps encore, préférait s'abstenir. Une seule femme

---

15. Harmonica.

n'étant pas suffisante, on compensait par des volontaires pourvus d'un fichu autour du bras afin de les différencier.

Parmi les hommes groupés autour du joueur d'harmonica et des danseurs se trouvait William. Lui et Martin venaient tout juste d'en terminer au bureau. De l'endroit où il se tenait, il pouvait admirer à loisir sa femme au milieu d'une cour d'hommes admiratifs. Les joues rosies par la chaleur, elle souriait gracieusement, ses yeux bleus pétillant de gaieté. Sa chevelure rousse jouait de reflets allant du carmin au jaune orangé selon l'angle de la lumière et laissait ses observateurs captivés.

William délaissa cette exquise vision pour se tourner vers un gros gaillard venant de surgir à ses côtés.

— Est-ce que ça ne serait pas l'heure d'ouvrir les vannes, boss?

— Cela se pourrait bien. La réserve attend sagement à l'office depuis assez longtemps, il me semble.

— Que oui! approuva l'autre en se frottant les mains. Il faut la libérer. Une chance que c'est fermé à clé parce que j'en connais qui auraient fait main basse dessus et tout mis à sec!

— Besoin d'un coup de main? proposa Martin.

— Non, je préfère parsemer les quantités, ça incitera à la modération.

William tendit une clé au gaillard.

— Tiens, tu es responsable de l'opération. J'ai pour ma part une affaire à régler.

Il s'éloigna ensuite, imité par l'autre. Martin se remit à observer les danseurs sur lesquels nombre de paires d'yeux étaient rivées, émerveillées par les mouvements de jupes d'Adéline, comme autant d'apparitions divines.

— Je ne le dirai pas trop fort pour ne pas offenser le grand boss, mais moi, je dis qu'une créature, ça n'a pas sa place dans un camp.

— Ça nous fait nous ennuyer des nôtres !

L'oreille tendue pour écouter la conversation amorcée entre Dupont et Gervais derrière lui, Martin suivit des yeux Adéline, qui riait aux éclats alors qu'on lui faisait exécuter une gracieuse pirouette, puis il avisa Lauriane, un peu en retrait. Si la présence de femmes ne le dérangeait nullement, il ne pouvait en dire autant d'elle en particulier. Il s'était fait engager sur ce chantier en espérant laisser le passé derrière en même temps que Monts-aux-Pins. Mais voilà que la sœur de Thomas ramenait tout, tout ce qu'il s'était efforcé d'oublier jusqu'à présent.

— Tu n'as même pas de femme de qui t'ennuyer, Gervais, lança Martin par-dessus son épaule.

— Gervais, non, mais moi, j'en ai une et ça me troue le cœur ! geignit Yvon Boisclair.

Dupont foudroya ses compagnons du regard.

— Je ne parle pas d'ennui, bâtard ! Ce que je dis, c'est que c'est un univers d'hommes ici. Ce n'est pas pour des femmelettes et encore moins pour des femmes !

— Tant qu'à ça, t'as peut-être raison, approuva Gervais. Mais quand même, la doc est là pour gagner son pain elle aussi, comme nous autres.

— Ben ça, justement, parlons-en. Se faire soigner par une créature, avez-vous déjà vu ça ? Le boss est tombé sur la tête ou quoi ? Elle n'est même pas médecin, en plus. D'ailleurs, on n'est pas prêts d'en voir, des femmes médecins, c'est moi qui vous le dis. Elles n'ont pas à se mettre le nez là-dedans, elles y comprennent rien de toute façon.

Qu'elles restent à leurs fourneaux et leur marmaille, et qu'elles n'essaient pas de se mêler de nos affaires d'hommes. Est-ce qu'on se mêle, nous autres, de leurs affaires de femmes? Pantoute! Alors qu'elles fassent pareil. Moi, en tout cas, je n'irai jamais la consulter, la doc, même à l'article de la mort!

— Ferme-la, Dupont, y a le *foreman* juste à côté, il pourrait t'entendre.

— Qu'est-ce que tu veux que ça me fasse, qu'il m'entende? J'ai droit à mon opinion, hein *foreman*?

Interpellé, Martin se retourna.

— C'est pas vrai ça, que j'ai droit à mon opinion? le défia Dupont en étirant un sourire effronté.

Ses propos, que Martin avait parfaitement entendus, n'avaient rien de surprenant. Cet homme était un contestataire pur et dur, il aimait dire le contraire des autres et puisait le summum de son plaisir dans la critique et la provocation. Il désapprouvait qu'un jeune comme Martin soit contremaître, bien que ce dernier dispose du respect de la majorité. Si en général Dupont se contentait de faire son travail, il profitait des absences de William pour contester ses méthodes et son autorité. S'estimant en mesure de gérer la situation, Martin ne jugeait pas nécessaire d'en informer son supérieur. Il n'était pas du tout impressionné par un râleur dans son genre, qui contestait plus souvent à voix basse qu'à voix haute, sauf quand il s'estimait plus fort que l'autre.

— Si tu bûchais autant d'arbres que tu as d'opinions, on aurait pu fermer le chantier en décembre, jeta Martin avant de s'éloigner.

❋ ❋ ❋

Un verre d'eau à la main, Adéline s'introduisit dans le *forepic* et referma la porte derrière elle. L'air entrait et ressortait de ses poumons à un rythme accéléré. Elle souleva sa chevelure pour aérer sa nuque moite, puis avala une longue gorgée d'eau afin de mouiller sa gorge sèche. Il faisait une chaleur suffocante dans le dortoir, il y avait longtemps qu'elle n'avait pas autant transpiré !

— Nous avons rarement l'occasion de vous voir vous démener de la sorte, remarqua une voix grave depuis le fond de la pièce.

Adéline rit, le nez dans son verre.

— Profitez-en, parce que vous ne reverrez pas ça de sitôt ! C'est bien pour contenter Lauriane que j'ai accepté de venir.

— Méfiez-vous. Les hommes risquent de prendre votre présence en goût et d'aller frapper à votre porte chaque samedi, désormais, pour vous inviter à veiller en leur compagnie.

— Qu'ils essaient donc ! Ils vont être amèrement déçus ! Je mettrai le verrou à ma porte s'il le faut.

Propos qu'elle appuya d'un hochement de tête résolu, avant d'avaler une nouvelle gorgée d'eau. Elle s'avança ensuite vers la table de travail, devant laquelle se tenait son interlocuteur, qui affichait un air amusé.

— Alors... Pourquoi m'avez-vous demandé de venir vous rejoindre ici, William ? Pas seulement pour me parler des vues que vos hommes auront sur moi en tant que partenaire de danse, quand même ? plaisanta-t-elle.

— Pas uniquement, non, répondit William, un rire dans la voix.

D'un geste, il lui proposa une chaise et, les jambes en coton, Adéline s'y laissa volontiers tomber. Puis, elle riva son regard sur lui, attendant la suite.

— Je serai bref, annonça-t-il en plongeant les mains dans ses poches de pantalon. Je souhaiterais simplement m'entretenir un moment avec vous au sujet de cette histoire d'aphrodisiaque.

L'expression d'Adéline s'assombrit en même temps que sa posture s'affaissait, l'appesantissant sur son siège. Sa bouche forma une moue contrite.

— William... Si vous saviez comme je m'en veux d'avoir semé la zizanie dans votre couple en vous parlant de ça le soir de votre mariage...

— Vous me pensiez au courant.

— Oui, je pensais que vous saviez tout, sinon je ne vous en aurais jamais parlé, je n'aurais pas volontairement causé du tort à ma nièce, c'est bien certain. Dans mon esprit, vous aviez compris qu'il s'agissait d'une pure malchance. Tout ça à cause de moi, parce que j'ai fait cette satanée erreur de fiole !

Les coudes de William s'écartèrent brièvement de son corps en un geste d'incompréhension.

— Comment une telle chose a-t-elle pu se produire ? Vous qui n'êtes ni négligente ni désordonnée lorsqu'il est question de votre travail.

— C'est bien vrai, approuva Adéline dans un petit mouvement du menton. Ma maison a peut-être l'air d'un bazar la plupart du temps, mais dans mon atelier, c'est très différent. Chaque chose est à sa place, je connais cette pièce par cœur. Mais il faut croire que je ne suis pas à l'abri d'une distraction, parce que la fiole que je voulais confier à Lauriane n'était pas rangée au bon endroit.

— Une potion pour améliorer son humeur, d'après ce que j'en sais.

Adéline replongea le nez dans son verre, qu'elle vida d'un trait avant de le déposer sur ses cuisses. Fixé sur ses doigts qui s'enroulèrent autour, son regard se troubla.

— Après la mort de Thomas, Lauriane traînait une mélancolie qui me fendait le cœur. J'ai essayé de l'aider comme je le pouvais. Je lui ai dit de passer chez moi, que j'avais quelque chose qui lui ferait du bien. Elle est donc venue juste avant d'aller au manoir pour son premier après-midi de travail comme demoiselle de compagnie et je lui ai remis la fiole.

Les informations cheminèrent dans l'esprit de William, qui les analysa, pour finalement aboutir à une question évidente :

— C'était plusieurs jours avant l'anniversaire de Norah, si je ne m'abuse. Pourquoi n'avoir pas prévenu votre nièce de votre méprise le jour même ?

— Parce que je ne me suis pas rendu compte de mon erreur tout de suite. Je l'ai constatée le jour de l'anniversaire de Norah, justement. J'ai voulu prévenir Lauriane aussitôt, mais puisqu'elle était au manoir, il a fallu que j'attende son retour. Et, bien sûr, il était trop tard. Mais ça, je ne l'ai pas su tout de suite…

Les doigts d'Adéline s'étaient crispés d'instinct sur le verre. Elle se souvenait encore du regard que sa nièce lui avait lancé après qu'elle lui avait annoncé avoir fait une erreur de fiole. Ce qu'elle avait interprété comme de la surprise s'avérait être, en réalité, de l'affolement, de la détresse.

Misère de misère! Dire qu'elle n'avait rien soupçonné du drame que vivait la pauvre chérie, se félicitant plutôt d'avoir pu lui éviter de compromettre sa vertu!

— Quelques semaines plus tard, j'ai découvert qu'elle attendait un enfant, poursuivit Adéline d'une voix étranglée. Je l'ai forcée à tout m'avouer et c'est là que j'ai su pour l'aphrodisiaque. Si vous aviez vu la honte dans ses yeux, William... Et la détresse, aussi. C'est tout son monde qui s'écroulait autour d'elle. Lauriane savait que sa vie venait de basculer complètement. Je ne l'ai jamais vue aussi désespérée... Mais elle a trouvé le moyen de me surprendre par sa force de caractère en planifiant son départ de Monts-aux-Pins. William, est-ce qu'une jeune femme qui serait tombée enceinte pour vous passer la corde au cou aurait réagi de cette façon, vous pensez?

— Cela aurait pu faire partie la supercherie, afin de rendre son rôle de victime plus crédible.

— Très bien, dans ce cas, que dites-vous du fait qu'elle ait refusé catégoriquement qu'on vous informe de sa grossesse? Vous souvenez-vous qu'elle ait mis fin abruptement à son travail de demoiselle de compagnie?

Les yeux de William s'amincirent par la courte réflexion qui l'absorba.

— Mes différents projets me tenaient hors des murs du manoir à cette époque, mais je me souviens avoir relevé l'absence de votre nièce en quelques occasions. Je l'ai crue souffrante, aussi ne m'en suis-je pas préoccupé outre mesure.

— Quand Lauriane a su que Norah vous avait tout dit, elle l'a très mal pris. Elle s'est dressée contre elle, mais surtout contre moi. Elle m'a accusée de l'avoir trahie en divulguant son secret à votre tante et m'a dit qu'elle ne me ferait jamais plus confiance… Une jeune femme qui vous aurait manipulé n'aurait pas réagi de cette façon, en quittant un emploi payant, en brisant une amitié et en rejetant l'une des personnes qui comptaient le plus dans sa vie…

S'interrompant, Adéline pressa ses lèvres l'une contre l'autre, sentant remonter les émotions liées à ces pénibles souvenirs. Sa relation avec sa nièce avait été lourdement mise à l'épreuve et aurait pu s'en trouver brisée à jamais. Mais, par bonheur, elle avait tenu bon et en définitive, ces événements leur avaient permis de savoir de quel alliage infrangible elle était composée.

— Cela semble aller parfaitement bien entre vous, à présent, dit William, qui avait deviné son trouble.

Un sourire éclaira lentement le visage morne d'Adéline.

— C'est parce que Lauriane a trouvé la force de me pardonner. Pourtant, je ne regrette rien. Je ne pouvais pas la laisser partir de Monts-aux-Pins. Elle était si déterminée… Je ne savais plus quoi faire, je me disais que vous deviez être prévenu, que c'était la moindre des choses que vous sachiez la vérité.

— Une vérité que Norah a apparemment dépouillée de certains détails… Parce qu'elle est au courant pour l'aphrodisiaque, j'imagine ?

— Oui, depuis le début.

La mâchoire de William se contracta, mais il demeura silencieux.

— Norah devait avoir ses raisons de ne pas vous le dire, mais ça n'a plus aucune importance, maintenant, soutint Adéline. Ce qui compte est que vous sachiez que la grossesse de ma nièce et votre mariage ne reposent pas sur des manigances. Lauriane n'aurait jamais fait une chose pareille, jamais de la vie ! À la limite, on pourrait dire que c'est moi la fautive, c'est moi qui ai commis une erreur de fiole et c'est moi qui ai tout dit à Norah. Je suis responsable de tout, en réalité, pas Lauriane.

Braquant son regard sur elle, William resta à la fixer, comme s'il considérait les choses sous cet angle pour la première fois. Son visage demeura toutefois dégagé, laissant penser qu'il ne comptait pas pour autant la crucifier sur place. Ses mains quittèrent ses poches, puis il se distança de la table de travail à laquelle il s'était appuyé.

— Je vous remercie pour toutes ces précisions, Adéline. Je ne vous retiens pas davantage, on doit vous chercher de l'autre côté.

— Oui, je crois que je les entends m'appeler, d'ailleurs !

Riant, Adéline se leva. Elle s'approcha de lui, son expression retrouvant son sérieux.

— Si ça peut mettre un point final à cette satanée histoire, je suis contente de vous avoir parlé, William. Je ne suis pas là pour vous juger ni pour vous dire quoi penser ou faire. Mais puisque vous êtes marié à ma nièce, je vais me permettre de vous donner un conseil : le passé s'empoussière et mieux vaut ne pas trop le remuer. Tournez-vous plutôt vers le présent et l'avenir. Envisagez-les non pas avec l'ancienne opinion que vous aviez de Lauriane, mais avec celle que vous aurez à partir de maintenant et qui, j'en suis sûre, sera plus positive. Considérez-la tout simplement comme ce qu'elle est, c'est-à-dire votre femme, ni plus ni moins. Ce que vous ferez ensuite n'appartient qu'à vous, mais j'ai confiance que ce sera plus constructif que destructeur, pour tous les deux.

Propos qu'elle ponctua d'un sourire débordant de l'optimisme qui la portait en cet instant. Tout au long de leur échange, elle avait senti que William était réceptif, ouvert à recevoir et à prendre en considération chaque information qu'elle lui fournissait. En même temps, Adéline avait eu l'impression de faire amende honorable, envers sa nièce, qui avait subi d'injustes accusations, et envers William, qui s'était cru manipulé. Elle avait déclenché la tempête et on lui offrait aujourd'hui l'occasion de contribuer à l'apaiser. Ainsi donc, elle ressortait de cette rencontre avec le sentiment de la mission accomplie.

Les hommes, dans le dortoir, retrouveraient une partenaire de danse au pied autrement plus léger...

Les deux femmes n'étaient pas en manque de compagnie. En tant que vieille fille, Adéline n'avait jamais disposé d'autant d'hommes pour l'inviter à danser ou lui faire la conversation. Ils étaient d'humeur joyeuse, heureux de pouvoir se divertir, qui plus est en présence féminine, cela en des façons toujours respectueuses et polies, rendant fausse leur réputation de rustres malengueulés. Il fallait quand même faire bonne figure devant ces dames !

Lauriane rejoignit sa tante à une table au bout de laquelle se trouvaient des joueurs de cartes. Elle voyait Adéline se tenir en observatrice depuis un petit moment, apparemment intéressée par le jeu. Outre des cartes se trouvait aussi sur la table une bouteille d'eau-de-vie. Ce n'était pas la première que Lauriane apercevait et elle s'étonnait grandement de ce fait, sachant que d'ordinaire on ne tolérait pas l'alcool dans les chantiers. Il y avait également des tablettes de tabac McDonald, lesquelles semblaient tenir lieu d'enjeu.

— Ils jouent au *bluff*, précisa Adéline quand la jeune femme le lui demanda. Ils jouent pour du tabac, William les limite à cinq tablettes chacun pour qu'ils ne finissent pas trop en perte. Il paraît que dans certains camps, le jeu est interdit à cause des abus.

Alors que Lauriane tournait la tête pour chercher son mari du regard, un homme entra dans son champ de vision. Elle fut tout de suite intriguée par la façon dont il la fixait, de côté, comme s'il voulait éviter d'attirer son attention. Mais surtout, elle fut frappée par la morosité qui marquait son visage et noyait ses yeux. Ne pouvant rester insensible à tant d'émotion dévoilée, Lauriane étira les lèvres timidement. Peu importe ce qui le bouleversait à ce point, elle espérait que cela le réconforterait un peu, comme parfois un simple sourire avait le pouvoir de réchauffer une âme transie. La petite lueur qui jaillit dans les prunelles de l'homme lui fit chaud au cœur. Les coins de sa bouche vibrèrent, puis il pivota et s'éloigna, les épaules voûtées.

— À votre tour, doc!

L'un des hommes se levait pour céder sa place à Adéline.

— Vous jouez? s'étonna la jeune femme.

— Certain que je joue!

— Il y a un problème : vous ne fumez pas.

— Ce n'est pas grave, je vais commencer avec des pièces, et le tabac que je gagnerai, je le vendrai, n'est-ce pas, Messieurs?

L'homme assis en face d'elle montra un air sûr de lui.

— Je compte bien m'acheter du tabac avec l'argent que vous m'aurez donné, doc, plutôt que de payer deux fois du tabac que j'aurai perdu à vos dépens.

— Tenez-vous prêts, parce que moi, je compte bien vous le vendre !

L'esprit de compétition de sa tante amusa Lauriane. Elle suivit la partie avec intérêt, curieuse de voir de quoi Adéline était capable, jusqu'au moment où, se sentant observée, elle releva les yeux. L'homme à l'air morose était revenu. La jeune femme fut encore une fois touchée par toute cette émotion qui émanait de lui et éprouva l'envie de savoir ce qui la causait. Mais il repartit, portant à ses lèvres le verre qu'il avait en main.

Il passa à côté de William, qui venait en sens inverse. Constatant que ce dernier se dirigeait vers elle, Lauriane sentit ses jambes mollir. Réaction qu'elle mit sur le compte de l'inoubliable scène qui s'était déroulée la veille dans le bureau. Jamais elle n'avait éprouvé autant de plaisir à appliquer de la pommade à quelqu'un. Cela s'était mué en une expérience délicieusement sensuelle et intime dont elle ressentait encore les effets brûlants.

Tandis qu'elle regardait son mari approcher, elle fit l'effort de ne pas visualiser son torse sous sa chemise, laquelle en laissait trop aisément deviner les muscles. Tâchant également de ne pas se laisser distraire par son odeur virile qui la pénétra à pleins poumons dès qu'il fut près d'elle, Lauriane s'empressa aussitôt de concentrer son attention ailleurs.

— Vous gagnez sûrement en popularité avec ces largesses, commenta-t-elle en indiquant de la main la table où jouait sa tante.

— Ce n'est pas pour autant que j'autoriserai ces libations à répétition.

— Ce soir serait une exception ?

— Nous sommes encore au temps des fêtes : je leur permets de célébrer une dernière fois avant de retomber pour de bon dans la routine.

Un juron s'éleva du côté de la table, craché par un joueur à l'évidence en passe de se faire battre aux cartes par Adéline. La jeune femme gloussa.

— La boisson fait surgir les gros mots !

— J'en ai peur. En présence de femmes, ils paraissaient vouloir soigner leur langage. Quelques gouttes d'alcool et c'est le relâchement.

— Chassez le naturel et il revient au galop.

Avant que l'alcool n'entre en jeu, Lauriane avait observé que les hommes semblaient effectivement surveiller leur langage pour en avoir surpris quelques-uns à s'interrompre au milieu d'un gros mot à quelques occasions.

— Vous semblez moins courbaturé qu'hier, vos muscles vont mieux ?

— Avec le traitement auquel ils ont eu droit, même un mort se serait assoupli.

S'amusant de voir les joues satinées de sa femme rosir, William songea que c'était vrai, à l'exception d'une partie de son corps en particulier avec laquelle cela avait été l'effet inverse...

— La pommade de ma tante fait des miracles, dit Lauriane, harcelée d'images du corps superbement découpé de son mari.

— Vos mains aussi font des miracles.

Il lui dédia un sourire dévastateur qui eut l'effet d'une décharge de feu dans l'estomac de Lauriane, en même temps qu'il ravivait l'espoir qui avait germé dans son cœur la veille. Maintenant qu'il avait écouté ses explications pour l'aphrodisiaque, peut-être ne la haïrait-il plus et peut-être la voie s'ouvrirait-elle pour une véritable trêve ? Son attitude s'annonçait, à tout le moins, encourageante. Il était venu lui parler, se montrait courtois, bien qu'elle sache que cette façon d'agir ne voulait rien dire, le passé lui ayant tenu cet enseignement.

L'homme à l'air morose rôdait de nouveau aux alentours. Avec la présence de William, il semblait plus hésitant à observer Lauriane, se contentant de lui jeter un regard à la dérobée de temps à autre. Intriguée par son comportement, la jeune femme se décida à passer une remarque à son mari à son sujet.

— Cet homme n'a pas l'air dans son assiette, il semble abattu et triste.

William jeta un coup d'œil à celui que sa femme lui indiquait discrètement du menton.

— Yvon Boisclair. Un jeune marié. Depuis l'automne, il ne cesse de répéter que sa femme lui manque.

Il attira son attention et l'invita d'un geste à s'approcher, ce que fit l'homme en semblant devenir encore plus abattu.

— Qu'est-ce qui t'arrive, Yvon ? Ne m'avais-tu pas promis que tu t'amuserais ce soir ?

Le malheureux poussa un soupir qui acheva d'affaisser ses épaules déjà basses.

— Je vous l'ai promis, je sais. Ce n'est pas que je ne m'amuse pas... pas que j'essaie pas...

Il contempla Lauriane.

— Excusez-moi de vous fixer comme ça, Madame Fedmore. Vous me rappelez ma femme. On s'est mariés l'été dernier, elle attend notre premier enfant.

— Ah oui ? Toutes mes félicitations ! Vous serez rentré chez vous à temps pour le grand jour, j'espère ?

— La délivrance est prévue pour mai. Je suis très nerveux, j'ai hâte d'y être.

Son visage s'assombrit.

— Elle a des petits ennuis de santé, rien de grave, mais je trouve ça dur sans bon sens de ne pas être avec elle.

— Oh... bien sûr, ça se comprend. Avez-vous des nouvelles régulièrement au moins ?

— Souvent, mais pas assez à mon goût. Elle dit qu'elle va bien, mais à cause de ça, le camp, cette année, je trouve ça dur, même si j'ai un bon boss, précisa Yvon avec un regard pour William. J'aime bien travailler pour vous, vous nous traitez comme il faut et le camp est propre et tout, mais je prends très dur l'éloignement cette année. En plus que j'ai pas pu faire comme les *jumpeux* aux fêtes. Je viens de la Beauce, moi. Je peux pas rentrer à la maison retrouver ma famille durant le congé. Ce qui fait qu'avec tout ça, je n'ai pas vu ma femme depuis une éternité.

L'air découragé, il s'attarda encore une fois à contempler Lauriane.

— Quand je vous regarde, Madame, ça me rend encore plus nostalgique. Vous ressemblez un peu à Louison ; en fait, vous n'avez pas les mêmes traits, mais vos yeux... Ils ne sont pas du même bleu que les siens, les vôtres sont plus foncés. Et vos cheveux... Ceux de ma femme tirent sur le roux. Bref, vous ne lui ressemblez pas vraiment, mais vous me faites penser à elle.

— Je comprends. Je n'ai pas besoin de lui ressembler, ma présence suffit à rendre l'absence de votre femme encore plus difficile.

— Vous l'avez dit, Madame. Je ne voulais pas vous mettre mal à l'aise parce que je vous regardais ni que vous, boss, vous pensiez que j'ai des vues sur votre femme. C'est pas du tout ça…

— Comment pourrais-je croire que tu as des vues sur ma femme quand tu te plains depuis des semaines que la tienne te manque? Et que n'eût été le salaire que je te donne, tu aurais déserté en chemin, avant seulement d'être arrivé.

Un rire roula faiblement dans la gorge d'Yvon. Ses yeux étaient étrangement brillants, comme humides.

— Ça, il n'y a pas à dire. J'aurais été capable de le faire, mais là, c'est Louison qui m'aurait reviré de bord en me criant de ne pas revenir sans ma dernière paye au printemps!

Il s'esclaffa cette fois, ce qui sembla par la suite l'investir d'une meilleure humeur. Guss se joignit à eux peu après. Lauriane ne l'avait pas encore vu sans tablier et lui fit remarquer combien il était chic, à la blague cependant, car il portait une chemise à carreaux tout usée.

Le joueur d'harmonica faisait parfois des pauses et les danseurs poursuivaient au simple son des voix. Quant à Adéline, elle ne décollait plus de la table de cartes et Lauriane la taquina en la qualifiant de mordue du jeu. Le mime, pour sa part, divertissait les hommes à sa façon en faisant ses simagrées. Son public tentait de deviner ce qu'il mimait ou, à l'inverse, on lui faisait des demandes qu'il devait traduire en gestes. La plupart du temps, il s'agissait de choses abstraites impossibles à mimer comme des expressions du langage quotidien, des dictons et proverbes du genre : «L'enfer est pavé de bonnes intentions.» Doté d'un esprit imaginatif et ingénieux, le jeune finissait pourtant par impressionner tout le monde en trouvant le moyen de faire un geste, un mouvement, quelque chose représentant ce qui lui était demandé, lui valant moult applaudissements.

Les chansons cédèrent bientôt la place aux raconteurs. Lauriane s'assit à une table et se réjouit de ce que William se retrouve à ses côtés. Elle avait eu le plaisir de partager sa compagnie en quelques occasions au cours de la soirée et avait pris goût à la légèreté de leurs échanges, à l'émoi que lui causaient sa proximité tout autant que le simple fait de croiser son regard quand ils se trouvaient à distance l'un de l'autre. Un regard comme elle n'en avait plus revu depuis très longtemps, qui la pénétrait jusqu'à l'âme, lui ravissait son oxygène et surtout, qui la déshabillait littéralement. L'espace de quelques instants, elle s'était sentie redevenir la jeune fille d'avant le mariage qui avait les genoux tremblants en présence du bel Anglais, propriétaire de Côte-Blanche, et elle osait s'avouer que cela avait été loin de lui déplaire...

Ce fut donc en baignant dans un état de gaieté fébrile qu'elle écouta les divers récits relatant des exploits légendaires réalisés par des bûcherons. Des histoires de revenants, de feux-follets, ou encore des expériences de chasse-galerie voulant que pendant la nuit, certains hommes voyagent à bord du canot volant de Satan pour aller rendre visite à leur bien-aimée.

— Je connais deux petits garçons qui raffoleraient d'être ici pour entendre toutes ces histoires, confia Lauriane à son mari.

— Ryder jouerait les braves en feignant de ne pas avoir peur, tandis qu'Harrison nous couperait la circulation dans la main à force de la tenir bien serrée, dit William dans un rire auquel fit écho celui de la jeune femme.

Or, pendant que tous s'amusaient, un sombrait à nouveau dans la déprime et la mélancolie. Le visage enfoui au creux de ses bras repliés sur la table, gavé d'alcool, Yvon se refermait sur sa peine et ne prêtait plus aucune attention à ce qui se passait autour de lui.

— Coudonc, qu'est-ce qui lui arrive, à Yvon ? demanda l'homme assis près de lui.

— Une petite crise d'ennui ; je vais l'emmener marcher dehors.

Envoyant une tape dans le dos de l'éploré, William se pencha à son oreille.

— Debout, Yvon. Je t'emmène prendre un peu l'air pour te dégriser.

La jeune femme se leva en même temps que son mari. Sa tante les avait quittés juste avant que débutent les histoires et Lauriane en aurait fait autant si elle n'avait pas souhaité rester en compagnie de William le plus longtemps possible. À présent qu'il était sur le point de partir, elle estimait que le moment était également venu pour elle de se retirer.

— Je n'en peux plus, je suis épuisée. Je vais me coucher à mon tour.

— Me donnez-vous cinq minutes ? Le temps que j'aide Yvon à s'habiller. Je vais le faire sortir par le *forepic* et prendre mon manteau en passant.

— Oui, pas de problème.

William s'attarda à observer sa femme. Le massage de la veille l'avait diablement émoustillé et il avait passé une bonne partie de la soirée à ne songer qu'à une chose : se retrouver seul avec elle pour assouvir ce brutal désir qui le dévorait. Après avoir entendu ses arguments, de même que la version des faits d'Adéline, il n'avait d'autre choix que d'envisager sérieusement la possibilité que sa femme soit innocente de ce dont il l'accusait. Mais à la vérité, cela n'avait plus aucune importance en cet instant. Il en avait tout simplement assez de réprimer ses envies, sa période d'abstinence n'avait que trop duré. Il était désormais résolu à se livrer sans plus attendre aux pulsions que sa femme déchaînait en lui comme autant de vagues dans la violence d'une tempête en mer. Seulement, il n'avait pas prévu la crise d'Yvon. Peut-être qu'en ne perdant pas trop de temps...

Fouetté par cette perspective, il fila chercher le manteau et les bottes d'Yvon, puis revint l'aider à s'habiller en vitesse.

— On s'en va où ? geignit le jeune homme.

— Je viens de te le dire, je t'emmène prendre l'air. Viens.

Lorgnant une ultime fois sa femme qui souhaitait bonne nuit aux hommes, William attrapa Yvon et l'entraîna promptement en direction du *forepic*.

Le froid à l'extérieur était saisissant. William espéra que cela remettrait Yvon d'aplomb. Il le fit avancer en le soutenant, tâchant de ne pas se faire déséquilibrer par sa démarche titubante.

— On était mieux en dedans ! ronchonna Yvon.

— Mieux pour quoi? Pour gémir, couché sur la table?

La nuque du jeune homme se courba tandis que sa tête allait de droite à gauche.

— Ohhh... je ne suis pas correct... non... vraiment pas correct! Je vous avais promis de m'amuser et je finis en braillant comme une fillette...

— Il n'y a pas de mal, tu es sous l'effet de l'alcool. Je te corrige cependant sur une chose : ne viens pas me dire que tu ne t'es pas amusé, je t'ai vu et je peux t'affirmer que tu as eu de bons moments.

La tête d'Yvon cessa de pivoter et il releva sur son patron un œil brumeux. Ses idées diluées mirent un temps à se remettre en place. Finalement, sa bouche esquissa un sourire de travers.

— Je crois bien que parler avec votre femme, ça m'a réconforté.

Il se défit de William et enlaça un arbre autour duquel il se mit à tourner en fredonnant. Quand il le lâcha, étourdi, il partit presque à la renverse, ce que lui évita William de justesse en le happant fermement. Bien que soutenu, Yvon semblait prêt à s'écrouler dans la neige et William l'obligea à se remettre à avancer pour le secouer un peu.

— Je ne suis pas en grande forme, vous savez, boss...

— Continue de mettre un pied devant l'autre. Si tu l'es assez pour danser avec un arbre, tu peux marcher.

William commençait à se demander si, à vrai dire, il ne ferait pas mieux de l'expédier dans son lit, où il cuverait tranquillement son eau-de-vie pendant toute la nuit.

— Boss... Je commence à avoir les yeux jaunes.

Se détachant encore une fois de William, il fit quelques pas, s'immobilisa presque aussitôt et déboutonna son pantalon.

— Batinse! Que c'est pas chaud pour le pendule! se plaignit-il.

Il semblait un peu mieux se tenir debout lorsqu'il rejoignit William un moment plus tard. Celui-ci se dispensa donc de le soutenir, mais s'impatienta de la lenteur de sa démarche cependant qu'ils revenaient sur leurs pas. Il jeta un coup d'œil vers le *forepic*, dont la fenêtre montrait de la lumière, signe que sa femme n'était pas encore couchée. Cette constatation le fouetta. Bon! C'en était assez, tant pis pour la promenade. Mais Yvon voyait les choses différemment. Sans prévenir, il fila vers l'écurie et poussa la porte. William jura tout bas.

— Qu'est-ce que tu fais? gronda-t-il.

— Je m'en vais me réchauffer le pendule, je pense que je me le suis gelé.

Secouant la tête, William le talonna. Heureux de cette apparition inattendue de son maître, Dawson s'amena, tout excité. Quelques caresses le calmèrent, puis il alla en réclamer d'autres à Yvon, qui lui gratta la tête d'une main molle.

— Salut Dawson! Ça va, mon vieux?

Il se redressa avec tout autant de mollesse, exécuta quelques pas en s'ébrouant bruyamment.

— Brrrrr... qu'il fait donc froid, maudite affaire! J'aimerais tellement ça avoir ma femme pour me réchauffer, ça serait le paradis de la rejoindre en dessous des couvertures...

Son visage se fana et il laissa échapper un soupir.

— Savez-vous la chance que vous avez, boss, d'avoir la vôtre ici, juste à portée de main, de pouvoir la retrouver le soir, la tenir dans vos bras, l'admirer, lui dire de vive voix que vous l'aimez?

— Une chance!

Occupé à déprimer, Yvon ne capta pas la dérision dans son ton. Qui s'estimerait chanceux d'être pourchassé par une petite sorcière? Non, sérieusement, quand bien même William avait révisé sa vision d'elle et ne la jugeait plus avec autant d'implacabilité, il n'en désapprouvait pas moins sa venue au chantier. Alors, une chance? Certainement pas. Une source potentielle de plaisir charnel, tout au plus.

Yvon se dénicha un bout de mur et se laissa glisser au sol, dos appuyé. Pressé de regagner le *forepic*, William désespéra d'y arriver avant que sa femme se soit endormie. Il vint pour attraper le jeune homme afin de l'obliger à se relever quand il vit briller des chemins de larmes sur ses joues. Il ne bougea pas, partagé entre son désir pour sa femme et la détresse de son employé. Lui-même avait bu, il sentait l'eau-de-vie lui tomber dans les jambes. Il se laissa à son tour glisser jusqu'au sol et déplia ses genoux avec aise, se disant qu'il pouvait bien lui accorder cinq minutes.

— Ça n'a pas été facile de la conquérir, la belle Louison, raconta Yvon d'une voix étranglée. Il y avait un autre gars, il semblait aussi l'intéresser. Un beau parleur capable de dire des affaires aux femmes comme au théâtre... pfff... Moi, je lui ai dit ce qu'il en était, avec des mots simples. Je suis pas un faiseur de phrases à dix piastres avec des affaires de fleurs, de parfum et de roche... euh non... peut-être pas de roche... mais de... de coquillage! Ouin... faut dire... J'ai travaillé fort pour qu'elle me choisisse, mais ça s'est fait, ça été moi l'heureux él... llll... uuuu...

Sa poitrine fut brusquement secouée de spasmes. William crut qu'il serait malade, mais cela ne dura qu'un instant avant de se calmer. Sa bouche entrouverte, Yvon respirait fortement.

— Vous avez raison, j'ai trop bu…

— À peine, à peine, ironisa William. Avoir su, j'aurais décrété une interdiction pour toi.

— Je suis ben d'accord, approuva Yvon en dressant l'index. Sauf que ça n'aurait pas fait tellement de différence, parce que vous savez quoi? La boisson, ça engourdit le cerveau, mais pas le cœur. Sobre ou saoul, je suis esclave de ma peine.

— Serais-tu dans le même état, dis-moi, si ta femme n'attendait pas d'enfant?

— Vous pensez que je m'en fais trop pour ça?

— Louison a une grossesse difficile, il y a lieu de t'en trouver préoccupé.

— Le Bon Dieu est ben cruel de me tenir éloigné d'elle de même. Je pense tout le temps à elle et au bébé, que s'il arrivait quelque chose, je ne serais pas à ses côtés. C'est pénible d'y penser. Mais quand même qu'elle ne serait pas grosse, je suis trop fou d'elle… Louison, ma petite abeille… Ça m'arracherait autant le cœur d'en être séparé.

Un cheval bougea dans sa stalle. Il y eut un faible hennissement, puis des craquements de foin se faisant mâcher.

— Je ne sais pas pourquoi ça me déchire comme ça. Pourquoi, moi, ça a l'air de me faire plus mal qu'aux autres. C'est sûrement pas parce qu'ils aiment moins leur femme.

— Tu es sur la pente de la dépendance, Yvon. Voilà ce qui te distingue des autres. Louison a pris tant de place dans ta vie que sans elle, tu as du mal à fonctionner. Une part de toi a fusionné avec elle, tu n'es plus Yvon dans son intégralité.

— Je ne suis pas dépendant d'elle, je l'aime, calvasse! objecta Yvon en abattant son poing sur sa cuisse.

Son visage affichait sa contrariété. Sa respiration se fit plus bruyante durant un moment, puis s'entrecoupa tandis que son expression se voilait, se transformant en contrition.

— Excusez-moi, boss, excusez-moi... Je suis moi-même, Yvon est là au complet, je vous le jure. À part ici, maintenant, peut-être... en tout cas... sinon je suis là comme un seul homme... en fait, je suis un seul homme, je ne suis pas deux, dans mes culottes, je n'ai qu'une seule paire de couilles... alors... bref... Pour ce qui est de ma femme, c'est pas de la dépendance. Je ressens un manque quand elle est loin de moi, mais c'est normal, tout le monde ici s'ennuie de quelqu'un et ressent un manque. Je le vis juste plus intensément, faut croire. Vous, votre femme est au camp, mais elle doit bien vous manquer à vous aussi quand elle n'est pas à vos côtés?

William coula un regard sur ses doigts, qui furetaient dans le pelage de Dawson, venu s'étendre près de lui, et s'abstint de répondre. Sa femme ne lui manquait pas plus que quiconque. Personne ne lui avait jamais manqué, et elle moins que les autres. S'ennuyer ne faisait pas partie de son vocabulaire, car pour lui, il s'agissait d'une forme de dépendance, et puisqu'il ne dépendait de personne, il ne s'ennuyait de personne. Il ne voyait, hélas, en l'attitude d'Yvon qu'une marque de faiblesse, un manque de personnalité et de caractère.

— Une femme, pour nous autres, les hommes, c'est un don de Dieu, déclara Yvon en articulant avec peine. Dans le fond, je vais vous dire une chose, vous avez raison de dire que je suis pas tout là… Parce qu'un homme ne peut pas être dans son inté… gralité… sans une femme… Elle est la moitié de soi, le Bon Dieu nous a fait comme ça. Qu'est-ce qu'on serait si elles n'étaient pas là ? On serait les bœufs sans la charrue… ouin… je n'aime pas trop l'exemple… attendez… On serait la fleur sans l'abeille, oui ça, c'est bon. On serait la Lune sans les étoiles… ah, c'est beau, ça aussi… je devrais le noter pour pouvoir le répéter à Louison… Pis les enfants, eux autres, ils sont notre plus beau cadeau, notre plus belle réalisation, ils justifient notre existence dans ce bas monde… Vous verrez, vous aussi, quand votre femme sera grosse…

— C'est le cas. Ma femme aussi attend un enfant.

— Ah… alors c'est ça qu'elle cache sous son châle ! Ben félicitations, boss…

Yvon lui tapota l'épaule, les yeux à moitié ouverts, puis il se mit à sourire lubriquement.

— Vous n'êtes pas marié depuis longtemps vous non plus. Comme moi, vous n'avez pas perdu de temps ! Dire que le curé appelle ça le devoir conjugal. Il faut ben qu'il porte une soutane pour dire une chose pareille. Nous autres, on se comprend, hein boss ?

Il ponctua son commentaire d'un petit coup sur le bras de son patron en arborant un air complice. William, que le sujet émoustillait, sentit son corps se crisper par le manque. Yvon croirait-il qu'il n'avait pas touché sa femme depuis la nuit de noces ? Sûrement pas. Six longues semaines s'étaient déjà écoulées. Mais tout cela changerait cette nuit, dès qu'il la retrouverait dans le *forepic*.

Le silence courait depuis un moment et il vit que son compagnon somnolait, sa bouche ouverte envoyant son haleine fétide sur lui. William en eut assez et se remit sur pieds.

— Debout! C'est l'heure d'aller se coucher, annonça-t-il en le tirant par un bras.

Yvon se plaignit et se leva sans conviction. Après quelques pas, il chancela et s'effondra dans la paille d'une stalle vide. Un ronflement s'éleva bientôt de son corps inerte et William ne songea plus à le déplacer, se contentant de le recouvrir d'une couverture pour le garder au chaud.

— Je te plains, Yvon, murmura-t-il. Vois où t'a mené ton attachement pour ta femme. Surtout, ne t'en offusque pas, mais sache que rien ne saurait me convaincre d'envier ta situation...

Il secoua la tête, tourna les talons. Quand il quitta finalement l'écurie, la fenêtre du *forepic* était devenue noire. William se mit en marche, le bas-ventre vrillé par une crampe de frustration. Bon sang! Il allait devoir contenir ses ardeurs encore un peu, à ce qu'il semblerait.

À l'approche du dortoir, une lueur attira son attention du côté de la cabane d'Adéline. Par la fenêtre, il vit que de la lumière brillait à l'intérieur, ce qui l'étonna, compte tenu des signes évidents de fatigue que l'occupante avait présentés tout à l'heure avant de quitter la veillée. La crinière rousse striée d'argenté apparut. De longs doigts fins y plongèrent, plaquant les mèches sur le crâne. William ralentit le pas. Adéline lui faisait dos, mais sa gestuelle, sa façon de ployer l'échine, eurent de quoi l'intriguer. Ses bras retombèrent de chaque côté de son corps, poings crispés. Elle se déplaça, quittant le champ de la fenêtre, pour reparaître au bout de quelques secondes. Cette fois, son visage se laissa voir et William fut frappé par l'anxiété qui en altérait les traits.

Adéline disparut de nouveau, mais son ombre, projetée sur le mur, demeura visible, montrant qu'elle se déplaçait continuellement, pivotait, tel que le ferait quelqu'un d'agité. Elle passa devant la fenêtre sans s'arrêter, repassa ensuite en se triturant les mains. Puis, elle vint se coller le nez à la vitre pour explorer dehors. William, mêlé à l'obscurité, sembla échapper à son attention. D'ailleurs, elle n'y voyait certainement rien, mis à part son propre reflet, lequel rendait sans doute à la perfection l'expression de son regard hanté par une vive inquiétude. Décidément, William était de plus en plus intrigué. Que faisait-elle debout, à faire les cent pas dans sa cabane, à cette heure avancée du soir?

Abandonnant la fenêtre, Adéline se prit de nouveau la tête entre les mains, la secoua. Il devenait clair que quelque chose n'allait pas. Désireux d'en savoir davantage, William se mit à marcher en direction de la cabane. Mais alors qu'il se trouvait à mi-chemin, la lumière s'éteignit à l'intérieur. Il s'immobilisa, pris de court.

Après avoir passé de longues secondes à fixer la fenêtre obscure, William rebroussa finalement chemin, renonçant à déranger Adéline, qui s'était probablement mise au lit. Tout comme elle, il s'en allait à présent essayer d'engloutir ses tourments dans le sommeil.

5

L'écho de nos actes

En cet après-midi de congé dominical, une animation inhabituelle régnait dans le camp. Outre le fait de s'adonner à un repos bienvenu et mérité, les hommes occupaient leurs mains libres à de menues corvées tels le lavage et le raccommodage de leurs vêtements. Ils en profitaient également pour se détendre et se divertir par la musique et divers jeux consistant à se mettre à l'épreuve physiquement. Tir au poignet, tir au bâton, tir au crochet et ainsi de suite, les hommes se mesuraient entre eux et déterminaient de cette façon quel échelon ils occupaient sur l'échelle de force du groupe.

Ne trouvant d'attrait à aucune occupation en particulier, Lauriane sortit faire une marche sous un ciel nuageux, encouragée par le répit accordé par le froid de la nuit. Peut-être était-ce aussi dans le but inavoué de croiser William, qu'elle n'avait fait qu'entrevoir au déjeuner sans plus savoir par la suite à quelles activités il allait s'adonner.

Elle ne vit pas de trace de lui aux environs immédiats du camp. Sans doute était-il allé chasser. Lauriane l'oublia donc et se contenta d'apprécier sa promenade tout simplement. Le travail des bûcherons avait clairsemé le paysage, repoussé la forêt et fait naître un réseau de chemins principaux et secondaires. Elle s'attarda à flâner dans ces derniers. L'air embaumait la résine et portait le silence du vide laissé par les anciens occupants dont il ne restait que les souches et les branches amputées.

Il y eut un bruit de chute de neige. Fouillant les bois du regard, elle vit que des branches basses remuaient, libérées du poids qu'elles soutenaient. L'instant d'ensuite, Lauriane se figea comme une statue de pierres et cessa de respirer. Une paire d'yeux bordée de poils gris était braquée sur elle. Juste en dessous, la gueule découvrait ses canines agressives, appuyées par un grognement à glacer le sang. Campé sur ses pattes, le coyote semblait prêt à sonner l'assaut sur elle. Saisie d'effroi, Lauriane eut l'impression que le temps s'arrêtait. Telle une proie venant de se faire surprendre par son prédateur, son regard, fixé sur l'animal, luisait de terreur...

Le jeune homme regroupa les feuilles de papier éparpillées sur la table, les plia et les enfouit dans la poche de son manteau. Souriant de gratitude, il remercia Adéline pour son aide. Elle n'était pas fâchée qu'ils en aient fini. Il lui avait fait écrire une très longue lettre pour sa mère, avec qui il avait eu une sérieuse querelle durant le congé des fêtes. Avec le recul, la piqûre des remords était venue le harceler et Adéline avait été ravie d'aider le malheureux dans son mea culpa.

Elle quitta la cabane en même temps que son visiteur et en longeant le dortoir, elle rencontra William, qui cheminait en sens inverse.

— Bonjour! le salua-t-elle gaiement. Est-ce que Lauriane est occupée?

— Elle n'est pas là.

— Ah non?

— Je viens d'arriver de la chasse et elle n'était pas dans le camp. J'ai pensé qu'elle se trouvait avec vous.

— Je ne l'ai pas encore vue aujourd'hui.

William fronça les sourcils tandis qu'il observait alentour, imité par Adéline.

— Elle est peut-être allée marcher, supposa celle-ci.

Mais en disant cela, elle prit conscience de ce que cette possibilité impliquait et son échine se raidit en même temps que son regard se dilatait.

— Oh non! Faire une marche... Est-ce que des bêtes enragées ont été revues ces derniers temps?

— Pas depuis quelques jours, ce qui ne signifie pas que le problème a été enrayé.

Adéline se sentit brusquement blêmir. Non... pas cela... implora-t-elle en silence, sentant les griffes de l'angoisse se planter dans sa poitrine. Inévitablement, la nuit infernale qu'elle avait passée revint la hanter. Elle s'était réveillée la peur au ventre, écrasée par l'affreuse certitude qu'un danger imminent guettait sa nièce. Celle-ci l'avait tant et si bien troublée qu'elle avait passé un long moment à arpenter sa cabane, sans pouvoir rien faire d'autre que croupir dans un puits d'appréhension. Adéline détestait plus que tout avoir ce genre de prémonition, surtout quand elle concernait un être cher comme Lauriane. Un savoir brumeux bon qu'à la torturer et à lui entraver les mains !

— Quelque chose ne va pas ? demanda William, à qui son malaise n'avait pas échappé.

— Ce… non… Bonté divine ! Tout ça est inquiétant… souffla Adéline en portant une main à sa poitrine, où son cœur se déchaînait. Il faut trouver Lauriane au plus vite, j'ai un mauvais pressentiment…

William la dévisagea, croyant revoir ce même visage anxieux de la nuit dernière. Il s'abstint de la questionner à ce sujet, toutefois, se disant que cela ne le regardait en rien, tout compte fait.

— Je vais retourner à l'intérieur afin de me renseigner, dit-il en se détournant à demi. Quelqu'un sait peut-être où elle a pu aller.

— Et moi, je vais à l'écurie.

William se rendit d'abord à la cuisine, où Guss affirma ne pas avoir revu la jeune femme depuis l'heure du midi, en plus de ne pas avoir la moindre idée de ce qu'elle prévoyait faire une fois ses tâches terminées. Ce ne fut guère plus fructueux au dortoir, vers lequel William se dirigea ensuite. Sa quête souleva de l'inquiétude chez les hommes, qu'il dut rassurer quelque peu avant d'aller retrouver Adéline dehors. Sa mine décomposée le mit aussitôt en alarme.

— Je viens de parler à Joseph, annonça-t-elle d'une voix tendue. Il dit qu'il l'a vue se promener dans les environs.

— Il y a longtemps de cela ?

— Un quart d'heure, peut-être. Je n'aime vraiment pas ça, William ! S'il rôde encore des bêtes enragées, Lauriane pourrait se faire attaquer ! Ce n'est pas rassurant de la savoir partie toute seule dans le bois...

Plus elle y pensait, plus Adéline sentait la peur la ficeler et la panique la submerger.

— Il faut vite la retrouver ! gémit-elle, son corps secoué de tremblements.

— Dans quelle direction est-elle allée ?

— Quand Joseph l'a vue, elle marchait du côté des secteurs de coupe...

Estimant qu'il détenait suffisamment de renseignements, William ne voulut pas perdre davantage de temps.

— Je vais la chercher. Vous, vous restez ici au cas où elle reviendrait.

— Très bien... Très bien. Espérons qu'elle n'est pas allée loin...

— Oui, espérons-le.

Sur quoi William s'empressa d'aller rassembler fusil et raquettes. Il attacha ensuite Dawson à une laisse et se mit aussitôt en route, avançant d'un pas énergique, son chien allant en reniflant allègrement. William n'avait guère le choix de l'attacher, sinon ce téméraire irait se battre avec la première bête enragée qu'il flairerait.

Il s'en voulait de ne pas avoir mis Lauriane en garde. Absolument certain que sa présence au chantier n'irait pas au-delà d'une nuit, il ne lui avait pas fait part des nombreux cas de rage découverts dans la région au cours des dernières semaines. Plusieurs bêtes anormalement agressives avaient dû être abattues : raton-laveurs, renards, moufettes. Ils espéraient anéantir la propagation avant qu'elle ne se répande et devienne risquée pour les hommes travaillant en forêt. Bien qu'aucun nouveau cas n'ait été signalé depuis quelques jours, William s'en tenait à la prudence et maintenait armée chacune de ses équipes de bûcherons. Mais l'esprit encombré de préoccupations, il n'avait pas songé à la sécurité de sa femme, qui, à présent, s'exposait au danger sans même le savoir.

❄ ❄ ❄

Lauriane ne voyait plus le coyote caché par les branches, mais elle entendait ses grognements menaçants. Elle avait commencé par bouger avec lenteur, souhaitant que son mouvement ne le fasse pas bondir, puis elle s'était graduellement mise à avancer plus vite en jetant régulièrement des regards derrière pour savoir s'il la suivait.

Juste au moment où la jeune femme songeait à se mettre à courir, la bête se décida à jaillir des bois pour se lancer à l'attaque. Frappée d'une angoisse frigorifiante, Lauriane entendit sa course rageuse dans la neige et sut qu'à partir de ce moment, ses jambes ne lui permettraient pas de rivaliser avec les foulées rapides et agiles du coyote. Ainsi ne perdit-elle pas davantage de temps et mit-elle fin à sa fuite. En dépit de la terreur qui la suffoquait, elle fit demi-tour et le regarda foncer sur elle, la gueule écumante. C'était le moment d'agir, elle devait dominer sa peur, ne plus réfléchir. Vite ! Il lui fallait réagir vite !

De la poche de son manteau émergea sa main, refermée sur le pistolet qui s'y cachait en permanence. Le coyote fonçait : tout était joué désormais. Elle n'eut que le temps de viser et tirer. Le coup de feu claqua à ses oreilles. La balle rata sa cible et se ficha dans la neige à quelques centimètres de l'animal. Ce fut néanmoins suffisant pour l'effrayer et le faire déguerpir. Expirant son soulagement, Lauriane ne s'attarda pas davantage et fila en courant. L'aspect de la gueule du coyote n'avait rien de rassurant. Elle se souvenait de son arrivée au chantier, lorsque Martin était venu dire à William qu'une bête avait été vue avec de l'écume. Le coyote qui venait de l'attaquer en avait : il était certainement enragé.

Son répit ne fut malheureusement que très bref. Une nouvelle montée de terreur la submergea quand un regard jeté par-dessus son épaule l'informa que la sale bête était revenue à la charge. Elle avait surgi cette fois beaucoup plus près de la jeune femme et ne lui laissa pas le temps de réagir. En une fraction de seconde, l'animal fut sur elle et la fit trébucher. En sentant ses crocs se planter dans ses bottines, Lauriane se crut perdue. Hurlant comme une possédée, totalement paniquée, elle tenta de se défaire de lui en essayant de le frapper de son pied libre. Elle tordit le haut de son corps pour se mettre sur le flanc. Les yeux injectés de rage du coyote étaient terrifiants, ses grognements sonnaient dans le silence en une funeste monodie.

Luttant toujours pour lui faire lâcher prise, Lauriane trouva tant bien que mal une bonne position et tendit le bras, le pistolet pointé sur lui. La balle fit voler son oreille en éclats et une pluie de sang éclaboussa la neige. Poussant des plaintes de douleur, le coyote battit en retraite, mais un instant seulement, et ce fut avec une agressivité décuplée qu'il prit la jeune femme au dépourvu en revenant l'attaquer. Claquements de dents et déchirements d'étoffe emplirent les oreilles de Lauriane tandis qu'elle se démenait comme une diablesse pour tenter de lui échapper, multipliant les coups de pieds au hasard de sa panique.

Soudain, une détonation se fit derrière elle. Un projectile troua le crâne du coyote, qui s'écroula dans un lit de neige écarlate, la gueule et les yeux ouverts comme s'il s'apprêtait à mener une autre attaque. Mais il demeura gisant sur son lit de mort, inoffensif désormais. Lauriane ferma une seconde les yeux, elle pouvait enfin souffler : c'était terminé.

Un brusque sursaut l'agita lorsque William vint s'accroupir auprès d'elle, puis se rendant compte qu'il s'agissait de lui, elle se réfugia dans le cercle sécurisant de ses bras en gémissant de soulagement.

— Dieu soit loué…

Le contrecoup de sa peur faisait monter en elle des spasmes qui la secouaient de tous ses membres. Lui assurant d'une voix réconfortante qu'il n'y avait plus rien à craindre, William la maintint contre lui un moment, mais craignant qu'elle soit blessée, il n'eut d'autre choix que de la repousser doucement. Il rencontra son regard humide et hagard, porta ensuite son attention sur ses chevilles.

— Il vous a mordue ?

— Je… oui… peut-être…

Le bas de la jupe était en lambeaux et le vieux cuir des bottines était déchiré en de multiples endroits, en plus de l'une des semelles qui avait pratiquement été arrachée. Le tout était maculé de sang, ce qui alarma William. Il lui retira ses bottines l'une après l'autre en se prêtant à un examen des pieds et des chevilles. La peau était couverte de plusieurs meurtrissures, mais ne présentait heureusement aucune blessure ouverte et il en déduisit que le sang était celui du coyote.

— *Sorry*, je dois m'assurer que vous n'avez pas été blessée, se justifia William comme la jeune femme se plaignait du froid.

Retenant ses larmes, Lauriane eut un hochement de tête compréhensif.

— Une chance que vous étiez là au bon moment...

— Ce n'est pas tout à fait une chance. J'ai croisé votre tante, elle venait pour vous voir. En discutant, nous avons eu tôt fait de comprendre que vous n'étiez pas dans les parages. Il y a eu des cas de rage dernièrement dans la région. Cela nous a inquiétés et je me suis ainsi mis à votre recherche.

— C'est quand même toute une chance. Vous êtes arrivé juste à temps, je n'en venais pas à bout.

Lauriane ravala la boule coincée dans sa gorge et essaya de se calmer. Le coyote était mort, elle était sauve et son mari se trouvait à ses côtés. Tout allait bien, maintenant. Des lamentations attirèrent son regard sur Dawson, qu'elle n'avait pas encore remarqué. Attaché à une branche, les oreilles dressées, la queue battant l'air, il était impatient de venir les retrouver.

— Vous avez emmené Dawson...

— Son flair ne nous a cependant pas été utile puisque j'ai été guidé par un surprenant coup de feu.

Il avait dit cela tout en regardant Lauriane d'un air interrogateur. Elle fouilla la neige et mit la main sur le pistolet qui avait dû lui échapper dans sa panique. Elle le lui montra sans un mot avant de le glisser dans sa poche. Sa curiosité attisée, William s'abstint toutefois de la questionner sur la provenance de l'arme et lui renfila ses bottines, après quoi il la souleva dans ses bras.

— Vous allez me porter sur tout ce chemin ? questionna Lauriane comme il ne faisait pas mine de vouloir la déposer.

— Vous ne tarderez pas à vous geler les pieds en marchant dans la neige avec ces bottines en piètre état.

— Mais… Je ne serai pas trop lourde ?

William lui décocha un sourire en coin.

— Vous êtes un poids plume. Même lorsque votre ventre sera gros comme la pleine lune, vous serez encore un poids plume.

Il détacha Dawson et se passa la poignée de la laisse autour du poignet. Lauriane se cramponna à lui et posa la joue contre son épaule, heureuse d'être en sécurité. Le jour commençait à décliner, le froid se faisait de plus en plus mordant. Blottie contre le corps de son mari, la jeune femme ne le ressentait qu'à peine, mais il n'en allait pas ainsi pour ses pieds pendant dans le vide, chaussés de bottes dont les déchirures accueillaient généreusement l'air glacial. Elle ne se serait effectivement pas vue fouler la neige qui s'y serait logée à foison.

Ils rencontrèrent en chemin deux hommes s'étant probablement eux aussi mis à sa recherche. Dès qu'ils reconnurent le couple, ils le rejoignirent précipitamment.

— Vous l'avez trouvée ! Dieu merci ! s'exclama l'un d'eux visiblement soulagé. Y a plein de gars qui se sont dispersés pour chercher, c'est l'émoi au camp.

La joie sur leur visage se transforma en affolement lorsqu'ils aperçurent le sang et les déchirures sur la jupe et les bottines de la jeune femme.

— Elle n'est pas blessée, les rassura William. Elle a été attaquée par un coyote enragé, mais c'est terminé, je l'ai abattu.

Les hommes soupirèrent de concert, puis ce fut de l'exaspération qui se peignit sur leurs traits.

— Ne me dites pas qu'il y a encore de ces sales bêtes infectées !

— Bout de ciarge ! Ça n'arrête pas ! Dire qu'on pensait que celui de l'autre jour serait le dernier. Ça fait combien qu'on trouve ?

— Trop, répondit William, catégorique. Je recommencerai à faire des rondes dès demain. L'ennui est que les premiers symptômes peuvent mettre du temps à se manifester et, donc, rendre la détection temporairement impossible.

— On va rester sur le qui-vive et être attentifs aux changements de comportement si on croise une bête sauvage, vous en faites pas. Un renard trop gentil, on sait que c'est pas bon signe.

— Non, en effet. Il pourrait être dans la première phase de la maladie. Mieux vaut ne pas prendre de risque. Si cela arrive, vous agissez sans vous poser de questions.

— Pas de problème avec ça, boss. On va finir par les exterminer, ces saletés. Ils ne pourront plus attaquer madame Fedmore ni personne d'autre.

Celui qui avait parlé affichait un air confiant tout en regardant Lauriane. L'autre manifesta son approbation, fit ensuite un pas en arrière.

— Bon, en tout cas, on va retourner au camp pour prévenir tout le monde.

— Prévenez aussi ma tante, s'il vous plaît, pour qu'elle arrête de s'inquiéter, les pria Lauriane.

— C'est bien sûr, Madame. Si on la voit, on lui dit. Parce qu'elle a insisté pour participer aux recherches et elle ne sera peut-être pas revenue.

— D'accord, merci.

Plusieurs hommes se trouvaient dehors lorsqu'ils atteignirent le camp. Sommairement informés des événements par ceux que William et Lauriane avaient rencontrés en chemin, ils leur exprimèrent d'autant plus leur soulagement que la jeune femme soit saine et sauve. Celle-ci se trouva étonnée de toute cette agitation dont elle était la cause, bien que flattée de les savoir tous si soucieux de son sort.

William confia Dawson à Joseph en lui disant de le rentrer à l'écurie, puis emmena sa femme dans le bureau, où il l'installa sur sa chaise habituelle non loin du poêle. S'accroupissant devant elle, il lui enleva ce qui lui restait de bottines et de chaussettes, et entreprit de refaire un examen de ses petits pieds rougis de froid, ses chevilles fines et ses mollets.

— D'après l'état de vos bottines, c'est un miracle que les crocs ne vous aient pas percé la peau, observa-t-il au bord de l'incrédulité.

— Merci de vous être mis à ma recherche…

— Louons le fait que votre tante ait eu l'idée de vous rendre visite. Il aurait pu s'écouler davantage de temps avant que je me lance à votre recherche, ce qui aurait pu rendre votre sort plus dramatique encore.

La jeune femme en frémit d'effroi. Les images qui circulaient dans sa tête ne lui faisaient que trop bien imaginer l'horreur qu'aurait pu devenir sa situation. Elle rendait grâce au cuir racorni de ses bottines qui avait su la protéger des crocs acérés. Déposant le talon de son pied droit sur sa cuisse, William pressa ses paumes contre la peau froide qu'il commença à frictionner pour stimuler la circulation du sang. Lauriane soupira en fermant les yeux.

— Vos mains sont chaudes, ça fait du bien.

La source de son bien-être ne se résumait pas qu'à la sensation de chaleur, elle ne le savait que trop. Si elle avait aimé toucher son mari, elle trouvait autant de plaisir à sentir ses mains sur elle, même s'il ne s'agissait que de son pied. Il passa ensuite au gauche, renouvelant l'agréable sensation qui diffusait dans le reste de son corps une onde de détente bienfaisante.

— Je vous promets que je n'irai plus marcher seule dans la forêt.

— J'aurais dû vous prévenir, dit William, sa voix vibrant d'une note à la fois dure et contrite. Nous avons constaté un premier cas de rage avant les fêtes. Un renard que Dawson voulait pourchasser. Comme pour vous tout à l'heure, je l'ai découvert à temps, heureusement. Quelques jours plus tard, un autre renard a été trouvé par un bûcheron, mort celui-là, de la rage sans nul doute. Aucun animal suspect n'a été aperçu durant le congé des fêtes, jusqu'au jour de notre retour.

— Pensez-vous qu'il s'agit d'une épidémie ?

— Je ne saurais le dire. J'aimerais que ce coyote soit le dernier.

Des coups retentirent contre la porte d'entrée. Une Adéline fort agitée s'engouffra dans la pièce la seconde suivante.

— Enfin, on t'a retrouvée ! Je me suis tellement fait de mauvais sang, bonté divine !

Avec émotion, elle vint embrasser sa nièce, qui sentit ses boucles hirsutes lui frôler le visage.

— Comment te sens-tu ?

— Bien. Je vais bien, ma tante, ne vous inquiétez plus, la rassura Lauriane en lui adressant un sourire affectueux.

— Mais je m'en fais encore pour toi ! Il paraît que mes craintes se sont réalisées... Tu aurais été attaquée par une bête enragée ?

— Oui, mais je n'ai que des contusions, ce sont mes bottines qui ont tout encaissé.

Sitôt cette déclaration faite, Adéline s'accroupit aux pieds de sa nièce. S'étant redressé à l'arrivée de la tante, William s'écarta pour la laisser procéder à son examen.

— Tu es sûre que tu n'as pas un petit coup de dents quelque part ?

— Elle n'a que des marques laissées par la pression des dents sur ses bottes, j'ai vérifié deux fois plutôt qu'une, l'informa William.

Son examen confirmant leurs dires, Adéline put enfin se détendre un peu. Le malheur avait frappé, mais sa nièce s'en tirait miraculeusement indemne. Un soulagement immense l'enveloppa. Elle tapota la joue de la jeune femme en étirant un sourire ému.

— J'étais vraiment morte d'angoisse, Lauriane. Tous les jours, j'ai peur pour les hommes au bois. Je peux soigner bien des maux, mais la rage, ça voyage dans le sang et ça attaque le système nerveux. Je ne peux rien faire contre.

William était allé chercher une paire de chaussettes en laine. Contre toute attente, il posa un genou au sol et commença à les passer aux pieds de Lauriane.

— Tu veux que j'aille te chercher du thé, ma chérie ? proposa Adéline.

La jeune femme accepta volontiers et sa tante sortit pendant que William finissait de lui passer les confortables chaussettes. Quand son thé lui fut servi un moment plus tard, Lauriane remarqua que sa tante semblait soudainement pressée de partir. Désormais rassurée, elle prétendit devoir retourner à ses occupations et se hâta de filer après avoir conseillé à la jeune femme de se reposer. Sachant que William s'occuperait bien d'elle, Adéline préférait sans doute les laisser seuls.

— Vous devriez vous changer, vous aurez moins de mal à vous réchauffer dans des vêtements secs.

Acquiesçant à cette suggestion de son mari d'un petit hochement de tête, Lauriane jeta un œil démoralisé sur le bas de sa jupe. Perdre sa seule paire de bottes n'avait pas suffi, il avait fallu en plus qu'elle fasse abîmer sa robe ! Une innocente promenade qui venait de lui coûter cher…

William l'aida à enlever son manteau une fois qu'elle se fut mise debout. Il sentit le poids de l'arme dans la poche du vêtement qu'il alla suspendre sans un mot. Il décrocha ensuite son propre manteau et l'enfila.

— Je m'absente quelques minutes, dit-il simplement avant de se glisser dehors.

Cela laissa Lauriane abasourdie. Non seulement William était-il aux petits soins avec elle, mais il poussait les égards jusqu'à sortir pendant qu'elle se changeait…

Elle savourait le bien-être de se trouver dans une robe sèche quand il revint, muni d'une paire de bottes sauvages qu'il lui destinait apparemment.

— Ce sont les plus petites que j'ai pu trouver à l'office. Elles ne sont pas très élégantes, mais sur ce camp, elles seront parfaites.

— Comme vous dites. Merci, dit Lauriane, que cette attention touchait.

Son mari posa la paire de bottes à côté des siennes, après quoi il demeura un instant près de la porte, devenant soudain pensif tandis que son regard s'attardait sur le manteau de la jeune femme.

— Nous parlions tout à l'heure du fait que je sois intervenu à temps, seulement j'ai pu constater qu'en fait de moyen de défense, vous n'étiez vous-même pas en reste.

Il dévisagea Lauriane, referma les doigts sur le vêtement.

— Comment se fait-il que vous ayez une arme traînant dans votre poche?

— C'est le pistolet qu'avait mon frère quand il est mort. L'ordure qui l'a tué s'est évanouie dans la nature et depuis, l'arme ne me quitte plus.

L'expression de son visage s'était durcie. William présumait des sentiments qui l'habitaient, aussi se demanda-t-il ce qu'elle comptait réellement faire avec ce pistolet.

— Voici qui explique pourquoi vous vous montriez si brave à sortir en pleine nuit le jour où Diana a été si malade, observa-t-il, se souvenant que la jeune femme avait refusé qu'il la raccompagne jusque chez elle. La surprise d'un éventuel agresseur aurait en effet été totale.

— Je le pense, mais j'ai souvenance que, de votre côté, vous étiez sceptique.

— Je pouvais difficilement imaginer que vous étiez armée.

— Justement. C'était ce qui faisait tout mon avantage.

— *That's true.* Or, en réalité, pourquoi êtes-vous armée? Pour vous protéger ou pour attaquer?

Lauriane ne broncha pas devant cette question inquisitrice. Elle se l'était elle-même souvent posée et n'avait aucune honte de la réponse.

— Avant tout pour me protéger. Mais je ne nierai pas m'être dit que si ce monstre venait à se trouver sur mon chemin, je serais peut-être tentée d'appuyer sur la gâchette.

Si elle n'avait pas revu Jean, il en avait été autrement de Philippe. L'arme avait servi son premier but, qui en était un de protection. Aux prises avec la folie dont le jeune homme était frappé, Lauriane ignorait comment elle s'en serait sortie sans elle. Le tenir en joue lui avait procuré une forme de courage et de sentiment de sécurité ; elle avait réagi instinctivement, de la même façon qu'elle l'aurait fait s'il s'était agi de Jean. Mais appuyer sur la gâchette...

— Est-ce que j'en serais seulement capable ? s'interrogea-t-elle à haute voix. J'en ai eu l'occasion avec Philippe, mais je ne l'ai pas fait...

— Philippe ?

— Philippe Gilbert. C'est lui qui s'est pendu à l'entrée du pont couvert, l'automne dernier.

— Le présumé complice de Jean Cloutier ?

— Oui.

— Vous l'avez revu ?

Lauriane opina du chef.

— Je l'ai eu devant moi comme je vous vois. C'était justement le soir dont vous venez de parler, après notre départ de chez Cliff. J'ai cru que vous n'aviez pas renoncé à me talonner, mais ce n'est pas vous qui avez surgi derrière moi. Je n'ai pas reconnu Philippe tout de suite. Il n'était plus le même, autant physiquement que mentalement. Il m'a fait très peur.

— A-t-il cherché à s'en prendre à vous?

— Il m'a attrapée, mais je me suis vite libérée. J'ai sorti le pistolet et je l'ai pointé sur lui. Ça l'a tenu en respect.

— Vous a-t-il parlé? Vous a-t-il dit ce qu'il voulait?

— Il s'est mis à genoux devant moi en me suppliant de ne pas tirer. Ce monstre a eu le culot de me demander mon aide! Mais je me suis méfiée et quand il a vu que je continuais de le menacer avec l'arme, son attitude a changé radicalement : il est devenu insolent et sûr de lui, comme si l'arme pointée sur lui n'avait plus d'importance. Une part de lui semblait ailleurs, il donnait l'impression de ne pas se rendre compte de ce qu'il avait fait ni d'en mesurer la gravité. Mon frère est mort et lui, il s'en fichait éperdument…

Lauriane fit une pause pour respirer et tâcher de maîtriser la rage que ces souvenirs déchaînaient chaque fois qu'elle y pensait et qui lui faisaient si mal. Occupé à se servir un verre, son mari parut ne pas aimer non plus cette attitude de Philippe.

— À votre place, l'index sur la gâchette m'aurait terriblement démangé, formula-t-il non sans une note de dureté dans la voix.

— Je l'ai profondément haï. Avoir été un homme, je l'aurais battu. Il a ensuite exigé que je change ma version des faits et voulait aussi que je convainque Martin de faire la même chose. Je lui ai dit qu'il était mal placé pour me donner des ordres. Il a alors commencé à me menacer. C'est lui qui était devant la gueule de l'arme et pourtant, c'est lui qui jouait au plus fort! Il a dit que si je ne faisais pas ce qu'il me demandait, Martin et moi ne connaîtrions plus jamais la paix. Mais je n'ai pas cru à son chantage, et son attitude a changé encore une fois. Il s'est mis à pleurnicher comme un petit garçon, disant qu'il donnerait tout pour revenir en arrière, qu'il n'était pas lui-même ce jour-là, qu'il avait bu. Repentant, il implorait mon pardon. Mais je ne me suis pas laissée prendre par ses mensonges et ses larmes de crocodile! Je lui ai ordonné de se lever et de me suivre. C'est là qu'il s'est mis à sourire et avant que j'aie eu le temps de réagir, il avait filé dans la forêt. Je l'ai menacé de tirer s'il ne s'arrêtait pas, mais il avait disparu de ma vue et je suis restée figée là, l'arme pointée, le doigt sur la gâchette, sans oser appuyer dessus. Je n'ai pas pu.

— Vous l'auriez probablement fait si votre vie avait été sérieusement menacée, comme tout à l'heure avec le coyote. Certes, un animal ne se compare pas à un humain, n'empêche que vous vous êtes sentie en danger et que vous avez réagi. Aussi, je pense que si Philippe avait vraiment menacé votre vie, vous auriez par instinct trouvé le cran de le faire.

— Sans doute. Et si au contraire il s'était agi de Jean, ce soir-là, est-ce que j'aurais agi différemment? Philippe était dans le coup, mais ce n'est pas lui qui a fauché la vie de mon frère. Alors face à l'assassin de Thomas, je ne sais pas quelle aurait été ma réaction, bien honnêtement.

Sa robe humide était restée sur son lit. Lauriane alla la chercher pour la mettre près du poêle, essayant par le fait même de se délester de ces lourdes spéculations bonnes qu'à lui oppresser l'esprit.

— Si je me souviens, c'est le lendemain que Philippe a été retrouvé pendu?

— C'est ça. Je n'ai jamais dit à personne que je l'avais revu. Vous êtes le premier à recevoir cette confidence.

— J'ose espérer que vous ne vous êtes pas tue par sentiment de culpabilité et que vous ne vous imputez pas ce fait?

— Non, pas du tout. Philippe a choisi librement de s'ôter la vie, la responsabilité de son geste n'appartient qu'à lui. Je suis en paix avec moi-même à ce sujet.

— Bien.

Vidant son verre, William le rangea avec la bouteille. Un seul pour ce soir serait suffisant.

— N'a-t-il rien dit quant à ce qu'il est advenu d'eux par la suite ?

— Il a juste dit qu'après, c'était chacun pour soi. Mais encore là, on peut se demander si c'était seulement vrai, dit Lauriane en reniflant avec mépris.

Cependant, en son for intérieur, elle songea que c'était peut-être la seule vérité qu'il ait dite. Elle soupira de contrariété.

— Malgré que ça m'enrage de le penser, j'ai l'impression que si Philippe est resté dans les environs, Jean a sans doute pris la clé des champs. Il avait trop à risquer. Il doit être loin d'ici depuis longtemps.

— Ne désespérez pas. Il arrive qu'un coupable se fasse appréhender des années après avoir commis son crime. Si frustrant que puisse être pour vous le fait que Cloutier demeure impuni, ne renoncez pas à croire qu'un jour, il paiera. Son heure viendra : l'écho de nos actes nous revient toujours, sous une forme ou une autre, qu'ils soient bons ou mauvais.

Un sourire rassurant courba les lèvres de William. De l'entendre parler ainsi faisait du bien à la jeune femme, sa conviction nourrissait la sienne, mue par la même philosophie selon laquelle on récoltait ce que l'on semait.

La nuit était à présent bien ancrée. Il était temps pour Lauriane de se rendre à la cuisine et suivant cette pensée, elle s'empara de sa tasse vide.

— Je vais rejoindre Guss, il doit m'attendre.

Resté à l'observer d'un air indéchiffrable, son mari hocha la tête. Respirant à fond afin d'évacuer la charge émotive que leur conversation avait suscitée en elle, la jeune femme tâcha de se composer un visage serein avant de filer en direction de la cuisine.

Lauriane trouva le bureau désert en y retournant un peu plus tard. Son mari s'était probablement absenté afin d'aller nourrir Dawson et lui faire faire ses besoins. Sa tante lui avait dit le voir passer chaque soir. Il allait à l'écurie chercher son chien et ils prenaient tous les deux le chemin, l'air de deux loups solitaires qui se comprenaient.

Se disant qu'il devait en avoir pour un petit moment, la jeune femme mit de l'eau à chauffer pour sa toilette. William avait si bien entretenu le poêle qu'elle se sentait moite dans ses vêtements. Elle retira son châle puis sa robe et se sentit tout de suite mieux, vêtue de sa seule chemise.

À la lueur de la lampe, elle s'attarda à observer ses chevilles, ayant toujours peine à croire que les crocs acérés du coyote ne s'y soient pas plantés. Mis au fait de toute l'histoire, les hommes avaient également manifesté leur incrédulité pendant le souper et s'étaient montrés doublement heureux et soulagés de la revoir en un seul morceau. Sa mésaventure avait bien sûr été le sujet de conversation par excellence et on avait aussi beaucoup parlé de ces cas de rage qui en inquiétaient plus d'un.

Elle s'apprêtait à asperger son visage aux joues rubicondes avec l'eau froide de la cuvette quand William fit un retour inopiné. Penchée au-dessus de son reflet dans l'eau, Lauriane vit se modeler sur ses traits son propre ahurissement. Elle l'effaça en immergeant ses mains et, continuant comme si de rien n'était, elle se mouilla abondamment le visage avant de dresser lentement son dos en s'épongeant avec une serviette. Ne pouvant apercevoir son mari de l'angle où elle se trouvait, la jeune femme tenta à l'oreille de deviner ce qu'il faisait. Il se déplaça, mais elle n'entendit pas de raclement de chaise.

Dans l'espoir qu'il reparte, elle prit tout son temps pour sortir son savon et tempérer son eau, qu'elle mélangea en y promenant longuement les doigts. Il quitterait la pièce d'un moment à l'autre. Elle étira le temps au possible, jusqu'à en venir au point d'avoir fait tout ce qui pouvait l'être. William était toujours là. Il ne semblait pas, cette fois, disposé à sortir pour lui laisser son intimité. Décidément, il avait la fâcheuse habitude de s'imposer au moment où elle s'occupait de son hygiène corporelle ! Et il fut un temps, d'ailleurs, où Lauriane l'aurait vertement invité à partir. Seulement, pour une obscure raison, aucun mot ne franchit ses lèvres scellées et elle se résolut à poursuivre sa toilette. Quitte à la faire de façon moins élaborée pour certaines parties de son anatomie...

De l'autre côté de la pièce, William la guettait avec des yeux de prédateur. En constatant que sa femme s'apprêtait à lui offrir un alléchant spectacle, il avait laissé tomber son projet d'aller voir Martin et, une main en appui sur sa table de travail, il feignait de s'intéresser à une feuille de comptes. Rien que par sa gestuelle, empreinte de retenue, il détectait son embarras. Un instant, il la crut sur le point de se rétracter, mais en la voyant porter les mains à sa poitrine, il comprit qu'il n'en serait rien. Bien qu'elle lui fasse dos, William devina, non sans en ressentir un frémissement d'excitation juste sous la ceinture, qu'elle déboutonnait sa chemise. Une informe chemise, cela dit, qu'elle avait dû s'acheter en son absence, quelque part entre Noël et le début de la nouvelle année, pour remplacer celle qu'il avait brûlée.

Il songeait déjà à faire subir le même sort à celle qu'il avait sous les yeux quand un geste de sa femme eut l'effet d'anéantir chez lui toute pensée cohérente. Après avoir marqué une hésitation, elle entreprit, avec une lenteur qui le mit au supplice, de se passer le vêtement par-dessus la tête. La vue offerte lui coupa le souffle aussi radicalement qu'une droite dans l'estomac et il dut crisper les mâchoires pour retenir une plainte d'admiration. Elle avait remonté sa chevelure en un chignon qui laissait voir sa nuque blanche et délicate, ses épaules étroites, son dos s'affinant jusqu'à la cambrure parfaite de la taille, où s'arrêtait le pantalon de laine enrobant ses jolies fesses rebondies. William sentit ses pulsations cardiaques s'accélérer brutalement, son sang s'échauffer dans ses veines. Il se souvenait de combien la vue de ces deux monts de chair veloutée l'avait ébloui lors de leur nuit de noces, quand il avait pris sa femme à plat ventre, et du plaisir éprouvé à les pétrir de son corps à chaque coup de bassin.

L'eau émit un clapotis alors que la jeune femme y plongeait le savon. Elle leva un bras pour se savonner l'aisselle, ce qui révéla le profil d'un sein. Cet aperçu eut sur William l'effet d'une onde de choc l'atteignant droit au creux de l'abdomen. Il serra les dents, suffoqué par la brutalité de la pulsion sexuelle qui se déchaînait en lui.

Le cœur de Lauriane, déjà emballé, se lança au triple galop dans sa poitrine en entendant les pas de son mari derrière elle. Sa respiration, courte et saccadée, se suspendit quand des mains se posèrent sur ses épaules. Légères comme un papillon, cuisantes comme un rond de poêle rougi.

— Comment résister alors que de si somptueux trésors s'offrent à soi avec tant de grâce…, susurra William à son oreille, caressant la peau de soie avec ses doigts qui coururent le long de ses bras.

La voix, rauque et vibrante, fit tressaillir la jeune femme. Son visage s'échauffa et un vertige de fébrilité lui tourna la tête.

— Je suis juste en train de faire ma toilette, pas une parade de séduction, souffla-t-elle, prenant un ton faussement choqué. Je pense que vos yeux vous jouent des tours, vous devriez aller consulter ma tante.

— Mes yeux se portent à merveille et je les remercie de me montrer avec tant de clarté de si charmants attraits.

Il effleura son oreille de ses lèvres, semant une pluie de frissons exquis sur sa nuque et jusque dans son dos.

— Et quoi que vous prétendiez, je vous soupçonne d'avoir pris plaisir à tenter subtilement de m'aguicher.

— Vous vous trompez. Au contraire, j'espérais que vous auriez la décence de partir pour me laisser mon intimité.

— Ah oui? Est-ce à dire qu'il n'y avait pas en vous la moindre envie secrète de me voir céder devant vos charmes?

Les mains de William se faufilèrent sur sa taille, s'attardèrent un instant sur la légère courbure de son ventre avant de remonter vers ses seins. Un soupir échappa à la jeune femme quand elles les enveloppèrent, les palpèrent avec adresse et en titillèrent les pointes dressées.

— Vous divaguez, Monsieur, haleta-t-elle.

— Possible, mais je vous ferai remarquer qu'en ce moment, ce n'est pas moi qui suis en pleine contradiction…

Délaissant son oreille, les lèvres de William allèrent fureter dans son cou et, transportée de frissons extatiques, Lauriane laissa retomber dans l'eau savon et lingette de toilette dans un clapotis, et inclina la tête de côté pour mieux s'offrir aux baisers qui embrasaient sa peau.

Fouetté par son total abandon, William s'enhardit, fit descendre le pantalon sur les hanches de sa femme jusqu'à ce qu'il tombe sur le sol. Lauriane se crispa légèrement en sentant les doigts aventureux s'introduire entre ses cuisses, là où une pulsation furieuse se faisait sentir. Son mari lui murmura des mots rassurants, sans pour autant mettre fin à son intime exploration. Le délicat bourgeon de chair se gonfla sous la précision de ses caresses. Submergée d'ondes de volupté, Lauriane haletait, gémissait tout bas. D'instinct, elle écarta les jambes, s'offrant sans plus de réserve à la dextérité de son mari, glissa une main derrière sa nuque pour s'accrocher à lui.

Affamé d'elle, William la dégustait néanmoins centimètre par centimètre, se repaissait de chaque gémissement qu'il lui arrachait, de sa peau au goût de paradis et à la douceur veloutée. Il pressa son érection contre elle, fantasmant de se glisser dans la chaude moiteur de son intimité et de se livrer au déchaînement de son désir. Elle tourna la tête, ses lèvres à la recherche des siennes, et ce fut pour lui le coup de grâce. Il ne suffit que d'un effleurement pour que la bride de ses pulsions se rompe net.

D'un geste vif, il fit pivoter sa femme vers lui et s'empara de sa bouche avec voracité, une main possessive plaquée sur sa nuque afin de la maintenir immobile cependant qu'il buvait goulûment l'élixir de leur passion. Un élixir d'autant plus exquis après avoir fermenté durant d'interminables semaines. Il tressaillit en sentant les doigts de sa femme effleurer ses côtes. Ils se déplacèrent jusqu'à un bouton de son gilet et alors qu'ils cherchaient à le détacher, William grogna d'impatience et commença à se déshabiller en hâte, sous le regard admiratif de la jeune femme. Le saphir de ses iris était assombri par la fièvre qu'il avait éveillée en elle et ce simple constat exacerba son excitation. Il acheva de se débarrasser de ses vêtements comme si ces derniers avaient pris feu puis, incapable de se contenir plus longtemps, il la souleva en la prenant par les cuisses et les passa de part et d'autre de ses hanches.

Lauriane s'accrocha à ses épaules et se laissa porter jusqu'à son lit, en travers duquel il s'assit, de sorte qu'elle se retrouva à califourchon sur lui. Avec une faible plainte tenant davantage du miaulement, elle accueillit la bouche gourmande qui s'empara de la pointe durcie d'un sein et ferma les yeux pour mieux s'abandonner à cette divine caresse. Entre ses cuisses, la pulsation se faisait de plus en plus vive. Comme en réponse à ce besoin pressant, impérieux, brûlant au cœur même de sa féminité, William prit ses fesses à pleines mains et la guida, l'invita à s'empaler sur son membre viril. La jeune femme craignit d'abord une douleur qui ne se fit pas sentir. Au contraire, les sensations vertigineuses que les doigts de son mari avaient éveillées dans sa chair la submergèrent de nouveau, et tout son corps s'embrasa comme un pin sec tandis qu'elle obéissait au mouvement érotique qu'il imprimait à ses hanches.

Esclave de ce tourbillon de feu qui ne semblait plus vouloir que s'intensifier, Lauriane se sentit glisser hors du temps et de la réalité qui les entouraient. Si bien que de sa gorge s'échappaient des gémissements dont la portée augmentait sans qu'elle en ait conscience. Afin de les étouffer, William cueillit son visage entre ses mains et s'empara de ses lèvres. Alors que leurs langues s'unissaient en une étreinte langoureuse, les premiers soubresauts de l'extase la secouèrent, avant d'éclater en elle avec une puissance telle qu'elle irradia jusque dans ses orteils. Lauriane s'immobilisa, tremblante, bouleversée dans la moindre de ses fibres, planant sur un sentiment de contentement absolu.

Elle entrouvrit les yeux, rencontra le regard de son mari et sentit ses joues lui cuire à la pensée des sons étranges qu'elle avait émis, méconnus de sa propre gorge, et qu'il avait cherché à étouffer sous des baisers afin qu'ils ne soient pas entendus par le reste du campement. Il étira la commissure de ses lèvres malicieusement. Au fond de ses prunelles brûlait encore la fièvre d'un désir inassouvi. D'une pression sur ses hanches, il l'incita à recommencer à se mouvoir, lentement d'abord, puis à un rythme de plus en plus rapide. Lauriane sentit les muscles se tendre sous ses doigts, la respiration s'accélérer contre sa gorge qu'il couvrait de baisers ardents. La jouissance le trouva ainsi, agitant son corps entier de spasmes et lui arrachant des grognements gutturaux, avant qu'il ne referme les bras autour d'elle pour la faire s'immobiliser. Enfin apaisé, il enfouit son visage dans son cou. Elle encercla ses épaules de ses bras, un sourire béat flottant sur ses lèvres.

6

À cœur ouvert

— Qu'est-ce que tu as à sourire comme ça, Lauriane ?

La voix amusée d'Adéline ramena la jeune femme à la réalité. Bien concentrée sur la lame de son couteau qui mettait en miettes un bout d'écorce de sapin, elle ne s'était pas rendu compte que son visage trahissait la gaieté qui l'éclairait de l'intérieur.

Son sourire s'élargit tandis qu'elle jetait un regard pétillant à sa tante, assise avec elle à la table. Elle retira son couteau de la planche à découper, le temps de regrouper les copeaux pas encore assez fins, et reprit ensuite sa tâche.

— Ta mère aussi souriait parfois de cette façon, dit Adéline en reportant son attention sur la résine et le beurre qu'elle mélangeait dans un bol.

— Et qu'est-ce qu'elle vous répondait quand vous lui demandiez ce qui la faisait sourire ?

— Ça dépend. Il lui arrivait de me dire à la blague que l'oignon qu'elle hachait avait eu une drôle de vie et qu'il s'amusait à la lui raconter.

Lauriane s'esclaffa.

— J'aurais moins envie de douter qu'un oignon parle que de ma mère parlant à un oignon !

— Je ne te le fais pas dire. Sacrée Héléna ! rit Adéline en secouant ses boucles hirsutes. Le seul être surnaturel à qui elle parlait, c'était notre Seigneur. Elle ne Le voyait pas, elle ne pouvait pas non plus Le toucher, ni Le sentir ou L'entendre, mais sa foi en Lui était entière et inébranlable.

Elle laissa son mélange de résine de côté, ramassa l'écorce hachée et la plongea dans un bol d'eau chaude.

— On va laisser tremper ça, je n'en aurai pas besoin de beaucoup.

— Avec la quantité de travailleurs qu'il y a ici, vous devez souvent renouveler vos réserves de pommades, d'onguents, et tout le reste, j'imagine ?

— Pas tant que ça, en fait. Ton mari me fournit bien sûr tout ce qu'il me faut, mais je ne peux pas dire que je lui coûte cher. Ce sont ses hommes qui, en réalité, ne lui coûtent pas cher en soins. Les blessures graves se font rares, il s'agit le plus souvent de petits bobos, mal ici, mal là. William ne lésine pas sur la prévention et la sécurité, ce qui fait que je ne croule pas sous le travail cet hiver. En plus, ce n'est pas comme à Monts-aux-Pins, où je dois aussi m'occuper de ma maison et de mes animaux. Je ne suis ici que pour soigner, ce qui me change beaucoup de ma petite vie habituelle. Vous me manquez, toi et ma chambre des potions, c'est bien certain, ajouta Adéline en gratifiant la jeune femme d'un clin d'œil. Mais je ne m'ennuie pas de mon train-train. Pas encore. Peut-être plus tard, au printemps, quand ça fera plus longtemps que je suis partie. En tout cas, pas pour l'instant.

Lauriane déposa son couteau et leva sur sa tante un regard piqueté d'espièglerie.

— Je me demande si votre voisin Matteau s'ennuie de vous, lui.

— Ah! Parlant de lui... J'ai oublié de te raconter. L'autre jour, Gaston repartait de chez moi après avoir soigné les animaux, quand Matteau a surgi de nulle part et s'est mis à déblatérer contre les âmes corrompues et le diable. Il est allé jusqu'à dire à Gaston que l'enfer l'attendait s'il continuait à servir l'ennemie de Dieu, rien de moins!

— Je n'en reviens pas... Il ne démordra jamais de l'idée que vous êtes une sorcière, on dirait.

— Non, ça, il ne faut pas y compter. Il me hait viscéralement, en plus d'être bouché et d'avoir l'esprit aussi étroit que le chas de ma plus petite aiguille. Et ce n'est pas tout. Quand Gaston lui a dit de faire de l'air, Matteau est devenu agressif et s'est mis à l'insulter, assez grossièrement merci!

— Oh non... Pauvre Gaston! Voulez-vous bien me dire ce qui lui arrive tout à coup, à Matteau? Durant des années, il s'est contenté de médire sur vous et de vous fuir parce qu'il avait peur, et du jour au lendemain, il change d'attitude, il devient agressif et défiant. Quand je pense qu'il a voulu vous passer sur le corps avec sa voiture avant Noël... j'en frémis encore en y repensant... Et maintenant, il commence même à s'en prendre à vos amis, c'est grave!

— Tu peux le dire! Il n'a pas d'os à gruger durant mon absence, alors il se rabat sur quelqu'un d'autre. Mais j'ai bien averti Gaston de ne pas embarquer dans son jeu d'intimidation. Cette canaille de Matteau va m'entendre au printemps, tu peux être sûre ! Je n'aime pas du tout sa nouvelle façon d'agir ; je m'en méfie, même. Il va falloir que je trouve un moyen de régler ça avec lui une bonne fois pour toutes.

L'air préoccupé, Adéline alla mettre le bol d'eau et d'écorce sur le comptoir. Quand elle revint vers la jeune femme, son expression s'était dégagée. Elle s'arrêta pour l'observer, puis dit :

— Tu sais, Lauriane, un sourire comme celui que tu avais tout à l'heure, ça vaut cher.

— Dites-moi donc à qui je dois le vendre !

— Quelle légèreté ! Ça va avec le reste, d'ailleurs. Non, vraiment, ce sourire vaut cher parce qu'il n'a pas été provoqué par quelque chose d'extérieur, il était instinctif. C'est le sourire que ton cœur fait, comme le faisait celui de ta mère. Quand elle ne prétextait pas parler aux oignons, elle me répondait que la vie était tout simplement belle, et je savais qu'elle pensait à ton père, à toi et à tes frères, les amours de sa vie. Les sourires qui viennent du cœur sont les plus importants parce qu'ils ne trompent pas, ils sont authentiques.

— Vous n'avez pas tort, tante Adéline. Mon cœur sourit aujourd'hui. Il se réjouit parce que tout semble indiquer que William a décidé de me croire pour l'aphrodisiaque.

Le regard de sa tante s'illumina, irradiant jusque sur son visage.

— Ça, c'est une très bonne nouvelle ! Je suis vraiment contente pour toi, Lauriane. Tu as bien fait de venir pour lui parler, et d'insister, surtout. Un malentendu comme celui-là ne doit pas traîner. Il sabotait votre mariage qui, disons-le, n'avait pas été célébré dans les conditions les plus favorables, déjà, au départ. Mais tout ça est fini et c'est bien heureux. Vous allez pouvoir enterrer la hache de guerre et recommencer sur de nouvelles bases.

— C'est ce que j'espère. En tout cas, ça va bien mieux entre nous, son attitude envers moi a beaucoup changé.

Un changement qui s'était particulièrement fait sentir la veille, après l'attaque du coyote. Le mari que Lauriane avait connu jusque-là ne se serait sans doute pas montré aussi secourable et déférent, peut-être même aurait-il été tenté de l'abandonner en plein bois... Et que dire de la tournure délicieusement inattendue qu'avait prise la soirée et dont elle ressentait encore les remous aux tréfonds de son être ? Après s'être abstenu de la toucher durant des semaines, William ne lui avait-il pas démontré, par le déploiement de sa passion, qu'elle n'était plus l'objet de sa haine ni de son mépris et que leurs rapports passaient désormais à un tout autre niveau ? Tant par ses gestes que par son comportement, il lui avait confirmé que sa mission de paix était sur la voie de la réussite. Ainsi, aujourd'hui, sans que le ciel de leur avenir soit clair, il s'annonçait assurément moins nébuleux.

On martela avec fracas contre la porte, rompant le cours de ces réflexions. Deux hommes franchirent péniblement le seuil. Un peu essoufflé, Martin soutenait un homme au teint cadavérique qui évitait de mettre son poids sur l'une de ses jambes. Juste en haut du genou, le pantalon déchiré suintait de sang, dont la botte était également maculée.

Pendant qu'Adéline se précipitait sur le blessé, Lauriane se chargea d'aller refermer la porte. Sachant déjà ce que sa tante lui demanderait, elle se hâta d'aller chercher des linges propres et de l'eau tiède. Dans une tasse, elle versa un peu d'une potion antidouleur. Durant ce temps, la voix altérée du blessé se faisait entendre :

— ... cette branche s'est fichée dans ma jambe sans même que je m'en rende compte ! Francœur m'a dit : « Ti-Bob, tu as quelque chose de planté dans la jambe. » J'ai dit : « Hein ? » Il a dit : « Quoi, tu ne le sens pas ? » Là, j'ai baissé les yeux et je me suis dit : « Boulot noir ! Francœur a raison ! » J'avais un bout de bois de planté dans la cuisse et je ne le savais même pas !

— Vous l'avez enlevé vous-même ? questionna Adéline.

— Bah, je ne sentais rien, je ne voulais pas être infecté par cette saleté, mais depuis que l'ai enlevée, je saigne comme un porc.

— Je vais regarder ça de plus près. Commençons par vous déchausser pour pouvoir vous enlever votre pantalon.

Dernière étape que les grimaces de l'homme firent deviner douloureuse. Le tissu adhérait à la plaie et Adéline s'appliqua à le faire décoller le plus en douceur possible. Enfin, le vêtement fut retiré, mettant à nu la perforation irrégulière et sanguinolente au bas de la cuisse. Martin aida ensuite le blessé à s'asseoir et Lauriane s'avança avec la tasse.

— Tenez, c'est pour atténuer la douleur.

Ti-Bob accepta le breuvage, mais n'en but pas, préférant sans doute continuer à jouer les durs, surtout devant deux femmes... Après s'être lavé les mains, Adéline approcha un tabouret, y posa le pied du blessé, puis plaça une cuvette sur le sol, sous sa jambe.

— Il va falloir que je vérifie s'il reste des débris dans la plaie. Lauriane, veux-tu bien m'apporter ma trousse, s'il te plaît ?

La jeune femme s'exécuta et posa l'étui plein d'instruments sur la table. À la demande de sa tante, elle sélectionna une paire de pinces qu'elle lui remit sous l'œil peu rassuré du blessé, qui fixa l'outil en blêmissant. Invitant Martin à lui tenir fermement la jambe, Adéline se pencha sur la plaie et commença à fouiller les chairs à la recherche de morceaux de bois risquant de causer de l'infection.

Les tempes en sueur, Ti-Bob se cramponna à son siège en serrant les dents. Des fragments d'écorce furent délogés en surface, ce à quoi il sembla relativement bien survivre. Cependant, quand Adéline annonça qu'il y avait un éclat de bois logé plus en profondeur, il porta enfin la tasse à ses lèvres crevassées et absorba la potion d'un trait.

L'opération terminée, Adéline déposa les pinces et rinça la plaie avec de l'eau.

— Il va falloir que je fasse une suture. Je vais commencer par appliquer une crème. Ça va geler vos chairs, vous sentirez moins l'aiguille.

— Ouais… mais faites ça vite, qu'on en finisse…

Ils attendirent que la crème fasse son effet, puis Adéline entreprit de faire les points. Elle termina le tout en faisant un pansement. Seconde opération que le blessé franchit beaucoup plus sereinement. Il ne grimaçait plus; il n'avait pas repris de couleur, mais son visage était plus détendu. Aussi compétente qu'un vrai médecin, pensa Lauriane, le cœur gonflé d'admiration.

— L'antidouleur cause de la somnolence, on va vous transférer sur le lit un moment, annonça Adéline en retirant le pied du blessé du tabouret. Tâchez de garder votre jambe immobile.

— Mais non… je suis correct… Qu'on aille juste me chercher un autre pantalon, je retourne bûcher.

Adéline tiqua.

— Pensez-vous ? Je viens de vous dire que vous devez garder votre jambe immobile. Je ne vous laisserai sûrement pas marcher dessus et la faire forcer pour risquer de rouvrir la plaie et gâcher tout mon travail de suture. De toute façon, avec ce que vous venez de boire, vous tomberiez endormi entre deux souches avant même d'avoir eu le temps de toucher à votre hache.

Mais Ti-Bob fit la sourde oreille.

— Arrêtez, doc. Je suis fait fort. Ce ne sont pas quelques gorgées de votre médicament qui vont me terrasser !

Sûr de lui, il essaya de se lever sans mettre de poids sur sa jambe. À peine son postérieur avait-il quitté la chaise que l'homme vacilla et retomba lourdement dessus, l'air étourdi. Adéline le toisa, poings sur les hanches.

— Quel fin finaud ! Regardez-vous, vous avez les deux yeux dans la graisse de bines et dans cinq minutes, vous ronflerez plus fort que mon poêle. Mon lit est le plus loin que vous irez pour cet après-midi. Viens m'aider, s'il te plaît, Martin.

En effet, à peine allongé que le blessé frappait déjà aux portes du sommeil. Roulant des yeux excédés, Adéline ronchonna contre les hommes de chantier pour qui c'était inacceptable de montrer ne serait-ce qu'un tout petit signe de faiblesse et qui continueraient de bûcher même avec un pied dans la tombe. Elle se tourna ensuite vers sa nièce, qui s'affairait à ébouillanter les instruments et les linges souillés.

— Lauriane, je n'ai plus de… Et puis non, je vais y aller, plutôt. Surveillez-moi ce têtu, je reviens, dit-elle en prenant son manteau.

Surveiller le blessé était un grand mot, car il semblait hors d'état de protester pour un bon bout de temps. Ce ne fut que lorsqu'elle ne trouva plus rien à quoi s'occuper que Lauriane se rendit compte que sa tante venait de l'abandonner avec Martin. Resté debout près du lit, ce dernier fixait la porte d'un air absent. Le temps sembla tout à coup s'étirer dans le silence lourd qui les assiégeait. Sentant venir le malaise, la jeune femme se racla la gorge.

— Prendrais-tu un peu de thé, Martin ?

Il sembla presque s'étonner qu'elle s'adresse à lui. Il hocha faiblement la tête.

— Nature, s'il te plaît.

Lauriane alla ouvrir un pan de rideau sous l'évier pour y prendre une tasse. Le jeune homme la remercia quand, un moment plus tard, elle posa le thé fumant sur la table, les yeux baissés. Elle ne se décida à les relever qu'au moment où Martin approchait la boisson de ses lèvres pour souffler dessus. Bien que l'ayant croisé à plusieurs reprises, elle observa ce qui, jusqu'alors, lui avait échappé, sans doute parce qu'elle ne s'était pas réellement donné la peine de le regarder. Devant elle ne se tenait plus le jeune homme discret qui se traînait auparavant dans l'ombre de Jean Cloutier. Martin avait gagné l'assurance de l'homme de responsabilités qu'il était devenu, rôle l'ayant par la même occasion beaucoup fait mûrir. Cela se sentait, et se voyait également. Son regard, sa physionomie, ses gestes, sa posture, tout chez lui était moins juvénile, plus volontaire et affirmé.

Martin finit par s'apercevoir de l'examen dont il faisait l'objet. Abaissant sa tasse, il avala la gorgée qu'il venait de prendre et riva son regard à celui de la jeune femme.

— Alors, Lauriane, ta famille va bien ?

— Autant que possible.

Elle le vit aussitôt s'assombrir, pincer les lèvres.

— Et la tienne?

— Bien.

Silence. Forte et profonde, la respiration du blessé emplissait la pièce. Il avait sous-estimé l'efficacité de la potion d'Adéline et n'aurait pas fait deux pas hors de la cabane si elle l'avait laissé partir.

— Je n'ai pas encore eu l'occasion de te féliciter pour ton mariage, dit Martin posément. Étant donné qu'on ne s'est pas parlé depuis un bout de temps, je n'ai pas pu... enfin...

— Il faut dire que nous n'avions pas vraiment envie, non plus, de nous adresser la parole, toi et moi, renchérit Lauriane avec franchise.

— Avoir envie de se parler, alors qu'on se regarde à peine quand on se croise...

— Et se croiser... C'est difficile quand on passe son temps à s'éviter. Je te dirais que c'est ce que je fais depuis des mois.

Cet aveu direct, qui n'était en rien un secret, amena spontanément Martin à en faire autant.

— Moi pareil. Je tâche de me tenir en permanence loin de toi et des tiens.

L'oppression que Lauriane ressentait habituellement en présence du jeune homme venait de diminuer d'un cran. Elle se sentit enfin prête à admettre que son mari avait fait preuve de clairvoyance. Garder Martin à distance avait été comme de masquer une plaie mal cicatrisée que chacune de leur rencontre remettait à sang. La véritable guérison ne viendrait qu'après avoir éradiqué l'infection. Il fallait qu'elle exorcise Martin, qu'il cesse d'incarner pour elle un cauchemar vivant, une bonne fois pour toutes.

— Pourquoi nous évites-tu, ma famille et moi, Martin ?

— Tu le sais pourquoi, Lauriane. Je devine très bien ce que vous pensez tous de moi.

— Et c'est là que tu te trompes. Pour nous, le responsable de la tragédie, c'est Jean. Et aussi Philippe, par complicité.

La poitrine de Martin se dégonfla comme s'il avait retenu son souffle.

— Pourtant, je vous comprendrais de penser que je ne suis pas tout à fait innocent dans cette histoire. Après tout, c'était moi, la personne la plus proche de Jean.

— Oui, Jean était ton meilleur ami, depuis des années. Il faisait toujours tout avec toi et Philippe. Durant ces étés qu'il venait passer à Monts-aux-Pins, vous ne vous lâchiez pas d'une semelle.

— Il a toujours été plus proche de moi que de Philippe. Mais il lui arrivait d'avoir des idées que je n'endossais pas. Il pouvait être un peu extrémiste, parfois. Alors, oui, Jean était mon meilleur ami, seulement ça ne veut pas dire que j'ai sauté de joie quand j'ai su qu'il allait affronter Thomas en duel.

Il s'exprimait à voix basse afin de ne pas perturber le sommeil du blessé, mais il n'y perçait pas moins une note de dureté.

— Je sais très bien ce que tu penses, Lauriane, reprit-il après une gorgée de thé. Puisque j'étais au courant pour le duel, j'aurais dû intervenir avant que ça ait lieu et convaincre Jean de renoncer. Et le matin en question, j'étais là, et pourtant, je n'ai pas levé le petit doigt…

— Je ne dis pas que tu n'as rien fait, Martin.

— Moi, je le dis, que je n'ai rien foutu du tout !

Son visage crispé se détourna. Son souffle fort trahissait son agitation intérieure. Posant sa tasse sur la table, il fit quelques pas au hasard, pour finir par atteindre la fenêtre.

— Je vis avec ma culpabilité, Lauriane, avoua-t-il en se tournant pour la regarder. Quand je te vois, elle revient m'écraser. Toi, tu as tout fait pour convaincre Thomas de renoncer à cet affrontement stupide ! Moi, je suis resté dans mon coin à regarder le drame arriver et quand tu as eu besoin de mon aide, je suis resté planté là, figé comme un imbécile ! Un lâche, voilà ce que je suis !

Le dormeur émit un grognement ressemblant à une protestation contre le ton de voix qui avait haussé. Martin serra les dents et porta son regard au-dehors, une épaule appuyée au mur. Son profil peint de dureté se transforma et devint l'hôte d'une souffrance évidente qui éveilla Lauriane à une perspective jusque-là étouffée par ses propres sentiments. Témoin, tout comme elle, du meurtre de Thomas, Martin en subissait lui aussi les contrecoups. Il portait depuis des mois sa propre croix, alors qu'elle s'était crue seule dans son enfer.

— Je mentirais si je te disais que je n'ai pas une seule fois pensé que tu aurais dû essayer de t'interposer. Mais je sais très bien que ça n'aurait probablement rien changé. Ils étaient tous les deux déterminés à régler leurs comptes et personne n'aurait pu les en empêcher.

Son regard toujours tourné vers le dehors, Martin garda le silence un instant avant de dire :

— Ils étaient gonflés à bloc tous les deux, après avoir passé des semaines à se bagarrer sans arrêt.

— De violentes bagarres, à voir les blessures qu'ils s'in-
fligeaient. Ils s'entretuaient comme deux coqs enragés !

— Je sais. Il n'y avait pas moyen de les séparer. Aussi
orgueilleux l'un que l'autre, ils se battaient jusqu'à l'épuise-
ment. Souvent, Thomas avait légèrement l'avantage et Jean
détestait ça.

Au point de vouloir le tuer ? se demanda Lauriane avec
un pincement au cœur.

— Les hostilités se sont vraiment déclarées à la veillée
chez Clara, quand Thomas a remis à sa place ce porc
lubrique qui a essayé d'abuser de moi, cracha-t-elle.

— Oui, c'est à partir de ce soir-là que ça s'est sérieusement envenimé entre eux. Quand j'ai eu vent pour le duel, je
me suis dit que ça allait trop loin. J'en ai parlé à Jean, mais il
ne voulait rien entendre, il jubilait à l'idée d'un ultime
affrontement avec son ennemi juré. Comme je n'approuvais
pas, lui et Philippe ont cherché à me tenir à l'écart. Le matin
du duel, avant de se rendre au lieu convenu, ils avaient
prévu d'aller à la crique à la sortie du village pour boire un
petit coup. J'ai décidé d'aller les rejoindre. La veille, je m'étais
brouillé avec eux à cause de cette histoire ; je les trouvais
bizarres, ils affichaient un excès de confiance que je trouvais suspect. Mais je les ai vus déguerpir comme j'arrivais à
la crique, alors je me suis précipité au lieu du duel. Je sentais
qu'ils préparaient quelque chose, qu'ils ne m'avaient pas
donné tous les détails, mais de là à imaginer...

Sa voix s'éteignit. Sur le lit, le dormeur remua. Il fit un
mouvement brusque avec sa jambe blessée, qui heurta le
mur. Craignant que la plaie se remette à saigner, Lauriane
alla soulever la couverture afin de vérifier et en profita, ce
faisant, pour faire cligner ses paupières sur ses yeux

humides. Elle se souvenait avoir eu cette impression, que Jean et Philippe cherchaient à exclure Martin, et comprenait mieux, maintenant, l'attitude de réprobation dont ce dernier s'était drapé. Il avait détecté les signes de ce qui se dessinait comme un plan de vengeance froidement orchestré.

— Penses-tu que c'était prévu ? questionna-t-elle en quittant le chevet du blessé. Est-ce que Jean haïssait mon frère au point de vouloir sa mort et au point de planifier de tricher pour arriver à ses fins ?

— Franchement, je ne sais pas. Ce que je sais, par contre, c'est qu'il voulait lui servir une leçon, lui montrer de quoi il était capable. Tout ce qui comptait pour lui, c'était d'avoir le dessus sur Thomas. Pour le reste, je ne suis sûr de rien. Philippe aurait peut-être pu te répondre s'il vivait toujours, mais ce n'est pas le cas. Et encore, il ne savait peut-être pas tout ce que Jean avait dans le crâne.

Au fond, pensa Lauriane, qui pouvait se targuer de connaître les véritables envies de quelqu'un, ses fantasmes profonds et secrets ? Jean avait peut-être eu une réelle intention de faucher la vie de Thomas en usant du duel comme moyen détourné, mais ni Martin ni elle ne pouvaient en avoir la certitude. Et qu'importait que cette certitude, le mal avait été fait : son frère n'était plus de ce monde. Rien, pas même une certitude, ne pourrait le ramener à la vie.

Ce fut dans un silence chargé d'émotions qu'Adéline les retrouva quelques instants plus tard. Partie à la recherche d'un ingrédient manquant pour la préparation d'une potion antidouleur sans effet de somnolence, elle avait trouvé ce qu'elle cherchait dans la cuisine du camp.

— Veille à ce qu'il en boive aux quatre heures, indiqua-t-elle à Martin. Il aura beau vouloir faire son courageux, dans la vie, on ne doit pas se donner de la misère pour rien. Il va devoir aussi revenir chaque jour pour faire changer son pansement.

Le jeune homme opina du chef puis, s'assurant qu'on n'avait plus besoin de lui, annonça qu'il retournait au travail. Il salua Adéline et adressa un petit signe de la main à Lauriane. Un geste tout simple, mais tellement significatif, porteur de ce qui s'annonçait comme un nouveau départ entre eux. Avec la même spontanéité, la jeune femme lui rendit la pareille.

Le jour même, Neil était de retour au chantier. Il n'arriva qu'à la nuit tombée ; des branches avaient cassé sous le poids de la neige, entravant la route, et les dégager l'avait beaucoup retardé. Lauriane ne traîna pas trop chez sa tante après le souper, sachant que des lettres l'attendaient, fraîchement arrivées de Monts-aux-Pins.

Martin en avait terminé avec son rapport, si bien que la jeune femme eut l'agréable bonheur de découvrir William seul. Assis sur une chaise dans un coin, il peaufinait au couteau le dégrossissement d'un bout de bois en forme de manche de hache. Le sol à ses pieds se couvrait de copeaux tandis qu'il maniait avec adresse l'outil à la lame tranchante.

Elle sentit son sang affluer à ses joues lorsque leurs regards se croisèrent. Un sourire gêné courba ses lèvres, auquel son mari fit écho en étirant les coins de sa bouche si sensuelle et bien dessinée. Lauriane se liquéfia de l'intérieur et suspendit son manteau sur des jambes en coton.

Les lettres qui lui étaient destinées avaient été déposées sur son lit. Elle s'y précipita, aussi excitée qu'une fillette venant de recevoir une sucrerie. Son éloignement n'était vieux que d'une semaine, mais tout son petit monde lui manquait. Elle était moins indépendante que sa tante.

L'écriture élégante et soignée figurant sur l'une des enveloppes ne pouvait qu'appartenir à Norah. Et ces lettres malhabiles formant le prénom de la jeune femme sur une autre avaient sans aucun doute été tracées par la main d'un enfant. Les pensées de Lauriane se portèrent d'emblée sur Ryder et Harrison. Touchée, ce fut celle qu'elle ouvrit en premier.

La feuille contenue à l'intérieur présentait un joli dessin de leur cabane dans l'arbre. Trois personnes étaient visibles dans le trou de la porte, deux petites et une grande avec de longs cheveux rouges. Près de la cabane, au lieu de la forêt se trouvait un seul autre arbre avec des billets de banque brillants en guise de feuilles. « L'arbre enchanté de Monts-aux-Pins », en déduisit Lauriane, secouée d'un rire, se souvenant de cette légende qu'elle leur avait un jour racontée. Les enfants avaient écrit leur nom au bas du dessin, accompagné d'un mot disant qu'ils voulaient des histoires.

Conquise, elle retourna la feuille et sollicita l'attention de son mari :

— Regardez ce que Ryder et Harrison m'ont envoyé.

Dressant la tête, William scruta l'œuvre des enfants, puis étira la commissure de ses lèvres.

— Mignon.

Souriant à son tour, la jeune femme contempla de nouveau le dessin, vint pour le replier, mais changea d'idée. Elle préférait plutôt le voir accroché au mur.

— Vous n'auriez pas un petit clou ?

— Non, désolé.

La jeune femme avait toutefois une idée de rechange et alla chercher deux aiguilles dans son nécessaire de couture, après quoi elle plaça la feuille contre le mur que longeait son lit et planta une aiguille à chaque coin supérieur à l'aide de son dé à coudre.

— Voilà !

Lauriane recula pour admirer le résultat et s'assurer que le dessin était droit. Se tournant ensuite vers son mari, qui l'avait regardée faire, elle sentit son cœur faire un bond dans sa poitrine. Sa bouche s'asséchait et ce fut en déglutissant qu'elle croisa ses prunelles, braquées sur elle, en train de la fixer avec intensité. Le temps sembla s'étirer à l'infini, bien qu'il ne dût s'écouler qu'une seconde ou deux avant que William daigne la libérer de l'emprise magnétique qu'il exerçait sur elle et porte son attention sur le dessin.

— Je reconnais la cabane, la femme et les deux garçons, mais un arbre plein de billets de banque…

Riant, Lauriane avala de nouveau sa salive pour s'humidifier la gorge avant de répondre :

— C'est une vieille légende que je leur ai racontée. Elle parle d'un arbre enchanté qui est censé porter chance et apporter l'abondance dans la vie de son propriétaire, mais les enfants ont interprété ça autrement, on dirait !

— Oui, manifestement.

Lauriane contempla encore le dessin, sa poitrine secouée par son hilarité puis, rangeant le dé à coudre, elle s'affala sur son lit au milieu des lettres.

— Neil repartira jeudi, soit dit en passant, annonça son mari en posant son couteau. J'ai quelques travaux à lui confier.

La jeune femme releva la tête, momentanément perplexe. Enfin, tout s'éclaira. Le départ de Neil impliquait pour elle une possibilité de retour à Côte-Blanche. Chose étonnante, cette idée ne l'avait même pas effleurée. Désireuse d'améliorer ses rapports avec William, elle n'avait pas réfléchi à quel moment il serait opportun de repartir. D'autre part, se sachant d'une aide précieuse pour Guss, elle se voyait mal envisager de quitter le chantier dans l'immédiat. Comme l'état de santé du *show boy* pouvait évoluer d'un jour à l'autre, le mieux serait sans doute de prendre de ses nouvelles quotidiennement et d'aviser en temps voulu.

— Neil vient ici assez souvent, d'après ce que j'ai cru comprendre.

— Pratiquement chaque semaine, puisque son traîneau a une capacité de chargement limitée. Il est revenu cette fois plus tôt que prévu pour apporter de la marchandise manquante lors de son précédent voyage. Il faut parfois composer avec les retards de livraison au magasin général liés au mauvais temps.

Ainsi, se dit la jeune femme, si elle décidait de prolonger son séjour au chantier, elle aurait la possibilité de partir la semaine suivante. Quoi qu'il en soit, elle ne pouvait rien décider sur-le-champ. Elle laissa donc cette question en suspens et se concentra plutôt sur son courrier avec, en bruit de fond, le son sec et régulier que produisait son mari qui s'acquittait à présent de polir le manche de hache avec un morceau de verre. De temps à autre, il s'arrêtait pour éprouver de sa main la douceur du bois, puis reprenait le polissage.

Ayant ouvert l'enveloppe qui venait de Norah, Lauriane déplia la lettre qu'elle contenait, impatiente d'avoir de ses nouvelles. Ce fut alors qu'elle fit une constatation pour le moins singulière.

— Qu'est-ce que c'est que ça ? murmura-t-elle en joignant les sourcils.

Une vive incompréhension la prit d'assaut à mesure que ses yeux parcouraient la feuille, où apparaissait l'impeccable calligraphie de la vieille dame. Du moins, ce qu'il en restait...

— Qu'y a-t-il ?

La voix de William lui fit relever les yeux. Voyant qu'il l'observait d'un air interrogateur, Lauriane entrouvrit la bouche, mais puisqu'une image valait mille mots, elle abandonna plutôt le lit pour le rejoindre.

— Regardez, ça vient de Norah, indiqua-t-elle en lui mettant la lettre sous le nez.

Posant le morceau de verre et le manche de hache sur le sol à côté de lui, son mari jeta un regard intéressé sur la feuille, dont il se saisit. Il sembla vaguement surpris à la vue des traînées noires qui sillonnaient le texte et rendaient certains passages illisibles. Puis, sa chemise remua au niveau des épaules dans un faible haussement.

— Simple. Norah a plié la lettre alors que l'encre n'était pas encore sèche.

— Vous croyez ?

À demi convaincue par cet argument, la jeune femme observa la missive pensivement. La façon dont l'encre s'était étalée, en une sorte de mouvement de va-et-vient, la laissait dans le doute. Des traces aux extrémités arrondies, qui plus est, comme si...

L'image qui jaillit soudain dans son esprit lui hérissa les poils de la nuque.

— Moi, je trouve que ça ressemble à des traces faites par des… doigts.

— Des doigts ? répéta William, surpris.

— Oui, regardez bien, on dirait que quelqu'un a balayé la feuille du plat de la main, mais sans appuyer la paume.

Cette fois, un rire moqueur roula dans la gorge de William.

— Pourquoi diable ma tante aurait-elle fait cela ?

— Je sais, ça n'a pas de sens… Mais, d'un autre côté, si la lettre avait été pliée alors que l'encre n'était pas sèche, les traces seraient différentes.

— Hum… je ne serais pas aussi catégorique, à votre place, conseilla son mari en laissant de nouveau traîner son regard sur la lettre. À moins que vous considériez plausible que ma tante ait pu passer ses doigts sur cette feuille pour en étaler l'encre, cette autre option demeure la seule qui soit logique.

Mais Lauriane n'était pas du tout prête à approuver ce raisonnement. Les rouages de sa pensée fonctionnaient à l'inverse de ceux de son mari. Le rationnel avait chez lui une telle prédominance qu'il était prêt à prendre cette avenue coûte que coûte, quitte à faire abstraction de ce qui y faisait entrave. Alors qu'elle n'hésitait pas à s'engager sur le chemin de l'irrationnel si c'était ce vers quoi ses sens la guidaient. William avait cependant raison sur un point : Norah ne pouvait pas avoir fait ces traces elle-même. Était-il possible, alors, qu'elles aient été faites par quelqu'un d'autre ? Quelqu'un qui n'était pas… physiquement présent ?

En proie à une vague de frissons, Lauriane arracha la feuille des mains de son mari et la replia.

— Tant pis. Si votre recherche de la logique vous rend aveugle et que vous vous y complaisez, je n'y peux rien. N'empêche que moi, j'y vois autre chose.

Un nouveau rire secoua William, dont l'œil amusé la toisa brièvement.

— Et qu'y voyez-vous ? Des traces de doigts ? Que ma tante n'a pas pu faire à moins d'avoir été atteinte de démence passagère ? Dites-moi, en quoi cela vous avance-t-il de vous attarder à ce qui n'a aucun sens ?

— Ça me permet d'avoir une vision plus large de la situation et d'éventuellement trouver une explication qui soit la bonne, même si elle défie toute logique.

— Bien, dans ce cas, je serais curieux de la connaître. Si vous m'éclairiez ? Car je doute que vous penchiez pour la démence passagère, et ces traces n'ont pas pu se faire toutes seules…

S'interrompant, William étudia sa femme dans un silence songeur, jusqu'à ce qu'une réponse s'impose d'elle-même, si évidente et à la fois ridicule qu'il en grimaça d'agacement.

— *Damn !* Ne me dites pas que vous vous perdez encore dans ces fabulations au sujet du manoir ?

Lauriane se raidit, piquée à vif.

— Laissez tomber, je n'ai pas du tout envie de me lancer avec vous sur ce sujet de désaccord. Je retourne à ma lecture, lança-t-elle en tournant les talons.

Mais un bras la freina aussitôt, cerna sa taille et la tira en arrière. Une seconde plus tard, la jeune femme atterrissait sur les genoux de William, dont le regard, à quelques centimètres du sien, brillait de lubricité et de convoitise.

— En effet, laissons de côté ce sujet sans intérêt et concentrons-nous sur un autre autrement plus excitant, chuchota-t-il d'une voix suggestive.

La chaleur de son corps se diffusait à Lauriane comme s'ils étaient nus tous les deux. Un fer rouge était plaqué sur sa taille, là où le bras de son mari reposait ; un autre lui cuisait le dos, en travers duquel était passé son autre bras. Ses fesses se trouvaient quant à elles sur des braises ardentes et son épaule lui brûlait, appuyée sur son torse musclé et ferme. Sa respiration se raccourcit et son sang s'échauffa, coulant dans ses veines comme autant de lave en fusion.

Une main se faufila sur sa nuque et la caresse d'un pouce sur sa joue la fit frémir. Son regard captif des prunelles brillant d'intensité, Lauriane s'agrippa à la chemise de son mari, prise d'une envie folle de la lui arracher pour le plaisir de sentir sa peau sous ses doigts. Répondant à un appel aussi instinctif qu'irrépressible, leurs bouches se rapprochèrent, avides de se nourrir l'une de l'autre dans un baiser enfiévré.

Des cognements résonnèrent contre la porte. Leurs lèvres s'immobilisèrent à une étincelle de désir de distance. Lauriane sentit son corps se raidir en même temps que celui de son mari. Ce dernier poussa un faible grognement, plus douloureux que furieux, et un instant, son regard exprima la même volonté que celle qui habitait la jeune femme, soit envoyer voler l'intrus aux quatre vents.

Les coups se firent plus insistants.

— Boss ? Vous êtes là ? demanda la voix de Guss.

Non ! eut envie d'aboyer William. D'un geste vif, il resserra ses doigts sur la nuque de sa femme et plaqua ses lèvres contre les siennes, lui volant un bref mais non moins passionné baiser qui les laissa tous deux pantelants. Il la libéra ensuite à contrecœur, contempla avec un infini regret son joli visage rubescent et sa délicieuse bouche entrouverte. Il soupira sèchement, chassa les plis de sa chemise tandis que sa femme s'éloignait, puis invita ce fichu cuisinier à entrer.

L'entretien entre les deux hommes dura plus de quarante-cinq minutes. Lauriane poursuivit durant ce temps la lecture de ses lettres, tâchant de déchiffrer celle de Norah. À coup de phrases truffées de mots illisibles, celle-ci lui exprimait sa consternation de savoir que son neveu avait appris pour l'aphrodisiaque et qu'il en tirait des conclusions aussi infamantes sur le compte de la jeune femme. La vieille dame espérait qu'elle puisse tout lui expliquer dans les plus brefs délais. Voilà l'essentiel du message. En tout cas, chose sûre, elle ne devait pas s'être rendu compte de la présence des traînées d'encre sur la feuille. Et quoi qu'en dise William, Lauriane demeurait convaincue que ces traces avaient été faites par des doigts. Ceux de qui et pourquoi, ces questions demeuraient cependant sans réponse.

Son cœur se mit à battre follement dans sa poitrine lorsque le cuisinier quitta enfin la pièce, et ce fut avec une déception d'autant plus vive qu'elle vit William consulter l'heure avant d'annoncer qu'il sortait pour aller s'occuper de Dawson. Livrée à elle-même, Lauriane entreprit de faire sa toilette en espérant que son mari ne tarderait pas trop à revenir. Mais le temps passa et il ne se montra pas, ainsi se résigna-t-elle à aller dormir en n'ayant, pour se contenter, que le souvenir des sensations voluptueuses auxquelles il l'avait si habilement initiée.

Ces pensées enflammèrent ses songes et elle imagina le grisant contact de ses lèvres papillotant sur les siennes, leur douceur dans son cou et l'embrasement qu'elles semaient dans tout son corps. Elle avait chaud, sa peau était moite dans sa chemise de nuit. Tout ce qu'elle ressentait se teintait d'un réalisme tel qu'elle captait même un parfum de savon. Mais… c'était parce que c'était réel, ce n'était pas un rêve…

La caresse des lèvres cessa et Lauriane entrouvrit les yeux. Penché sur elle, William la contemplait d'un regard incandescent. Il était enfin revenu. Elle étira un sourire ravi, avança une main pour le toucher et s'aperçut qu'il était nu. La vue de son torse, dont la lueur de la chandelle redessinait les reliefs, la fit saliver et acheva de la réveiller complètement.

La pièce était comme un four, le poids des couvertures, qu'elle avait repoussées sur ses jambes, lui était un fardeau. Elle replia un genou pour les soulever et faire entrer de l'air. William en profita pour lui dénuder la cuisse et introduire une main fureteuse sous sa chemise de nuit, faisant courir des frissons sur son ventre. Gémissant tout bas, Lauriane alla à la recherche de ses lèvres. Elle laissa à son tour ses doigts vagabonder, se plaisant à caresser ce corps masculin et à trouver les zones susceptibles de lui procurer les plus délicieux frémissements.

— Je pensais que j'étais en train de rêver de vous, souffla-t-elle entre deux baisers.

— Dans un instant, vous constaterez que certaines réalités ne seront jamais égalées, même par les rêves les plus fous.

L'inflexion lascive de sa voix fit craquer Lauriane complètement. Avec ses jambes, elle termina de se débarrasser des couvertures et commença à se débattre avec sa chemise de nuit. William parut surpris, bien que satisfait, de son empressement. Il se chargea d'achever de lui enlever l'encombrant vêtement et se hissa ensuite sur le lit en la dévorant des yeux. À genoux entre ses cuisses, il lui apparut dans toute sa beauté mâle, son membre durement érigé, fouettant son excitation.

Lauriane avait encore en mémoire l'image d'Isaac et de Catherine, nus, s'ébattant dans la pénombre de leur chambre. Maintenant, elle connaissait le secret des époux et voulait ardemment que chaque parcelle de son être brûle de ces plaisirs, être emportée par la folle passion que William savait déchaîner en elle.

Ses aspirations se confondirent avec la réalité et elle se soumit avec frénésie aux voluptueuses sensations que lui procura ce corps à corps enflammé, se laissa pénétrer du fruit qui allait répandre sa saveur érotique en elle après lui avoir fait vivre les plus fabuleux vertiges.

❄ ❄ ❄

Le soleil brillait telle une pépite d'or dans le ciel d'un bleu givré. Le froid régnait en maître sur la forêt animée par les multiples claquements et bruits de sciage indiquant que le travail allait bon train. Le chant des bûcherons parsemés ici et là retentissait à travers les bois, rythmé et plein d'entrain comme celui d'une bande de lutins.

Ses raquettes appuyées sur son épaule, sa hache en main, William progressait sur le maître chemin dans le crissement de ses pas sur la neige. Ses habits fumaient encore suite à l'effort physique qu'il venait de fournir. Il allongea ses foulées, question de maintenir sa température interne à un niveau élevé et éviter que sa transpiration se fige directement sur sa peau et le transforme en glaçon ambulant.

En vue du camp, il aperçut un traîneau chargé de bidons d'eau immobilisé devant le dortoir. Guss en descendit pour aller ouvrir la large porte de la bâtisse. Levant sa tête de hache en guise de salutation, William bifurqua en direction de la forge, qu'il contourna pour se rendre derrière, d'où s'élevaient des claquements secs. Il y trouva Neil en train de finir de déloger les pièces éboulées du toit de l'appentis, lequel s'était effondré d'un côté.

Le voyant arriver, le jeune homme interrompit sa tâche pour se saisir d'un rondin fracassé gisant sur le sol.

— C'est ce poteau-là qui a lâché, expliqua-t-il en s'approchant pour le lui montrer. Regardez-moi ça, le cœur est tout pourri. Avec le poids de la glace et de la neige, pas étonnant qu'il ait fini par céder. Mais vu du dehors, rien n'y paraissait.

Il fit jouer son pouce dans la partie malade du bois pour en déloger un fragment de couleur brun-rouge témoignant de l'état d'avancement du champignon. Il ficha ensuite le rondin dans la neige et porta son regard sur la partie intacte du toit.

— L'autre a l'air encore bon, en tout cas. D'après l'écorce, il ne vient pas du même arbre.

Appuyant contre le bâtiment ses raquettes et sa hache, William s'approcha du poteau en question et le secoua avec vigueur pour en éprouver la solidité, dont il s'estima satisfait.

— C'est ce qu'il semble. Tu n'auras donc pas à refaire tout le toit. Contente-toi de redresser la partie effondrée.

— Ouais, c'est ce que j'avais pensé. C'est moins pire qu'il y paraît, ce sera arrangé en un rien de temps.

— Tant mieux. Puisque ce sera moins long que prévu, vous pourrez prendre la route demain au lieu de jeudi.

Les muscles du visage de Neil remuèrent sous sa peau figée pour lui modeler une expression d'incompréhension.

— Vous ?

— Toi et ma femme, bien sûr, précisa William, trouvant cette réaction incongrue.

Et elle le devint encore davantage lorsque Neil le regarda d'un air carrément égaré, comme s'il venait de lui dire une absurdité. Puis, une lampe parut tout d'un coup s'allumer quelque part dans son esprit et son visage s'éclaira.

— Ah ! Alors votre femme ne restera pas au camp en fin de compte ? Parce que Guss m'a dit tout à l'heure qu'elle pensait rester, c'est pourquoi j'avais du mal à vous suivre. Moi, je ne comprenais plus rien !

Si la lumière s'était faite en lui, elle ne fit pas la même grâce à William, qui se renfrogna. Sa femme n'avait pourtant fait aucune allusion à cette intention devant lui la veille. Qu'est-ce que c'était encore que cette histoire ?

— Tu es sûr que c'est ce qu'elle a dit à Guss ?

— Oui, sûr et certain.

— Quand ?

— Oh ça… aucune idée, boss.

Voyant les traits durcis que présentait son patron, Neil se sentit rétrécir sur place et s'empressa de proposer :

— Vous voudriez peut-être que j'aille le demander à Guss ? Je crois qu'il est en train de rentrer de l'eau dans l…

— Non, inutile.

Frappé par la rudesse du ton, le jeune homme eut le mauvais sentiment d'avoir commis un impair. De toute évidence, son patron n'était pas au courant que sa femme envisageait de rester au camp, projet qui semblait le mécontenter, pour ne rien arranger. Ce qui, en soi, n'avait aucun sens aux yeux de Neil. Sans doute se trompait-il. Oui, quelque chose lui échappait sûrement, parce qu'aucun homme au monde n'aurait envie de se priver de la compagnie d'une telle femme. En tout cas, à la place de son patron, lui ne voudrait jamais qu'elle s'en aille, au contraire, il la supplierait même de rester pour la garder tout l'hiver auprès de lui. Il ne tolérerait pas de rester une seule minute séparé d'elle. Mais Neil n'était pas à la place de son patron. Il devait se contenter que de rêver et de digérer sa déception de devoir reprendre la route sans elle... encore cette fois.

7

À sens unique

— Combien est-ce que je vous en coupe, tante Adéline ?

— Hum, une douzaine environ, assez longues.

Sur le seuil de sa cabane, Adéline tira sur la porte pour empêcher le froid d'entrer, puis plaça ses mains face à face, à bonne distance l'une de l'autre.

— Longues comme ça, à peu près.

— D'accord, je vous rapporte ça, ce ne sera pas long, promit Lauriane avant de s'éloigner.

Munie d'un coupoir, elle s'approcha d'une épinette verdoyante de santé puis, saisissant un rameau, délogea la neige accumulée avant de le couper à la base d'un geste net. Pour ne pas donner du mal à l'arbre, elle passa à un autre après la deuxième amputation. Elle s'arrêta pour approcher les cylindres d'aiguilles de son nez et en humer l'odeur piquante. Majestueux conifères qui ne se déparaient jamais ; quand les feuillus avaient perdu leur vêture et s'endormaient pour l'hiver, eux continuaient de resplendir et d'apporter un peu d'habillage à la nature blanche et nue.

Elle avait plusieurs branches en main lorsque l'une d'entre elles lui échappa et tomba à ses pieds. S'accroupissant pour la ramasser, Lauriane fut, l'espace d'un moment, incapable de se relever, le poids de l'air au-dessus d'elle semblant tout à coup peser trop lourd sur ses épaules. Sans savoir pourquoi, elle se mit à penser à Côte-Blanche. Une pensée imposée à son esprit, comme si quelqu'un l'y avait introduite de la même façon qu'on mettait un vêtement dans un tiroir.

Côte-Blanche... le manoir... Lauriane l'imaginait avec une telle clarté qu'elle pouvait même en voir tous les détails dessinés sur la blancheur du sol sous ses yeux. Le rameau d'épinette, quant à lui, prenait une apparence de main aux doigts d'aiguilles. Ces dernières semblaient pointer vers le sud, la direction à prendre pour retourner à Monts-aux-Pins. La tête de Lauriane pivota et ses yeux se portèrent sur la route, qu'elle fixa en croyant entendre un appel lointain, venant d'au-delà des arbres et de la forêt tout entière. Il venait de Côte-Blanche. De toutes ses pierres, de tout son bois, le manoir l'appelait à lui.

Progressivement, cela s'atténua, jusqu'à en devenir muet. Les pensées de la jeune femme redevinrent siennes, le poids de l'air s'envola et la ramure ne fut plus qu'une ramure. Lauriane la ramassa et se releva. Ce faisant, elle aperçut William près de l'écurie, en train de passer des raquettes à ses pieds, un fusil en bandoulière dans le dos. Cette image lui remémora un récent souvenir des plus déplaisants et, étreinte d'un soudain sentiment de crainte, Lauriane s'empressa de s'éloigner de l'orée de la forêt.

— Vous vous en allez chasser ? questionna-t-elle en s'approchant de son mari.

Aucune réponse ne vint. Se disant qu'il ne l'avait peut-être pas entendue, elle attendit de l'avoir rejoint et redemanda :

— Vous vous en allez chasser ?

— Pas tout à fait.

Le ton de sa voix, quelque peu bourru, frappa la jeune femme.

— Est-ce qu'il y aurait une autre bête enragée dans les parages ?

— Un animal suspect a été repéré près de la rivière, je pars faire une ronde.

— S'il est infecté, j'espère que vous allez l'attraper. Il faut en finir. Je plains les hommes de devoir travailler dans ces conditions, ils doivent être constamment aux aguets, à redouter de se faire attaquer.

William demeura silencieux. Ses raquettes bien fixées, il déplia son grand corps et rajusta son couvre-chef. Ses yeux avaient la couleur d'un ciel plombé dans son visage fermé.

— Je les ramasse pour ma tante, expliqua Lauriane en montrant la provision de rameaux qu'elle tenait. Mais je pense que je vais m'arrêter. Même si je reste en bordure du bois, je me méfie.

— Mieux vaut que vous restiez à l'intérieur jusqu'à nouvel ordre.

— Oh, je ne me ferai pas prier, vous pouvez en être sûr !

Elle esquissa un petit sourire que ne lui rendit pas William. Comme elle avait l'air de l'ennuyer ! Chaque réponse semblait lui être arrachée à contrecœur. Il n'avait, de toute évidence, pas la moindre envie de lui faire la conversation, en plus d'être visiblement de méchante humeur. Quelle mouche avait bien pu le piquer ? D'ailleurs, c'était un état persistant chez lui aujourd'hui à ce qu'il semblerait, car elle l'avait croisé sur l'heure du midi et il avait eu la même attitude.

— Bon, alors, soyez très prudent, recommanda-t-elle un peu plus sèchement qu'elle l'aurait voulu.

Mais elle était apparemment devenue invisible et muette aux yeux de son mari, qui tourna les talons sans façon et commença à cheminer en direction de la forêt.

— Attendez, l'appela Lauriane.

Il s'immobilisa, mais ne daigna pas se retourner.

— J'aimerais que ce soir nous soupions ensemble dans le *forepic*.

Puisque Neil repartait le lendemain et que l'état de santé du *show boy* tardait à s'améliorer, elle souhaitait entretenir son mari de son idée de rester au chantier encore un peu. Elle espérait toutefois qu'il se serait débarrassé de son air d'ours grognard d'ici à l'heure du souper. Car elle voyait aussi en ce repas une occasion de passer du temps seule avec lui, de pouvoir discuter en toute intimité, chose qui ne se présentait que trop peu souvent sur ce camp. Mis à part le soir, mais alors, la discussion se déroulait davantage entre leurs corps, et leurs bouches s'exprimaient d'une tout autre manière… Par ailleurs, si elle mangeait dans le bureau, il lui faudrait prendre de l'avance dans certaines de ses tâches et laisser le cuisinier se charger des autres pour ce soir. Elle pourrait toujours aller s'occuper de la vaisselle plus tard.

Son mari se remit en marche et la réponse ne vint pas. «Qui ne dit mot consent.» Ne lui resta donc qu'à espérer que c'était un oui.

❋ ❋ ❋

Les hommes partis, la forêt renouait avec une tranquillité que la tombée de la nuit approfondissait. Le pied sur une souche, William tira un cigare de sa poche, mais l'y remit aussitôt en apercevant la silhouette d'un renard. Il tendit le bras pour saisir sa carabine et l'épaula à gestes très lents sans quitter l'animal des yeux. Sa fourrure blanche le rendait difficilement visible. Son museau effilé plongea dans un trou creusé dans la neige, à la recherche d'une proie à croquer. Ses oreilles se dressèrent tout à coup. Abandonnant le trou, sa truffe se leva pour renifler l'air. Il venait de repérer la présence du tireur. Ses yeux se tournèrent dans sa direction une seconde avant qu'il ne détale ventre à terre dans le silence ouaté de la forêt.

William reposa son arme. L'animal n'avait pas la rage. Il ressortit son cigare et l'alluma. Exhalant une bouffée, il observa le ciel parsemé des premières étoiles, pâles. Au son du borborygme bruyant qu'émit son estomac, il songea au dîner, à sa femme en train de l'attendre pour un repas intime qui ne le tentait absolument pas. Ces petites mises en scène pseudo-romantiques, trop peu pour lui. D'ailleurs, à quoi cela rimait-il ? Que cherchait-elle ? Le désir de rétablir les faits l'avait obsédée, il avait été le levain à ses actions. À présent que son but était atteint, qu'espérait-elle d'autre ? Après tout, pas plus que lui elle n'avait souhaité cette union. William se rappelait certains propos qu'elle avait tenus devant lui. Elle se prétendait alors criblée de regrets et invoquait avec amertume ses rêves de jeune fille envolés. Cela se présentait à lui sous un jour différent, aujourd'hui.

Et ce braillard durant la noce ? Sa femme entretenait-elle avec lui une relation particulière ? La complicité qu'il avait pu observer entre eux dans la grange la veille de la

Toussaint le portait à en supposer. N'eût été ce caprice du sort l'obligeant à s'unir à un autre, aurait-elle épousé cet homme ? En regard de cela, que pouvait-elle donc attendre d'un mari qu'elle n'avait ni choisi ni désiré ? Il lui donnait un toit, une situation, il leur offrait un nom, à elle et à l'enfant. Cette épouse si malheureuse, que voulait-elle de plus venant de lui ?

Expédiant son cigare dans la neige d'une chiquenaude, William ramassa hache et fusil, puis se mit en route vers le camp. En vue des bâtiments, il jeta un regard en direction de la fenêtre lumineuse du *forepic*. Sans ralentir, il poursuivit son chemin et poussa la porte du dortoir.

❋ ❋ ❋

Les cognements du marteau résonnaient sans répit, allant en s'amplifiant jusqu'à devenir insupportablement agaçants. Expulsée d'un profond sommeil, Lauriane se retourna dans son lit en maugréant. Ouvrant les yeux, elle s'empêtra dans les filets de la confusion. La chambre baignait dans une compacte obscurité. Alors que la jeune femme se demandait qui pouvait jouer du marteau au milieu de la nuit, son cerveau se replanta dans la réalité et lui fit se rendre compte que les cognements étaient le fruit de coups assénés contre la porte d'entrée.

Lauriane se redressa sur son matelas. Si cela continuait, ils allaient réveiller tout le camp ! Son regard se porta sur son mari, qui, chose étonnante, dormait paisiblement, pas le moins du monde dérangé par le bruit. Sur le point de quitter son lit, la jeune femme eut un moment d'hésitation. Était-il prudent d'ouvrir à quelqu'un qui frappait à la porte à une heure pareille ? Mais aussitôt, elle se raisonna, se disant qu'il s'agissait sûrement d'une situation d'urgence. Son cœur se serra à l'idée qu'un incident grave puisse être survenu. Et si sa tante était concernée ?

Sans plus attendre, Lauriane bondit sur ses pieds et se précipita vers la porte. Au moment où sa main allait atteindre la poignée, les coups cessèrent net. Déconcertée, elle suspendit son geste. Mais bientôt, son inquiétude reprit du terrain et la poussa à ouvrir enfin le battant.

Elle se figea de stupeur en ne rencontrant, de l'autre côté, qu'un vide obscur. Frémissant dans l'air glacial, la jeune femme s'avança néanmoins sur le seuil pour explorer à l'extérieur et sombra dans l'incompréhension en n'apercevant personne. Impossible ! On avait pourtant frappé à cette porte et avec tant de vigueur qu'elle avait carrément été tirée du sommeil !

Par hasard, ses yeux tombèrent sur le sol à ses pieds et de l'incompréhension, elle passa à une totale confusion. Une nouvelle couche de neige s'était ajoutée au cours des dernières heures. Normalement, il aurait dû y avoir des empreintes de pas. Quelqu'un qui se serait approché assez près pour frapper à la porte aurait laissé des traces fraîches. Mais le tapis immaculé était intact. Cela n'avait aucun sens !

Ce fut alors qu'un mouvement sur sa droite attira son attention. Plissant les yeux pour mieux sonder la nuit, Lauriane crut distinguer une silhouette au loin qui s'éloignait tranquillement. Quelque chose dans sa façon de se mouvoir la captiva, maintint son regard enchaîné à elle, curieux et fasciné. Une telle fluidité l'animait qu'elle donnait l'impression de glisser sur la neige. Hypnotisée, la jeune

femme se sentit happée par une irrésistible envie de se précipiter dehors pour la suivre.

— Fermez donc cette fichue porte !

Un hoquet de surprise échappa à Lauriane en même
temps que tout son corps était secoué d'un violent sursaut.
Elle pivota vivement sur son axe et avisa son mari, assis au
bord de son lit, ses traits chiffonnés de sommeil, qui la dardait d'un regard réprobateur.

— Qu'est-ce que vous fichez ? gronda-t-il. Vous voulez
tous nous voir transformés en glaçons, ma parole !

— Mais il y a... il y a quelqu'un dehors.

Lauriane se tourna pour chercher la silhouette des yeux
et constata, ébahie, qu'elle avait disparu. N'y comprenant
rien, elle scruta l'obscurité, à la recherche du moindre mouvement d'ombre. L'examen l'absorba tant et si bien qu'elle
perçut à peine la soudaine présence de William à ses côtés.

— Il y a quelqu'un ? Où ça ?

— Je ne sais pas, je ne la vois plus.

— La ?

— La silhouette. Elle était là il y a à peine quelques
secondes, je l'ai vue qui s'éloignait là-bas, vers la route qui
mène à Monts-aux-Pins, expliqua Lauriane en pointant l'endroit en question.

S'approchant du seuil bien qu'il ne soit vêtu que d'un
caleçon, William observa dans la direction indiquée.

— Je ne vois personne. Vous êtes sûre d'avoir aperçu
quelqu'un ?

— Oui. Il fait sombre, mais je suis sûre de ce que j'ai vu.

Sourcils joints, William passa encore un moment à examiner le dehors, puis il fit signe à la jeune femme de reculer
et referma la porte, mettant fin à la généreuse entrée du

froid dans la pièce. Il alluma la chandelle sur sa table de travail, enfila un pantalon et une chemise, chaussa ses bottes. Enfin, il passa son manteau en hâte et s'empara d'une lampe-tempête, à laquelle il mit feu.

— Je vais aller jeter un coup d'œil au cas où, annonça-t-il en prenant sa carabine.

Dès qu'il fut sorti, Lauriane se dirigea près du poêle pour y puiser de la chaleur, l'esprit en déroute. Comment avait-on pu frapper à la porte sans laisser de traces dans la neige ? Et la force des coups, leur insistance aurait normalement dû réveiller William. Quant à cette silhouette, tellement intrigante et captivante, c'était presque comme si elle avait mentalement imploré la jeune femme de la suivre...

William revint au bout de quelques interminables minutes. Il se débarrassa de son arme, ainsi que de la lampe, et entreprit de déchausser ses bottes.

— Rien, personne. J'ai appelé pour signaler ma présence, sans obtenir de réponse.

— Je ne comprends pas, j'ai pourtant bien vu quelqu'un.

Lauriane aurait pu le jurer. Son mari fit un drôle d'air, semblant pour sa part peu convaincu. Il retira son manteau, s'avança pour aller loger la lampe sur la table de travail.

— Il fait nuit, peut-être avez-vous confondu une ombre avec la silhouette de quelqu'un.

— Non, je suis certaine de ce que j'ai vu, se borna la jeune femme. C'était un corps solide, pas une ombre sans profondeur.

— Très bien, dans ce cas, pourquoi n'y a-t-il pas la moindre empreinte de pas dans la neige ? Ce détail mis à part, j'aurais pu à la limite croire que vous ayez pu voir la silhouette d'un orignal, d'un chevreuil, voire de quelqu'un du camp qui serait sorti pour une raison ou une autre. Mais j'ai vérifié aux environs des bâtiments et les seules empreintes qui parsèment la neige en ce moment sont les miennes.

Il avait parlé d'une voix assurée, presque défiante, tandis que son regard se faisait inquisiteur. Confondue par cette nouvelle donnée, Lauriane garda le silence. C'était comme pour les coups sur la porte, elle ne pouvait pas prouver qu'elle les avait bien entendus. Cela lui rappela étrangement la nuit ayant précédé la mort de Thomas. Rien n'aurait pu lui sembler plus réel que ce martèlement de sabots retentissant autour de la maison et pourtant, elle n'avait rien vu de sa fenêtre. Excepté que dans ce cas précis, elle en était venue à penser, après coup, qu'il s'agissait d'une sorte d'avertissement.

— Et puis, que faisiez-vous debout en pleine nuit, sur le pas de la porte ?

S'étant rapproché du poêle, William la sondait. Une barbe naissante mettait délicieusement en valeur sa mâchoire carrée, s'alliant à ses cheveux en bataille pour lui donner une allure de mauvais garçon irrésistible.

— J'ai été réveillée par un bruit, j'ai cru qu'on frappait à la porte. Mais je dois avoir rêvé, s'empressa d'ajouter Lauriane, ne croyant pas utile d'essayer de le convaincre que les coups avaient été au contraire très réels.

Le front de William se plissa tandis qu'il s'absorbait dans une courte réflexion.

— Bon, tout s'explique, alors. Vous avez rêvé qu'on frappait à la porte et en vous réveillant, vous avez cru que c'était réel et êtes ainsi allée ouvrir. Puis, confondant toujours votre rêve avec la réalité, vous avez cru apercevoir quelqu'un à l'extérieur.

Satisfait de son explication, il fut d'autant plus surpris de voir la jeune femme se rembrunir et le pourtour de ses jolies lèvres se plisser.

— Je lis sur votre visage que vous n'êtes pas d'accord avec ce que je dis, releva-t-il en penchant la tête de côté. Je vous en prie, faites-moi donc part de votre pensée.

Gonflant ses poumons d'air, Lauriane exhala un long soupir, ferma les yeux en secouant les boucles rousses qui tombaient sur ses épaules. Il était hors de question qu'elle s'engage dans l'impasse à laquelle aboutissait invariablement chacune de leurs discussions concernant des faits inexpliqués. Surtout pas à cette heure et alors qu'elle avait de la brume dans la tête parce qu'elle était en déficit de sommeil, précisément à cause de lui, qui plus est !

— Nous sommes au beau milieu de la nuit, je suis fatiguée et je n'ai pas envie de discuter, encore moins avec vous, jeta-t-elle âprement en le piquant d'un regard éloquent.

William égrena un rire sans chaleur. Tout en se frottant les mains l'une contre l'autre pour les aider à se réchauffer, il parcourut la pièce des yeux et nota la présence des effets personnels de sa femme : son nécessaire de couture sur le sol près d'une chaise et un châle sur le dossier, un pot de crème et une brosse à cheveux sur son armoire, le dessin de Ryder et Harrison sur le mur. Tous autant d'éléments pour affaiblir la probabilité de son départ imminent, ce qui eut le don de l'agacer.

— Justement, dans une poignée d'heures, il fera jour et Neil partira pour Côte-Blanche. N'auriez-vous pas quelque chose à me dire à ce sujet ?

Comme elle restait à le regarder sans un mot, il ajouta, incisif :

— Il paraît que vous projetez de prolonger votre séjour ?

— C'est vrai, je pensais rester une semaine de plus, admit Lauriane, quelque peu étonnée qu'il soit au courant.

Devant elle, son mari affichait un masque d'une dureté minérale, que la lumière apaisante de la chandelle n'arrivait pas à adoucir.

— Ne pensez-vous pas que vous auriez dû me consulter avant de prendre une telle décision ? Ne suis-je pas le premier à qui vous auriez dû en parler ?

— Comment voulez-vous ? Depuis ce matin que vous êtes bourru et fermé comme une huître pour je ne sais trop quelle raison, et ce soir, je voulais aborder le sujet durant le souper, mais vous m'avez fait faux bond ! s'emporta Lauriane à voix difficilement contenue.

Elle s'efforçait de refréner sa colère, qui revenait en force. Le souvenir de l'affront subi la mettait encore dans tous ses états. Comme une sotte, elle avait patiemment attendu que William daigne se montrer. Jusqu'à ce que l'évidence la frappe et lui fasse comprendre qu'il ne viendrait pas. Dans le dortoir, les hommes étaient rentrés et s'étaient attablés pour manger. Lauriane avait entendu Guss s'affairer dans la cuisine à travers la cloison. Le temps avait passé, l'heure du repas aussi. L'indignation de la jeune femme avait gagné en force et c'était en se promettant de dire sa façon de penser à son mari qu'elle avait arpenté la pièce, son estomac vide criant famine.

Pour couronner le tout, il avait eu l'impudence de ne pas se montrer de toute la soirée. Ce n'était qu'une fois tout le monde couché qu'elle avait décidé de faire un saut à la cuisine pour manger quelque chose, trop remontée pour parler à qui que ce soit. Guss avait en fin de compte insisté pour s'occuper de la vaisselle. Pourtant, il avait semblé à Lauriane que cette tâche l'aurait aidée à se changer les idées. Finalement, elle s'était résignée à se mettre au lit, veillant à se positionner face au mur afin de faire comprendre à William qu'elle ne souhaitait pas qu'il l'approche ce soir. Le sommeil n'était venu la cueillir que beaucoup plus tard, alors qu'elle se trouvait toujours seule.

— Ce serait donc pour cette raison que vous auriez eu l'idée de ce « petit dîner » ? s'enquit William, caustique. Dans l'unique but de me mettre devant le fait accompli ?

— Ce n'était pas pour vous mettre devant le fait accompli, je n'ai pas encore pris de décision et je voulais avoir votre avis, même si vous pensez le contraire. Si j'avais su que vous étiez déjà au courant, je vous en aurais parlé avant.

Était-ce cela qui avait provoqué sa mauvaise humeur ? Le fait qu'elle ne lui en ait pas parlé en premier ? Voilà qui semblait un peu mince comme raison…

— Et pourquoi dites-vous « petit dîner » sur ce ton qui sent le reproche à plein nez ? Comme si inviter mon mari pour un repas en tête à tête était un péché grave !

— Péché grave, non, mais plutôt une initiative incongrue compte tenu de la situation qui est la nôtre.

Cette affirmation fit sourciller Lauriane, qui resta un instant à le fixer, bouche entrouverte, ne sachant que dire.

— Ah bon…, murmura-t-elle enfin en baissant les yeux. J'avais pourtant l'impression que notre situation avait changé ces derniers jours. J'ai cru que nous étions en train de prendre un nouveau départ. Je pensais que… enfin… j'espérais que c'était aussi ce que vous pensiez de votre côté.

William contracta la mâchoire. Voilà précisément ce qu'il avait anticipé. Elle avait mal interprété le changement qui s'était opéré entre eux au cours de la fin de semaine. Lui n'avait vu en cela qu'une occasion de se rapprocher d'elle physiquement, de pouvoir enfin succomber à des pulsions sexuelles trop longtemps tenues en bride. Elle, en revanche, avait commis l'erreur de confondre l'attention qu'il lui avait portée avec de l'intérêt pour sa personne et, par extension, pour leur avenir commun. Une petite mise au point s'imposait donc. Le moment était venu pour lui de mettre cartes sur table avec elle et de lui faire comprendre où se situaient les limites de leur union.

— Malentendu ou non, une chose demeure inchangée, et c'est le fait que nous nous soyons mariés par stricte obligation.

Le regard saphir de la jeune femme reparut et fut traversé par un éclair de conviction.

— Oui, je suis d'accord, mais il me semble que notre mariage a quand même un peu plus de consistance qu'une signature au bas d'un contrat.

— Ce n'est pas le discours que vous teniez lors de notre nuit de noces, si j'ai bon souvenir, railla William.

La jeune femme se croisa les bras sur la poitrine, en proie à un mauvais frisson. Elle avait cru ne plus avoir à subir ce genre de moquerie déplaisante venant de lui. Mais force lui fut de constater que ce mari agréable qu'elle avait connu, l'espace de quelques jours, avait disparu aussi vite qu'il était apparu, sonnant le retour de l'homme de marbre, inaccessible, qui se tenait devant elle.

— C'est vrai, je voyais les choses différemment à ce moment-là, admit-elle du bout des lèvres.

— Est-ce donc dire que vous voyez les choses différemment à présent? Moi pas. Vous étiez celle que je consentais à épouser parce qu'elle portait en son sein le fruit d'un regrettable moment de folie et c'est ainsi que je vous vois encore aujourd'hui. Bien que j'admette que vous soyez innocente des accusations que je vous portais, cela ne change rien à la situation.

— Mais se marier par devoir n'implique pas forcément de rester des étrangers l'un pour l'autre. Ça ne nous empêche pas d'essayer de développer de bons rapports en tant que mari et femme et d'apprendre à mieux nous connaître. Que savons-nous l'un de l'autre ? Très peu de choses et…

William l'interrompit d'un geste.

— Holà ! Je vous arrête tout de suite. Il n'est nullement question que nous établissions des rapports plus approfondis que ceux auxquels ce mariage nous a engagés au départ. Je ne souhaite entre nous ni amitié, ni camaraderie, ni aucune forme de complicité que ce soit. Au mieux, des échanges polis liés au fait que nous cohabitons et que nous sommes donc enclins à nous croiser, de même qu'au fait de devoir faire bonne figure en public.

Lauriane eut la désagréable impression de se faire verser sur la tête un seau d'eau glacée. Elle cilla, ne s'attendant pas à ce que William lui tienne ce genre de propos. Pas après les changements des derniers jours, lesquels lui avaient fait espérer bien davantage qu'une espèce de relation superficielle uniquement destinée à sauver les apparences.

Déconcertée, Lauriane plongea dans le regard gris, en quête d'un vestige de cette chaleur qui avait su l'enflammer la veille encore, mais elle ne fit que se heurter à son aridité. Cela la blessa, comme le jour de Noël, lorsqu'elle avait rejoint son mari dans son bureau pour le remercier d'avoir embauché sa tante et qu'il l'avait traitée avec si peu d'égard, l'avait fait sentir si minuscule, si insignifiante. Rien n'avait changé en vérité, elle ne pesait pas plus lourd dans sa vie qu'auparavant. Douloureuse constatation qui l'accabla.

— Alors, vous ne voulez me laisser aucune autre place que celle que vous, vous avez choisie? s'insurgea-t-elle, amère. Est-ce que ça signifie que, pour vous, je suis au même niveau qu'une domestique que vous sonnez au besoin, mais dont vous ne vous souciez pas le moins du monde le reste du temps? Vous vaquez à vos occupations, vous menez votre vie en sachant à peine qu'elle existe. C'est ce que je suis pour vous? Une sorte de gouvernante qui s'occupera de la marmaille et avec qui vous couchez, c'est ça?

— Vous venez d'assez bien résumer ma vision de la situation, approuva William dans un petit mouvement de tête de côté. Ma vie ne changera pas parce que je vous ai épousée; je n'ai aucune intention de laisser cela arriver. Ne vous attendez à rien et vous ne serez jamais déçue. En dehors de la satisfaction de mes appétits charnels, ajouta-t-il en la détaillant de la tête aux pieds, je n'attends rien de vous sinon que vous soyez la mère de l'enfant. Il aura deux parents qui sauront le chérir, c'est tout ce qui importe. La situation est-elle claire pour vous à présent?

— Très.

Un long silence s'ensuivit, lourd, tendu, brisé par les faibles crépitements du bois dans le poêle. Son mari se détourna et s'éloigna, laissant derrière lui une traînée d'indifférence qui cerna Lauriane de toutes parts. Elle serra les lèvres, la gorge nouée, les oreilles bourdonnant des cloches de la désillusion qui sonnaient pour elle. La porte était hermétiquement fermée du côté de William. Si les négatifs sentiments qu'il ruminait s'étaient oblitérés, il restait encore l'obstacle que représentait ce mariage de raison.

Le fossé angoissant qui les divisait et que Lauriane avait cru avoir commencé à remplir était toujours là. Un unique fil en reliait les deux côtés, tissé des maillons incandescents du désir, unifiant leur corps dans la nuit et ne rendant que plus irréelle la froide réalité que William voulait lui imposer. Désir, froideur, il semblait à la jeune femme que les deux n'allaient pas de pair. Une cruelle déception s'était blottie à l'intérieur de sa poitrine. C'était loin de ce qu'elle avait espéré et elle s'en voulait, tout à coup, d'avoir osé entretenir un tel espoir.

La voix de William la tira de ses déprimantes réflexions.

— Et puisque nous parlons de ce mariage, je me dois de vous rappeler que ma décision de prendre femme avant l'hiver a été grandement motivée par le fait que je ne souhaitais pas voir ma tante demeurer seule en mon absence. Aussi votre place est-elle auprès d'elle, non sur ce camp. C'est pourquoi vous allez regagner Côte-Blanche dès demain. Guss sera en mesure de se débrouiller en attendant que Joe se rétablisse. Sur ce, je vous suggère de vous remettre au lit afin que vous puissiez boucler vos bagages tôt demain matin.

Il éteignit la lampe et un froissement de draps indiqua qu'il se recouchait, comme si pour lui cette conversation n'avait été rien de plus qu'un échange de propos banals. C'était donc cela, songea la jeune femme. La véritable raison de sa mauvaise humeur de la journée venait de se révéler : il tenait à ce qu'elle parte. Il l'avait tolérée parce qu'il y était obligé, s'était montré plaisant parce qu'il n'avait plus de raison d'être désagréable, mais cela s'arrêtait là. À partir du moment où il avait une occasion de la voir partir, il s'empressait de la saisir à pleines mains sans l'ombre d'une hésitation.

Lauriane se traîna jusqu'à son lit en ravalant des larmes de dépit. Pour elle, il ne faisait plus aucun doute qu'un tel désintérêt ne pouvait qu'être issu de rancœur. William lui en voulait d'être tombée enceinte, lui en voulait d'avoir accepté sa demande en mariage et surtout, il lui en voulait de ne pas être Clara, celle qu'il aurait véritablement souhaité prendre pour femme. Le malentendu lié à l'aphrodisiaque n'avait fait que nourrir cette rancœur qui le rongeait déjà depuis longtemps. Et tout le drame de Lauriane résidait en le fait qu'elle ne pouvait rien y changer, ses efforts demeureraient vains. Elle n'avait plus qu'une chose à faire : agir selon la volonté de son mari et mettre entre eux le plus de distance possible.

Le lendemain matin, Lauriane était prête pour un véritable départ. Guss abandonna sa cuisine le temps de venir lui dire au revoir. Il lui exprima encore une fois sa reconnaissance pour son aide. Ce n'était pas des besognes pour la dame du patron, répétait-il sans cesse, et comme toujours, la jeune femme lui affirma qu'elle l'avait fait de bon cœur.

Sa tante était également au rendez-vous et l'attira à l'écart pour lui dire quelques mots juste avant qu'elle monte à bord du traîneau. Le départ de Lauriane l'attristait, bien entendu, tout autant que pouvait la décevoir le soudain revirement de situation entre elle et son mari. Mais sa confiance envers un avenir positif pour leur couple n'avait pas été altérée pour autant.

— Sois patiente, ma chérie. Un camp de bûcherons n'est pas ce qu'il y a de mieux pour faire s'épanouir un couple. Attends le retour de William à Côte-Blanche, au printemps. Du temps aura passé. Il s'est marié sans vraiment l'avoir voulu. Toi aussi, mais toi, tu es d'une nature différente, tu es sans doute plus flexible et plus disposée à t'adapter aux changements liés à votre nouvelle vie. Peut-être que lui, il aura besoin de plus de temps avant d'en arriver à voir les choses comme toi et à vouloir y mettre du sien. Et puis, la naissance d'un enfant est un vrai miracle, et qui sait si sa magie ne va pas opérer sur vous deux ?

— Peut-être, on ne sait jamais, marmonna Lauriane sans grande conviction.

Étirant ses lèvres en un sourire encourageant, sa tante lui encadra les épaules de ses mains.

— Comme je le dis toujours, il y a juste les fous qui ne changent pas d'idée. N'oublie jamais ça. Ce que William pense aujourd'hui ne sera peut-être pas ce qu'il pensera demain. Fais-moi confiance, Lauriane, des jours meilleurs viendront.

La tante et la nièce s'étreignirent longuement, sachant qu'elles ne se reverraient pas avant plusieurs semaines. Au moins ce voyage avait-il eu de bon le fait de retrancher quelques jours à la longue séparation que leur imposait le travail d'Adéline au chantier.

Lorsque le traîneau s'ébranla, quelques instants plus tard, William ne s'était pas montré.

※ ※ ※

La porte du dortoir s'ouvrit dans un grincement, livrant passage à quatre bûcherons dont les éclats de voix tranchèrent sur le silence feutré régnant dehors. L'un d'entre eux s'étira, puis se frotta la panse par-dessus son manteau.

— Ouf! J'ai trop mangé. Il faut que je passe par la bécosse, parce que le neuf commence à pousser sur le vieux.

Il laissa entendre un pet sonore en guise d'appui à ses dires, ce qui déchaîna l'hilarité des autres.

— Je te préviens, avertit son voisin de droite, qui mettait ses mitaines, Albert vient d'y aller et lui, son odeur s'incruste. L'autre jour, ça puait tellement dans la bécosse qu'on se demandait si la neige n'allait pas fondre alentour!

Ils s'esclaffèrent bruyamment et se mirent en marche, saluèrent au passage William, adossé à la bâtisse. Ce dernier les regarda s'éloigner tout en portant son cigare à ses lèvres pour en aspirer une longue bouffée. Rien de mieux après avoir mangé, songea-t-il en expirant un long jet de fumée. Il appuya un talon au mur, entre deux rondins, s'adonnant à ce petit plaisir sans se presser. Il irait ensuite faire une ronde dans les bois. Celle de la veille n'avait rien donné, il n'avait pas vu la moindre trace de bête enragée, ce qui en soi était une excellente nouvelle, bien que la prudence demeurait de mise.

Dans le dortoir, Guss s'occupait de desservir les tables et le bruit des couverts et assiettes qui s'entrechoquaient se faisait faiblement entendre. Les hommes avaient été aussi surpris que déçus de ne pas voir la *show girl* au déjeuner. D'évidence, sa présence avait été fort appréciée par la plupart.

William aspira une nouvelle bouffée et laissa ses pensées errer vers la nuit dernière. Il avait choisi de se montrer franc avec sa femme tout en ayant conscience que cela pourrait la déstabiliser et la froisser. C'était d'ailleurs le but recherché, pas de la blesser, mais de la faire rapidement revenir à la réalité, et le meilleur moyen d'y parvenir était d'emprunter le chemin le plus direct, même s'il était aussi le plus abrupt. N'empêche que William était aujourd'hui hanté par son regard saphir, sombre et dépourvu d'éclat tel un lac par une nuit sans lune, et qui lui donnait presque envie de se sentir coupable. Presque. Il savait au fond de lui que c'était nécessaire, afin qu'elle sache clairement à quoi s'en tenir. Il n'avait rien à lui offrir de plus que ce qu'il lui avait déjà offert par la force des choses. Pour un homme tel que lui, habitué à être seul maître de son destin, cela représentait déjà beaucoup. Et puis, le simple fait qu'il flirte avec de la culpabilité prouvait qu'il avait bien fait d'éloigner sa femme de lui.

Mais sitôt cette réflexion faite, il fut assailli d'images d'elle et de sensations semblant tout droit venues pour le tourmenter. La douceur de sa peau, l'érotique musique de ses soupirs et de ses gémissements, son odeur enivrante et ses lèvres appétissantes… Rien que pour cela, William pourrait se traiter de cinglé d'avoir osé ordonner à sa femme de partir. Mais il n'en ferait rien. Moins il la verrait et mieux ce serait, même si son absence le condamnait à une cruelle abstinence.

Il grimaça et se détacha du mur pour prendre la direction de l'écurie. Chemin faisant, il s'entendit héler et aperçut Martin, quelques mètres plus loin, qui lui faisait signe de le rejoindre.

— Venez voir ça, Monsieur Fedmore, l'invita le jeune homme quand il fut près de lui.

D'un geste du bras, il indiqua le sol à sa gauche, où se voyait une longue trace, étroite et peu profonde, à la surface de la neige.

— Qu'est-ce que c'est ? questionna William en arquant un sourcil.

Martin leva les épaules en signe d'ignorance.

— C'est aussi la question que je me pose. C'est comme si quelque chose avait juste effleuré la neige. Mais voyez comme c'est étrange, ça commence tout d'un coup ici…

Du doigt, il pointa la zone en question avant de faire quelques pas, longeant la trace qui s'étendait sur quelques mètres.

— … et ça s'interrompt aussi net là, indiqua-t-il. Il n'y a rien d'autre autour, aucune empreinte, rien du tout. À croire que ce qui a fait ça est tombé du ciel et y est retourné tout de suite après. À n'y rien comprendre !

En effet, la trace était isolée au centre d'une couche vierge de flocons fraîchement tombés, ce qui rendait son existence difficile à expliquer. Sa forme, allongée et régulière, contribuait aussi à la nimber de mystère, tout comme sa faible profondeur : un effleurement léger laissé par quelque chose de tout aussi léger. Du coup, William repensa à la nuit précédente, revit sa femme sur le pas de la porte, affirmant avoir vu une silhouette s'éloigner à travers l'obscurité.

— C'est vraiment bizarre, fit Martin, dont le regard errait dans les ramures des arbres au-dessus d'eux. Qu'est-ce qui a bien pu faire ça ?

Pensif, William observa les environs et revint à la trace dans la neige.

— Cela, je n'en ai pas la moindre idée.

8

À la recherche d'un disparu

e traîneau s'immobilisa enfin devant le manoir, au grand soulagement de Lauriane, qui n'en pouvait plus de supporter la tyrannie du froid, de l'air humide et pénétrant. Elle était pressée de bouger pour réchauffer le sang gelé dans ses veines. Ses membres engourdis obéissaient avec lenteur. La main secourable de Neil se tendit pour l'aider à descendre. La jeune femme remarqua ses cils et ses sourcils blancs de frimas et, au-dessus de l'écharpe lui couvrant le visage, la bande de peau carminée. Serviable jeune homme ! Il devait avoir autant de difficulté qu'elle à se remuer.

D'instinct, Lauriane porta son regard sur la fenêtre voisinant la tourelle, là où elle avait aperçu une silhouette le soir de sa terrifiante nuit au manoir quelques mois plus tôt. Rien ne laissait penser que quelqu'un s'y trouvait posté en cet instant ; pourtant la jeune femme sentit qu'on les épiait, retour d'une impression qu'elle n'avait pas éprouvée depuis un certain temps, mais à laquelle elle s'était attendue. On l'avait appelée, là-bas au chantier. Il ne pouvait en être autrement qu'on soit là pour assister à son retour.

Elle préféra cependant l'accueil chaleureux que lui réservèrent les vivants, regroupés dans le hall. Bien que n'ayant pu annoncer son arrivée, elle eut tout de même le plaisir de retrouver ceux ayant été alertés par l'approche du véhicule : Bruce, Ellen, même Leslie avait émergé de sa cuisine.

— Bienvenue chez vous, Madame, dit le majordome en la débarrassant de son manteau. Nous sommes heureux de votre retour parmi nous.

— Moi aussi, Bruce, je suis contente de vous revoir.

— Lauriane ! Quelle formidable surprise vous nous faites !

Venue du salon, enveloppée dans un châle en laine d'alpaga bourgogne chiné d'ivoire, Norah rayonnait de joie. Se déplaçant un brin plus lentement que dans le souvenir de la jeune femme, elle s'avança pour l'embrasser, son visage fripé éclairé d'un large sourire.

— Que c'est agréable de vous revoir, mon enfant ! Vous m'avez manqué !

— Même partie si peu de temps ?

— Quand on bénéficie de si adorable compagnie, une courte absence est déjà trop longue.

Un masque contrit remodela les traits de Lauriane.

— Je suis vraiment désolée d'avoir dû vous laisser toute seule.

— Ne le soyez pas, je vous en prie. J'ai bien su m'entourer lorsque j'en avais envie, ne vous tracassez pas avec cela. D'ailleurs, madame Nolet vient tout juste de partir.

Voilà qui eut de quoi réjouir la jeune femme. Madame Nolet était une riche veuve avec laquelle Norah avait sympathisé au cours de l'automne, et le fait de savoir qu'elles s'étaient vues en son absence l'aidait à se déculpabiliser d'être partie.

— Je dois vous dire que vous m'avez manqué, vous aussi, Norah, confia Lauriane avec sincérité. C'est bon de revenir au manoir.

Aveu surprenant qu'elle se faisait surtout à elle-même. Son bonheur de rentrer à Côte-Blanche était réel. Ce somptueux univers, où elle avait cru ne jamais se sentir chez elle, avait fini par devenir le port d'attache vers lequel retourner, vers lequel elle avait surtout *envie* de retourner. Il était désormais son foyer, le nid familial qui accueillerait bientôt ses enfants et les verrait grandir, s'épanouir.

— Venez donc au salon vous chauffer, mon enfant, le temps qu'on s'occupe de monter vos bagages et de rendre votre chambre confortable, l'invita Norah en la prenant par le coude.

Une atmosphère confortable régnait dans la vaste pièce. Au-dessus du piano à queue, le lustre en cristal étincelait, projetant ici et là des éclats irisés sous l'assaut d'un rayon de soleil. La lampe à pétrole parisienne, près du fauteuil sur lequel Norah avait délaissé une broderie, était malgré tout allumée. Dans l'espace réduit du *forepic* et de la cabane de sa tante, où elle passait le plus clair de son temps au chantier, Lauriane avait oublié la démesure de ces lieux.

— Vous me surprenez en voyageant par cette température sibérienne, dit la vieille dame en lui tendant une soucoupe et une tasse pleine de thé fumant. Cela requiert un courage que je ne saurais avoir. Le trajet ne vous a pas été trop pénible au moins ?

— Pénible, mais supportable, du moment qu'on accepte le fait d'être transformé en statue de glace !

— Ohhh ! Me voilà couverte de chair de poule juste à vous entendre le dire, Lauriane ! se plaignit Norah en se raidissant sur son siège.

Leurs rires s'entremêlèrent, couvrant momentanément le ronflement du vent dans l'âtre. La vieille dame retrouva toutefois vite son sérieux et dans ses yeux noirs se profila l'ombre du souci.

— Cet horrible malentendu, entre vous et mon neveu, a-t-il été dissipé ?

— Oui... il l'est.

— C'est bien que cela se soit fait avec diligence, se réjouit Norah, investie d'un soulagement patent. Quand je pense que mon neveu vous a crue capable d'avoir usé de manigances pour qu'il vous épouse, cela dépasse tout entendement...

Sa chevelure blanche comme neige se para de reflets argentés dans le mouvement de négation que fit sa tête comme pour en chasser ces désagréables pensées.

— Enfin, n'en parlons plus ! À présent que la situation a été éclaircie, rien ne sert d'y revenir. Au contraire, je présume que vous ne souhaitez qu'oublier tout cela. Tenez, entretenez-moi donc de votre voyage, si cela vous agrée. Racontez-moi comment on vit, là-haut, dans les chantiers.

Ravie, somme toute, d'avoir pu passer du temps avec sa tante et d'avoir connu la vie de chantier, Lauriane n'eut aucun mal à abreuver Norah de faits et d'anecdotes divers.

Au bout d'un moment, sentant une certaine lassitude l'envahir, elle prit congé de la vieille dame. Au premier, elle aurait normalement dû se diriger vers la somptueuse chambre qu'elle avait occupée avant son départ, mais elle n'en fit rien, n'ayant aucune intention de s'y installer. Il s'agissait de l'ancienne chambre principale, un endroit où Lauriane ne se sentait pas à son aise, sans doute à cause de cette impression d'étouffer par le luxe dès qu'elle y pénétrait. La première chose à faire consistait ainsi à se mettre en quête d'une autre chambre.

Ce n'était pas le choix qui manquait et après avoir ouvert quelques portes, elle en dénicha une qui lui convenait davantage, tant par ses dimensions réduites que par son décor moins fastueux. De plus, elle eut un coup de cœur pour le paravent de toile peinte avec un encadrement de bois doré qui trônait dans un coin de la pièce, ainsi que pour la touche de couleur qu'apportaient l'immense tapis persan et les descentes de lit à grands motifs de fleurs rouges. Conquise, Lauriane fit venir Bruce et demanda à ce que toutes ses affaires y soient transférées séance tenante.

Postée discrètement à l'angle d'un mur, une observatrice aux cheveux neigeux contemplait la scène avec désolation. Sa joie s'était vite éteinte en constatant que la jeune femme s'installait dans une nouvelle chambre, alors que Norah s'était figurée qu'elle réintégrait celle de son neveu, le malentendu ayant été dissipé. Que penser ? Que Lauriane avait menti pour lui éviter du tracas ? Ou bien n'était-ce réglé qu'en partie comme le suggérait sa réponse hésitante ?

En apprenant son départ pour le chantier, Norah n'avait pas voulu faner son enthousiasme en lui confiant les insidieux doutes qui gangrenaient sa conviction de voir s'améliorer leur relation de couple. Et de toute façon, la détermination qui animait Lauriane avait été contagieuse et avait fait poindre en la vieille dame une lueur d'espoir. Espoir qui, aussi étonnant que cela puisse paraître, avait grandi lorsque la raison du malentendu lui avait été révélée. En effet, l'attitude distante et le désintérêt dont son neveu avait fait preuve à l'égard de son épouse depuis leur mariage trouvaient une explication inattendue. Ainsi donc naissait la possibilité que les choses puissent changer une fois le malentendu éclairci. Mais le déménagement de Lauriane n'allait guère en ce sens, hélas, renvoyant du même coup Norah à ses appréhensions premières.

Si tant est que les rapports entre les époux puissent connaître un jour une évolution favorable, il faudrait en premier lieu que son neveu en manifeste la volonté, et personne n'était mieux placé qu'elle pour savoir que ce n'était pas gagné d'avance. Car cela requerrait qu'il contrevienne à certains de ses principes les plus coriaces, ceux-là mêmes qui s'étaient, au fil du temps, enroulés autour de lui telle une cuirasse impénétrable. Toutefois, Norah craignait qu'il n'ait guère le désir de recourir à cette extrémité. William portait avec trop de confort cette cuirasse qui avait fini par fusionner avec lui, tant et si bien qu'il ne voyait plus les limites auxquelles elle l'acculait.

Pour ajouter à cela, voilà que le gouffre venait encore de s'élargir entre Lauriane et lui, semant une infinie tristesse dans le cœur de Norah, où grondait également un familier vent de révolte. Cette combinaison de tristesse et de révolte la ravageait depuis de trop longues années. Elle n'avait plus l'âge des émotions tempétueuses et destructrices. Ses lèvres minces se pincèrent. Verrait-elle jamais son neveu non seulement admettre l'existence de la part de vulnérabilité qui sommeillait en lui, mais également prendre conscience du fait que celle-ci constituait l'ingrédient qui donnait toute sa saveur à la vie? Finirait-il par comprendre qu'il devait l'accepter comme faisant partie intégrante de son être, seule voie possible afin qu'il puisse aspirer un jour à goûter au véritable bonheur?

❄ ❄ ❄

Habillée d'objets personnels, sa nouvelle chambre lui plaisait vraiment. Et le plus beau de tout : elle ne la partagerait avec personne. Libérée de l'embarras redouté lorsque la maisonnée serait informée de son déménagement, Lauriane appréciait les avantages de la situation. Elle récupérait l'intimité brimée par le partage des quartiers de son mari. Il lui était des plus réjouissant de penser qu'elle pourrait prendre des bains en paix et tresser ses cheveux la nuit si cela lui chantait.

— Vous pouvez me laisser, Lindsay. Presque tout a été rangé.

La jeune servante tira une dernière fois sur un coin du couvre-lit pour effacer un pli, puis inclina sa tête coiffée d'un bonnet blanc.

— Bien, je vous laisse terminer, Madame.

Lauriane suivit la retraite de Lindsay avec un froncement de sourcils. Le «Madame» avait la couenne dure. Ce n'était pas faute d'avoir tenté de le faire remplacer par son prénom, tel qu'elle l'avait déjà fait avec Ellen. Mais il semblerait que cette initiative soit vouée à l'échec, car même la femme de charge avait recommencé à employer le titre de civilité à son endroit, s'avouant trop mal à l'aise de faire usage d'une telle familiarité.

Défaire ses bagages étant la seule chose qu'il lui restait à accomplir, Lauriane décida de s'en acquitter sur-le-champ. Elle débouclait sa valise quand un subit frisson lui picota la nuque. Elle se trémoussa, prise dans l'inconfort d'un chatouillement mi-désagréable. Bien qu'elle soit arrivée depuis des heures, le froid rayonnait encore en elle.

— *Lauriane...*

La jeune femme se statufia instantanément. Interdite, elle sentit son sang ne faire qu'un tour dans ses veines. Remplies des battements précipités de son cœur, ses oreilles se tendirent tandis qu'elle s'enlisait dans la confusion, se demandant si elle avait réellement entendu un chuchotement ou si ce n'était qu'un tour de son imagination.

Des voix brisèrent le silence, venant cette fois du couloir.

— Liane ! Liiiianeee !

— Chuuuuut Harrison ! Madame Pingouin va nous entendre !

Contournant son lit, Lauriane courut ouvrir la porte. Ryder et Harrison accouraient à petits pas précipités, laissant dans leur sillage la neige fondue qui se détachait de leurs bottes. Leur frimousse s'illumina d'un coup.

— Elle est là ! On l'a trouvée ! s'exclama Ryder en pointant la jeune femme de sa mitaine.

— Yahooouuu ! Liane est là !

Le martèlement des bottes sur le plancher s'accéléra dans les cris de joie.

— Bonjour, les enfants, je suis tellement contente de vous revoir ! s'exclama Lauriane en s'accroupissant pour les accueillir dans ses bras et les serrer contre elle.

La fraîcheur s'accrochant à leurs habits la fit frissonner, mais le bonheur de les retrouver vint bien vite la réchauffer.

— Vous êtes revenue, enfin ! s'écria Ryder joyeusement. Ça faisait mille ans… non… deux mille ans qu'on ne vous avait pas vue !

— Trois mille quarante-douze ans !

La jeune femme égrena un rire gai.

— Moi aussi, c'est l'impression que j'ai eue. Je dirais même quatre mille ans !

— Quatre mille ans… ça fait beaucoup, ça, commenta Harrison en reniflant bruyamment.

— Oui, c'est beaucoup, mais regardez autour de vous, rien n'a changé, dit Lauriane en s'appuyant d'un petit geste circulaire de la main. C'est merveilleux, vous n'avez pas grandi et je n'ai pas vieilli !

Mettant sa main à plat au-dessus de la tête de son petit frère, Ryder la ramena ensuite vers lui et se toucha l'épaule.

— Tu m'arrives ici, Harrison, comme hier et avant-hier. Ça veut dire que tu n'as pas grandi et moi non plus. Une chance ! Sinon, on aurait été trop vieux pour écouter les histoires de Liane.

— Mais non, pas du tout, assura la jeune femme. Quand on est vieux, on peut aussi aimer écouter des histoires. Il suffit de garder son cœur d'enfant. Tâchez de garder le vôtre et vous verrez que vous aimerez les histoires même quand vos cheveux seront tout gris.

— Comme ceux de madame Pingouin ! pouffa Harrison.

— Dites-moi donc… Qui est madame Pingouin ?

Le regard de Ryder dévia dans la direction d'où lui et son frère étaient venus, avant de revenir à la jeune femme.

— C'est la madame… vous savez… la madame…

— La madame qui s'habille en pingouin ! Pingouin ! Pingouin !

Surexcité, Harrison commença à sautiller sur place. Une madame s'habillant en pingouin… Un nouveau rire secoua Lauriane.

— Ellen ? La femme de charge, c'est d'elle que vous parlez ?

Les petits étirèrent un ample sourire tout en opinant de la tête.

— Alors vous vous sauvez d'Ellen ?

— Elle ne voulait pas qu'on vienne vous déranger, mais on avait hâte de vous voir. C'est trop long attendre !

— On s'est cachés et elle ne nous a même pas vus monter !

— Et on vous a trouvée ! Nananan !

Frétillant de fierté, Harrison passa sa langue sur sa lèvre supérieure laquée de morve. La jeune femme sortit un mouchoir de sa manche et lui essuya le dessous du nez.

— Vous êtes des petits ratoureux ! Réussir aussi facilement à tromper la vigilance de madame Pingouin… Mais sinon, d'où arrivez-vous comme ça ? Ryder, tu avais sûrement de l'école aujourd'hui ?

— Oui, confirma Harrison à la place de son frère. Quand j'ai su que vous étiez arrivée, je suis allé attendre Ryder au portail pour pouvoir le lui dire aussitôt qu'il arriverait ! Et on est venus ici tout de suite après.

— Est-ce que votre maman le sait au moins ?

Les deux garçons s'observèrent en affichant un air surpris qui laissait deviner qu'ils n'avaient pas pensé à informer Diana de leur projet. Ryder sembla tout à coup éclairé d'une idée et son visage retrouva la gaieté que la question de Lauriane avait momentanément estompée.

— Est-ce que vous venez avec nous ? On pourrait aller voir maman pour qu'elle ne s'inquiète pas et après, on pourrait faire des anges dans la neige !

— Oui ! Oui ! Des anges ! approuva Harrison en battant des bras de haut en bas comme s'il y était déjà.

Leur enthousiasme était tel que la jeune femme n'eut pas le cœur de refuser, bien que terrassée de fatigue. Boules d'énergie sur deux pattes, les petits partirent en trottinant dans le couloir, revenant sur leurs traces humides.

— Ne courez pas, vous pourriez glisser et tomber, les prévint Lauriane.

Avant de les suivre, elle se retourna pour parcourir la chambre du regard. Ne détectant rien de particulier, elle haussa les épaules et referma la porte.

Bien installée, à présent, dans sa nouvelle chambre, Lauriane éprouva l'envie de retrouver ses habitudes, ainsi que la nouvelle vie qu'elle avait commencée à se bâtir avant son départ pour le chantier. Après la déception récoltée là-bas, elle ressentait le besoin de reprendre rapidement pied et d'agir de façon à combler les lacunes de ce mariage, à commencer par ses leçons d'anglais. Une bouffée de fierté l'avait balayée quand elle s'était exprimée dans cette langue devant son mari, sans bafouiller ni hésiter. Il ne s'agissait que de quelques phrases, mais elles avaient été très significatives pour la jeune femme au niveau de ses progrès.

Ce fut donc avec une motivation redoublée qu'elle retrouva Norah dans son boudoir pour sa toute première leçon en cette nouvelle année 1890.

— Me voilà fort étonnée que vous vous sentiez prête à recommencer vos leçons si vite, confia la vieille dame, tandis qu'elles prenaient place dans leur fauteuil respectif près du feu.

— J'avais même très hâte, je dois vous dire.

— Vous êtes certaine de ne pas vouloir attendre encore un peu? Vous êtes revenue du chantier depuis hier à peine, vous pourriez prendre le temps de vous reposer.

— Mais je me suis reposée, justement. Après une bonne nuit de sommeil, je me sens tout à fait d'attaque. Mais avant de commencer, j'aurais une question à vous poser... Est-ce que par hasard il se serait passé quelque chose ici pendant mon absence? Par rapport au manoir, vous comprenez ce que je veux dire...

Un petit soupir franchit les lèvres de Norah.

— Ma chère enfant... Vous savez que vous êtes la seule à être témoin de ce genre de phénomènes. Pourquoi une telle question?

— Parce que... J'ai quelque chose à vous montrer.

Lauriane déplia la feuille qu'elle avait en main et la tendit à sa compagne en précisant:

— C'est la lettre que vous m'avez envoyée au chantier.

Une interrogation muette dans les yeux, Norah logea ses lunettes de lecture sur son nez et saisit la lettre. Un vif étonnement ne tarda pas à s'inscrire sur son visage.

— Mais qu'est-ce donc que cela?

— Elle était comme ça quand je l'ai ouverte.

Les sourcils de la vieille dame s'arquèrent au-dessus de la monture de ses lunettes.

— Vraiment ?

— Si je comprends bien, vous n'avez jamais vu ces traînées d'encre avant ?

— Non, il n'y avait rien de tel lorsque je vous ai fait parvenir cette lettre.

Se souvenant de l'argument que William avait avancé comme s'il s'agissait d'une certitude, Lauriane se résigna à demander :

— Est-ce qu'il serait possible que vous ayez plié la feuille alors que l'encre n'était pas encore sèche ?

— Je ne crois pas. Je l'ai laissée sur mon secrétaire après avoir terminé de vous écrire. J'ai ensuite quitté la pièce pour je ne sais trop quelle raison... Voyons... qu'ai-je fait par la suite ? Hum... serait-ce... Mais oui ! Cela me revient : je suis descendue dîner. Il s'est ainsi écoulé un certain temps avant que je revienne ici et que je plie cette lettre afin de l'insérer dans une enveloppe.

— Et ces traces n'y étaient pas ?

— Non...

Norah s'interrompit, resta à réfléchir.

— En vérité, maintenant que j'y pense, je n'en suis pas certaine. Je ne portais pas mes lunettes à ce moment-là et j'ai agi de façon machinale, sans trop prêter attention au contenu de la lettre.

— Autrement dit, elles y étaient peut-être, mais vous ne les avez tout simplement pas vues...

— Certes, c'est fort possible. Mais... Lauriane, où voulez-vous en venir ?

D'un mouvement du menton, la jeune femme invita sa compagne à porter son attention sur la feuille.

— À quoi ces traces vous font-elles penser?

— Je ne sais trop, avoua Norah après avoir passé quelques secondes à scruter ses phrases à moitié lisibles. Quelque chose semble avoir été frotté sur la feuille alors que l'encre était encore fraîche, mais j'ignore de quoi il est question.

— Pensez-y bien, insista Lauriane, dont le regard se fit plus appuyé.

La vieille dame la considéra d'un air incertain. Puis, un éclair jaillit au fond de ses prunelles. Sa bouche s'entrouvrit d'ahurissement en même temps que ses yeux s'arrondissaient.

— Auriez-vous en tête la même idée que moi, Lauriane?

— Regardez la façon dont l'encre est étalée, lui indiqua la jeune femme en suivant les traces sur la feuille du bout de l'index. On dirait des frottements de doigts.

— En effet, je vois… Mais qui donc aurait pu faire cela?

Les épaules de Lauriane remuèrent et comme un sourire significatif étirait ses lèvres, elle vit la vieille dame sourciller et se figer soudainement.

— *My Lord!* Ainsi vous pensez que cela pourrait être d'origine surnaturelle?

— Peut-être. Puisque vous êtes sûre que l'encre a eu le temps de sécher avant que la feuille soit pliée, on peut en déduire que les traces ont été faites pendant que vous étiez descendue souper, au moment où il n'y avait personne dans la pièce. À moins que votre servante Berthe se soit amusée à barbouiller cette lettre.

— Allons ! C'est insensé ! Pourquoi aurait-elle fait une telle chose ? Et de toute façon, elle se trouvait en bas à ce moment-là, je pourrais le jurer.

Ainsi, pensa Lauriane, la possibilité que ce soit l'œuvre de l'entité errant entre ces murs devenait de plus en plus probable, s'ajoutant à la liste des étrangetés vécues dernièrement. Et comme dans le cas de celles-ci, la raison d'être de cette lettre barbouillée paraissait évidente : on avait cherché à attirer son attention pendant qu'elle se trouvait au chantier. Quelque chose, ou plutôt quelqu'un, avait souhaité son retour à Côte-Blanche.

— Il y a autre chose. Quand j'étais au chantier, j'ai vécu deux expériences très étranges.

En premier lieu, Lauriane parla à la vieille dame de l'appel puissant ressenti lorsqu'elle coupait des branches d'épinette pour sa tante en bordure de la forêt. Elle lui raconta aussi la scène qui s'était déroulée la nuit précédant son départ, lorsqu'elle avait aperçu la silhouette dehors et éprouvé une impérieuse envie de la suivre.

— C'est incroyable, mon enfant ! Je suis fort étonnée que cela se soit fait sentir à cette distance. L'entité habitant ces lieux prendrait-elle de la force ?

Une longue réflexion absorba la vieille dame, offrant l'occasion à Lauriane de plonger dans ses propres pensées. Ce besoin de faire la lumière sur les secrets de Côte-Blanche, qui avait couvé en elle durant des années et qui s'était intensifié au cours des derniers mois, tendait à ressurgir, ranimé par ces appels ressentis au chantier. Le journal de Fanélie lui avait permis de commencer à s'instruire sur le passé nébuleux du manoir, mais il avait fallu qu'il disparaisse sous son nez !

Par ailleurs, le moment était sans doute venu pour elle de se confier à Norah concernant la découverte de ce journal, qu'elle n'avait que trop longtemps passée sous silence.

— Il y a encore une chose dont je voudrais vous parler, Norah. Quand j'ai fait du nettoyage dans les appartements des domestiques avant les fêtes, j'ai fait certaines trouvailles.

Elle vit aussitôt une étincelle de curiosité s'allumer dans les yeux de sa compagne.

— Ah bon ? Des trouvailles de quel ordre, dites-moi ?

— Des effets personnels et des vêtements. Ça m'a beaucoup intriguée : j'avais toujours entendu dire que les Fedmore étaient partis à l'improviste, mais je n'avais pas imaginé qu'ils puissent l'avoir fait avec autant de précipitation, en abandonnant tout derrière eux.

— Je dois dire que leur absence de bagages, lorsqu'ils sont arrivés à Lindferty House, m'avait mise sur cette voie, en plus du fait qu'ils semblaient tous si nerveux et effrayés. Avec ce que nous savons concernant les phénomènes vécus par William père et son épouse, ainsi que leurs domestiques, il apparaît évident que les préparatifs de leur départ ont été abrégés.

Lauriane hocha lentement la tête, se disant qu'elles auraient peut-être pu en apprendre encore davantage à ce propos si le journal de Fanélie ne s'était pas volatilisé.

— En plus des vêtements et effets personnels, j'ai fait une découverte très intéressante : le journal intime d'une servante du nom de Fanélie Murray. Elle a commencé à le rédiger peu de temps après son embauche, c'est-à-dire environ un an avant le départ des Fedmore, et plusieurs de ses confidences concernent le manoir. Fanélie avait l'impression d'être de trop, une voix lui aurait même chuchoté de partir et elle aurait aussi entendu des murmures qui ne venaient pas du monde des vivants.

En face d'elle, le regard de Norah s'était allumé comme une bougie tandis qu'elle se tenait tout ouïe, semblant complètement captivée par ses propos.

— Au début, je ne vous ai rien dit au sujet de ce journal parce que je ne savais pas ce qu'il contenait, et ensuite, j'ai eu peur que vous m'accusiez de curiosité déplacée, avoua Lauriane, dont les lèvres esquissèrent une moue gênée. Quand vous m'avez parlé du passé des Fedmore, j'ai compris que j'avais toute votre confiance et que je pouvais librement vous parler à mon tour. Mais il y a eu ce malentendu avec William qui m'a obligée à partir, alors je n'ai pas eu l'occasion de le faire avant aujourd'hui.

— Je comprends, très chère enfant. Mais je vous assure que vous auriez pu vous confier à moi sans crainte. Il ne me serait jamais venu à l'esprit de vous accuser d'indiscrétion. Enfin, toujours est-il que ce journal constitue une fabuleuse découverte ! Ainsi que vous le savez, William père n'est pas entré dans les détails lorsqu'il s'est vidé le cœur avant sa mort. Je suis restée sur l'impression qu'il ne nous avait pas tout dit et il est excitant de penser que ce journal puisse peut-être nous en apprendre davantage. Ce qui le rend d'autant plus intéressant.

— C'est vrai, et j'aurais bien aimé continuer ma lecture, mais le problème est qu'il a disparu.

— Disparu ? Comment cela ?

Avec autant de précision que possible, Lauriane relata à la vieille dame les circonstances ayant entouré l'incident. Les cognements qui l'avaient attirée dans le couloir, cette hallucination de la porte se réduisant en cendres, ainsi que le journal qu'elle avait abandonné sur le lit et qui ne s'y trouvait plus à son retour dans la chambre.

— J'ai fouillé partout, mais rien. Comme l'armoire s'était déplacée, j'ai ensuite eu l'idée d'aller voir dans le passage, mais ça n'a rien donné non plus et en bas, la porte n'ouvre pas.

— Avez-vous vérifié s'il y a un loquet de dissimulé?

— Oui, mais je n'en ai pas trouvé. J'ai bien examiné chaque fente, chaque recoin, sans succès. Je ne sais pas du tout comment cette porte s'ouvre.

— Le loquet est peut-être cassé, à moins qu'elle n'ouvre que de l'autre côté, ce qui serait assez étonnant, toutefois...

Jouant machinalement avec un bouton argenté de son corsage, Norah passa un moment à réfléchir, avant de rediriger son attention sur la jeune femme.

— Je pourrais peut-être aller y jeter un coup d'œil, qu'en dites-vous?

— Oui... pourquoi pas?

— Bien, dans ce cas, je vous propose d'y aller dès que votre leçon d'anglais prendra fin. Cela vous convient-il?

— Absolument.

Une vague d'excitation submergea Lauriane à l'idée de descendre dans le passage secret avec Norah. Qui sait? Peut-être cette dernière trouverait-elle une façon d'ouvrir la porte, faisant ainsi renaître l'espoir que la jeune femme avait de remettre la main sur le journal? Mais Lauriane sentit ses ardeurs se refroidir brusquement quand un éclair de pensée la traversa. Pour accéder au passage, il leur faudrait entrer dans la chambre de William, et il lui avait confisqué la clé.

✳ ✳ ✳

S'immobilisant à côté de Norah, Lauriane prit une profonde inspiration, les yeux fixés sur la porte close qui se dressait devant elles. Le fait de se tenir à cet endroit ne rappelait que trop à la jeune femme la dispute qui avait mené à son départ pour le chantier, bien qu'en ce moment, le sentiment de malaise qu'elle ressentait n'ait rien à y voir. À vrai dire, il ne la quittait pas depuis qu'elle avait avoué à Norah ne plus avoir la clé de la chambre de son mari, sans oser préciser qu'il la lui avait confisquée après l'avoir jetée dans le couloir comme une importune... La vieille dame avait fait preuve de discrétion en n'émettant aucun commentaire, mais sa question informulée était demeurée en suspens entre elles. Elle avait fini par dire que ce n'était pas un problème puisqu'elle possédait un double de la clé, ce qui en soi était une bonne chose, car cela leur évitait d'avoir à demander à Bruce de venir leur ouvrir et de se voir contraintes d'inventer un prétexte.

Dans un cliquetis, Norah fouilla son trousseau à la recherche de la bonne clé, qu'elle introduisit ensuite dans la serrure. L'instant d'ensuite, la porte leur cédait le passage. La chambre était glaciale, aussi glaciale que l'était son occupant la dernière fois que Lauriane l'avait vu... Sans perdre de temps, elles se dirigèrent vers l'armoire qui les intéressait et, ouvrant l'une des portes, la jeune femme appuya sur le loquet qui y était dissimulé. Le côté droit du meuble se détacha du mur, dégageant la bouche obscure du passage.

Bougeoir en main, la vieille dame s'introduisit à l'intérieur et s'engagea dans l'escalier, Lauriane à sa suite. L'air saturé d'humidité leur encercla les chevilles et les poignets, piqua leurs poumons. Elles atteignirent le palier dans la lumière tremblotante de leur bougie qui léchait les parois pierreuses, leurs regards inspectant le sol pour le cas où le journal se cacherait dans un recoin et aurait échappé à l'attention de Lauriane lors de ses recherches. Elles descendirent ensuite la seconde série de marches, pour finalement atteindre la porte tout en bas.

— Voyons un peu cela, dit Norah en éclairant le mur juste à côté. Le loquet doit se cacher dans l'une de ces cavités entre les pierres.

— C'est aussi ce que j'ai pensé, mais j'ai vérifié partout et je ne l'ai pas trouvé.

La bougie de Norah se rapprocha du panneau de bois.

— Cette porte est dépourvue de poignée, il doit donc y avoir obligatoirement un loquet quelque part.

Tandis qu'elle inspectait la paroi de droite, Lauriane en fit autant avec celle de gauche, bien que l'ayant déjà fait, tâchant de ne négliger aucun interstice, y compris ceux qui étaient ornés de toiles d'araignées.

Elle n'en crut pas ses oreilles lorsqu'un cri de victoire monta du côté de Norah quelques minutes plus tard.

— Je crois bien que je l'ai trouvé, ma chère!

Incrédule, la jeune femme pivota sur ses talons et découvrit sa compagne à genoux, le visage à quelques centimètres du sol.

— Je pense que je viens de le toucher du bout des doigts, l'informa Norah, la main enfoncée jusqu'à la moitié de la paume dans une mince fente située tout près de la porte.

— Vous êtes sérieuse? Je suis pourtant sûre de l'avoir déjà examinée.

— Il se trouve tout au fond, il n'est pas facile à atteindre. Ah! Le voilà!

Norah tâta l'intérieur de la cavité, le front plissé. Opération qui se solda par un petit grognement de dépit.

— Il semble être coincé. Il refuse de bouger.

— Voulez-vous que j'essaie? demanda Lauriane, qui n'aimait pas la voir ainsi accroupie sur la pierre glacée.

Norah ne répondit pas, multipliant ses efforts. Enfin, elle dressa le dos et la voyant sur le point de se lever, Lauriane se précipita pour l'assister. Une fois sur pieds, la vieille dame sortit un petit bâton de sa manche et le lui tendit.

— Vous avez plus de force que moi. Essayez donc avec ceci, cela marchera peut-être.

— Vous avez vraiment pensé à tout!

Sur le visage ombragé de Norah se dessina un sourire satisfait.

— Je me suis dit que le loquet serait peut-être coincé après autant de temps passé dans l'humidité.

S'agenouillant sur le sol, Lauriane déposa son bougeoir à côté d'elle et introduisit le bâton dans la cavité. Elle sentit qu'il rencontrait un obstacle, le loquet sans aucun doute, et essaya de le faire bouger en exerçant une pression d'un côté, puis de l'autre. Mais rien à faire, elle eut beau s'y prendre de toutes les façons, appuyant le bâton sur le rebord de la pierre pour faire levier, et y mettre toute la force possible, ce loquet semblait bel et bien coincé.

— Il ne bouge pas d'un poil! gronda-t-elle.

— C'est ce que je craignais. Il est figé par la rouille.

Lauriane se redressa, massa ses genoux endoloris et frigorifiés.

— Toutefois, cela nous indique au moins une chose, enchaîna Norah. Cette porte n'a pas pu être ouverte au moment où le journal a disparu. Il ne peut ainsi se trouver qu'ici ou encore dans la chambre.

— Mais j'ai déjà fouillé la chambre plusieurs fois. C'est comme si ce journal s'était dématérialisé! Je suis complètement dépassée.

— Je le suis tout autant que vous, mon enfant, mais songez qu'il y a davantage de chances qu'il n'ait fait l'objet que d'un déplacement plutôt que de s'être évaporé. Si les entités arrivent à déplacer des objets, je n'ai encore jamais entendu dire qu'elles arrivaient à les faire disparaître, conclut la vieille dame sur un ton plein d'assurance.

Soufflant avec résignation, Lauriane convint que ce raisonnement était plein de bon sens. Mais cela ne leur disait malheureusement pas où ce journal pouvait se cacher, ce qui ne faisait qu'étayer sa déception et sa frustration.

Elles entreprirent de remonter et, ce faisant, la jeune femme remarqua que Norah s'appuyait au mur et gravissait les degrés avec lenteur. Se livrer à ce genre d'activité n'était certainement pas très indiqué pour une dame âgée aux prises avec des articulations douloureuses, et Lauriane s'en voulut tout à coup d'avoir accepté de l'amener dans ce passage.

L'armoire remise en place, Norah laissa son regard errer autour d'elle.

— Ce journal est assurément quelque part. Je me questionne toutefois sur la raison de sa disparition. À croire qu'on ne souhaitait pas que vous le lisiez…

— J'ai pensé exactement la même chose.

Parcourue d'un frisson, Norah se frictionna un bras de sa main libre.

— Qui sait les précieuses informations qu'il pourrait contenir ? Il vous en a déjà fourni certaines en complément aux confidences de William père, ce qui nous permet d'espérer qu'il puisse en renfermer d'autres.

Et c'était bien ce pour quoi Lauriane regrettait tant sa disparition. À son tour, elle balaya la chambre du regard, envahie par l'étrange impression qu'il n'était pas si loin malgré les insuccès de ses recherches et qu'il suffirait qu'elle se concentre davantage sur lui pour qu'il refasse surface. C'était presque comme si on venait de le lui chuchoter à l'oreille, comme si on l'incitait à ne pas abandonner. Une volonté nouvelle l'habitait et même une confiance qu'elle n'avait plus tendait à l'investir de nouveau. Désormais, elle n'aurait plus qu'une seule idée en tête : retrouver le journal de Fanélie Murray.

❄ ❄ ❄

Sans bruit, Lauriane s'introduisit dans l'ancienne chambre principale, prenant soin de refermer la porte derrière elle. Rapidement, ses yeux repérèrent une grande armoire de style Louis XV en bois de noyer, vers laquelle elle se dirigea.

Sa tentative manquée d'ouvrir la porte dans le passage secret plus tôt avec Norah l'avait beaucoup contrariée. Malgré qu'il semble plus logique que le journal se trouve dans la chambre de William, Lauriane cultivait une graine de doute à ce sujet. Le fait que l'armoire ait été déplacée lors de sa disparition la tracassait : elle avait le sentiment que ce n'était pas sans raison.

Alors qu'elle regagnait sa chambre, déçue, un détail lui était brusquement revenu en tête, soit une mince fente sous la porte récalcitrante. Dès lors, une supposition avait pris forme : se pouvait-il que le journal ait été glissé en dessous ? Dans ce cas, la jeune femme devrait découvrir un moyen d'accéder à ce qui se trouvait de l'autre côté, et la solution consistait peut-être à emprunter un chemin différent. Lauriane savait déjà qu'un passage se cachait dans les appartements de Norah. Dans ce cas, pouvait-il y en avoir aussi ailleurs ? Sa nouvelle chambre ne semblait pas en comporter, mais il pouvait en aller autrement pour d'autres, par exemple la somptueuse chambre principale. Une inté-ressante perspective qui avait comblé la jeune femme de frénésie et qui l'avait ainsi menée à la petite exploration à laquelle elle se livrait actuellement.

Elle ne s'y trompa pas. Le même mécanisme de loquet était dissimulé à l'intérieur de l'armoire, constata-t-elle, satisfaite. Elle fit pivoter le meuble avec précaution, et l'ou-verture dans le mur se révéla. Sa poitrine résonnant de ses pulsations cardiaques rapides, Lauriane s'avança, lampe en main. Un escalier étroit plongeait dans les ténèbres comme dans l'autre passage. Elle posait le pied sur la première marche quand une pierre plus sombre attira son regard sur sa gauche. En l'éclairant, elle constata qu'il s'agissait en fait d'un coffre encastré dans le mur. Une serrure couverte de vert-de-gris en scellait le contenu. À l'aide d'une clé, la jeune femme gratta pour dégager le trou, puis testa une à une celles de son trousseau, en vain.

Ainsi ravala-t-elle sa curiosité et entreprit-elle plutôt de descendre. À l'image de ses semblables, l'escalier s'inter-rompait sur un palier à partir duquel un autre plongeait en opérant un changement de direction. En bas, elle se retrouva face à une porte en bois gonflé d'humidité, fort heureuse-ment munie d'une poignée. Lauriane dut néanmoins tirer sur celle-ci avec force pour parvenir à déloger le battant. Précédée de sa lampe, elle s'introduisit dans une pièce basse empestant le renfermé. Une sortie se trouvait au fond et donnait sur un couloir lugubre dans lequel la jeune femme s'engagea.

Son abdomen était strié de petites crampes d'angoisse. Elle s'avançait dans les entrailles du manoir, ceinte d'un silence monacal, avec l'impression de fouler un lieu interdit. Une impression si forte qu'il lui semblait entendre une voix gutturale lui intimant de battre en retraite. *Va-t'en... va-t'en... profanatrice...* Et si vraiment elle l'entendait ? Était-elle dans sa tête ? Ou en dehors ? Les mots s'éteignirent et à ce moment, Lauriane se rendit compte que le cognement de ses chaussures sur le sol de pierres plates s'était tu avec eux. Son cœur affolé semblait battre à vide, comme si son sang s'était tari dans ses veines. Il n'y avait plus que le silence, épais, écrasant, infiltré jusqu'aux tréfonds d'elle.

Le couloir se terminait sur une intersection en T, plaçant la jeune femme devant un choix. L'idée que ces souterrains soient un labyrinthe de galeries lui inspirait la peur de se perdre. Pour le moment, elle se repérait encore très bien, mais en continuant, il lui faudrait peut-être redoubler d'astuce afin de mémoriser le chemin. La branche de droite paraissait plus courte, Lauriane opta donc pour celle-ci. Bientôt, elle atteignit un coude allant vers la gauche. *Va-t'en... profanatrice...* Les mots reprenaient leur ronde dans son esprit. Le halo de sa lampe se mit à rapetisser. Pourtant, la flamme dans sa cage de verre demeurait bien haute. Lauriane s'immobilisa. Les crampes dans son abdomen crispaient maintenant son estomac, et sa peau transpirait. Elle chercha à prendre appui au mur le plus près, la pierre moussue sur laquelle sa main se posa recula et son bras s'enfonça dans le vide. Poussant un cri de panique, la jeune femme rétablit son équilibre, et les yeux ronds comme la lune, la respiration saccadée, fixa d'un air ahuri le mur d'où elle venait de retirer son bras. Les pierres, bien en place, ne laissaient voir aucun trou.

Le halo continuait de rétrécir, à tel point qu'il n'enveloppait même plus le corps de Lauriane. Elle ne voyait que la moitié de son bras au bout duquel pendait la lampe. Et soudain, il s'agrandit démesurément, l'éblouissant et dépouillant plafond, murs et plancher de la chape d'encre noire qui les recouvrait. Cela ne dura qu'un instant avant qu'il ne recommence à rapetisser. La jeune femme était maintenant en nage, en dépit de la température qui dégringolait et faisait s'échapper de la buée de sa bouche à chaque expiration. Secouée de grelottements intenses, elle ne pouvait retenir ses dents de s'entrechoquer. Pourquoi transpirait-elle autant? Cela ne faisait que la glacer davantage, ses orteils commençaient même à s'engourdir.

Lauriane pivota sur ses talons et rebroussa chemin. Une fois de retour dans la chambre et l'armoire remise en place, rien ne subsistait plus de ses crampes ni de ses sueurs froides, comme cela s'était produit la toute première fois avec Norah. Son malaise s'était envolé dès qu'elles avaient regagné la chambre de la vieille dame. En hâte, Lauriane regagna la sienne afin de se changer de vêtements. L'expérience s'était tout de même mieux déroulée cette fois-ci, alors que ni étranglements ni nausées ne l'avaient incommodée. Toutefois, si elle aspirait à poursuivre ses recherches, il lui faudrait s'habiller autrement plus chaudement…

9

Bon ou mauvais augure ?

*L*a neige se diamantait sous la caresse du soleil, comme pour se rendre irrésistible aux enfants que la fin de la classe venait de libérer. Ils sillonnaient les rues dans les rires et la joie, faisaient quelques écarts pour s'amuser un peu, insouciants du froid qui arrivait bon dernier mesuré au plaisir du jeu.

Marchant d'un pas paresseux, Lauriane plissa les yeux pour voir si elle n'apercevrait pas Ryder. Elle revenait de chez son père, où elle avait passé une partie de l'après-midi, question de revoir plus longuement Isaac et Catherine, qui étaient absents la veille, lors de sa visite dominicale. Ils étaient arrivés comme elle s'apprêtait à en partir et s'étaient montrés déçus de l'avoir pratiquement manquée. La jeune femme leur avait distribué de chaleureuses accolades, promettant de revenir le lendemain. Puis, elle avait tout à coup été gagnée d'embarras quand son père y était allé d'un commentaire sur sa silhouette : « Vivre au manoir te fait du bien, ma fille. On voit que tu es bien nourrie, parce que tu t'es remplumée ! » Devant les pommettes cramoisies qu'elle leur avait présentées, c'était Catherine qui, la première, avait compris la situation. Elle s'était perdue dans un tel débordement de joie que les autres n'avaient pas tardé à comprendre à leur tour. Un tourbillon de bonheur avait traversé la petite maison et balayé les cœurs de son souffle bienfaisant. Le plus ému avait sans doute été Eustache, bien qu'il ait tempéré sa réaction. Sa petite fille, après être devenue femme, allait devenir mère...

Un petit groupe d'enfants bifurqua à la course sur la rue des Lilas. Le premier en avant criait à pleine voix, poursuivi par les autres. Lauriane eut envie de rire au souvenir de ses propres courses folles jadis avec ses amies. En s'attardant sur eux, cependant, elle en vint bien vite à comprendre que ce qui se déroulait sous ses yeux n'avait rien d'un jeu amical. Ils étaient quatre poursuivants contre un qui fuyait à toutes jambes. Ses foulées étaient curieusement irrégulières et chancelantes et lui faisaient perdre du terrain.

Les autres finirent par le rattraper. Ils l'encerclèrent et commencèrent à le bombarder de boules de neige en riant et en lui criant des noms. Bien que tentant de se protéger de son mieux avec ses bras, le malheureux petit reçut un projectile en pleine figure. Il émit un cri qui fit la grande joie de ses assaillants dont les rires et les moqueries fusèrent de plus belle.

— Hé! vous autres! Qu'est-ce que vous faites là?

Ils se retournèrent tous d'un bloc en entendant tonner la voix sévère, et l'ahurissement s'inscrivit sur leur visage. L'un d'eux réagit en donnant une violente poussée sur leur victime, qui tomba de tout son long sur le sol. Il déguerpit ensuite à toute vitesse, suivi du reste de la bande.

— Espèce de petits garnements! rugit Lauriane en se mettant à courir. C'est très lâche de vous mettre à quatre contre un! Ne croyez pas si bien vous en tirer en vous enfuyant comme ça, je t'ai reconnu, Léo Talbot, et vous aussi, les frères Simard; on verra ce qu'en dira votre père, lui!

Sonné par le choc de sa chute, le petit Mathieu Létourneau demeurait au sol. Positionné sur le flanc, il pleurait à chaudes larmes son infortune. Une bouffée de compassion monta en Lauriane. Elle oublia les fuyards disparus au bout de la rue et se pencha sur lui. D'un geste empreint de délicatesse, elle chassa la neige de son visage mouillé d'eau et de larmes mélangées.

— Tu ne t'es pas fait mal en tombant?

— Ça pince..., geignit l'enfant en posant sa mitaine contre sa joue.

— Je sais, pauvre petit loup...

Elle passa un moment à l'abreuver de paroles réconfortantes pour essayer de le calmer puis, ne voulant pas qu'il reste trop longtemps allongé sur le sol froid, elle l'aida à se remettre debout.

— Tu n'as plus rien à craindre maintenant, ils sont partis, le rassura-t-elle en secouant ses habits enneigés. Ils jouent les terreurs, mais tu sais quoi? Dans le fond, ce ne sont que des petits froussards et c'est pourquoi ils se mettent à plusieurs pour s'en prendre aux autres. Ils se croient plus forts comme ça.

— Ils rient... toujours... de... moi..., hoqueta Mathieu.

— Pourquoi est-ce qu'ils rient de toi?

— À cause de... ça...

Inclinant la tête en avant, il pointa ses pieds drôlement chaussés, une grimace de dégoût déformant sa petite frimousse.

— Elles sont à ma grande sœur Françoise… Maman dit qu'on a pas assez d'argent… et à cause de ça, moi, je suis obligé de porter des bottes de filles ! Et tout le monde rit de moi !

Il éclata en sanglots, sa poitrine secouée de soubresauts. Avec un pincement au cœur, Lauriane l'accueillit dans ses bras et berça ses pleurs. Elle avait autrefois porté des vêtements de garçon par plaisir, alors que lui devait porter des bottes de fille par nécessité, parce que ses parents n'avaient pas les moyens de le chausser adéquatement. Il faisait hélas les frais de leur modeste condition. Impuissant, il souffrait l'humiliation engendrée par les méchancetés des autres.

Tout à coup éclairée d'une idée, Lauriane se détacha du garçon et, sortant un mouchoir de sa poche, entreprit d'éponger les petites joues ruisselantes.

— Viens, je vais te reconduire chez toi.

Les larmes de Mathieu finirent par se tarir, mais sa figure portait encore les traces de son chagrin lorsqu'ils arrivèrent à destination. Cela ne manqua pas d'alarmer madame Létourneau, qui coula aussitôt à Lauriane un regard interrogatif mêlé d'étonnement. La jeune femme s'empressa de lui relater la déplorable scène à laquelle elle venait d'assister et s'émut de voir le visage osseux devant elle trahir un trouble soudain. D'une voix morne, la femme raconta que son fils se plaignait que ses bottes, devenues trop petites, lui faisaient mal aux pieds. Ainsi avait-elle décidé de lui faire terminer l'hiver avec une vieille paire ayant appartenu à l'une de ses filles. La peine qui noya ses yeux, tandis qu'elle confiait n'avoir cherché qu'à économiser quelques sous sans penser aux conséquences malheureuses que cela aurait sur Mathieu, toucha Lauriane au plus profond. Elle savait bien sûr que ce n'était pas l'avarice qui avait poussé madame Létourneau à agir, mais bien l'instinct d'économie qu'aiguisait si finement un anémique budget. La silhouette maigrelette de la femme et sa mise défraîchie, dépourvue d'ornement, attestaient d'ailleurs aisément de ce dernier fait.

Dans l'esprit de Lauriane refit alors surface l'idée mijotée un peu plus tôt. Sa mémoire lui disait qu'il devait y avoir quelque part chez son père un coffre rempli de vieilles affaires et qu'en y fouillant bien, elle y trouverait d'anciennes bottes de ses frères qui pourraient faire à Mathieu. Le cuir serait peut-être un peu raide et atteint par l'usure, mais ce serait mieux que des bottes de fille, et très peu payer pour le baume que cela apposerait sur son estime de soi en éloignant de lui les blessantes moqueries des autres. Lauriane fit donc part de son idée à madame Létourneau, qui l'approuva en étirant un sourire timide, visiblement soulagée d'avoir cette solution de rechange pour son fils.

Ravie de pouvoir leur rendre ce service, Lauriane reprit aussitôt le chemin de la ferme. Tel que sa mémoire le lui avait indiqué, elle trouva la paire de bottes dans le coffre rangé à l'étage des combles, au-dessus de la cuisine d'été, et satisfaite, elle retourna chez les Létourneau. Or, son humeur s'assombrit en y découvrant le petit Mathieu de nouveau en pleurs, blotti dans les bras de sa mère, qui ne semblait pas moins bouleversée. Les yeux voilés de peine, cette dernière expliqua à la jeune femme que son fils venait de lui avouer que les autres enfants s'acharnaient sur lui depuis déjà plusieurs jours. Dominé par la peur absurde de se faire gronder, il avait tout enduré sous le couvert du silence. Prise de pitié, Lauriane dut faire un suprême effort pour ne pas céder à la crue de son chagrin venue lui embrouiller la vue.

Avec les bottes, elle avait aussi apporté deux paires de mitaines. Elle eut chaud au cœur en voyant le regard de Mathieu s'illuminer quand elle les lui donna. Si peu de choses, parfois, pouvaient changer des pleurs en rires. À une époque, elle aurait tant aimé, elle aussi, qu'on lui enlève sa différence. Il lui aurait toutefois fallu une intervention bien plus qu'humaine. Longtemps elle avait espéré qu'une bonne fée apparaisse et vienne, d'un seul coup de baguette magique, changer la couleur de ses cheveux.

Lauriane dut cependant répéter plusieurs fois à Mathieu que les bottes et les mitaines étaient un cadeau qu'elle lui offrait, avant qu'il en vienne à pleinement réaliser qu'elles lui appartenaient, rien qu'à lui, et que par conséquent, il n'aurait plus besoin de chausser les bottes de sa sœur. Il se mit à sautiller de joie au milieu de la cuisine tandis que sa mère adressait à Lauriane de chaleureux remerciements.

En quittant la maison des Létourneau un peu plus tard, la jeune femme dut cette fois essuyer une perle d'émotion qui avait fini par déborder sur sa joue.

Ce matin-là, comme à l'habitude, Lauriane rejoignit Norah pour sa leçon quotidienne d'anglais. Mais, chose inhabituelle, la vieille dame lui proposa de remplacer son boudoir par la bibliothèque des invités. Compte tenu de l'expérience effrayante vécue la dernière fois que la jeune femme y était allée, alors qu'elle avait senti une présence hostile l'ayant ni plus ni moins chassée de la pièce, ce fut non sans éprouver certaines réticences qu'elle accepta d'y retourner. Un feu vigoureux brûlait déjà dans l'âtre et une ambiance confortable y régnait, ce qui eut le bon effet de l'aider à se sentir plus à l'aise.

— Je vous propose de reporter la leçon d'aujourd'hui, annonça Norah d'entrée de jeu après qu'elles eurent pris place autour de la table d'écriture. J'aimerais plutôt que nous tentions une expérience un peu particulière.

— Et nous devons être dans cette pièce ?

— Absolument. Nul autre endroit ne me semble plus indiqué.

L'air énigmatique qu'endossa la vieille dame ne fit qu'amplifier la curiosité de Lauriane.

— En plus de toutes vos qualités, ma chère enfant, vous possédez un don, un sixième sens que je vous propose d'utiliser aujourd'hui afin d'essayer d'entrer en contact avec la ou les entités errant au manoir. Cela vous tenterait-il ?

Lauriane la considéra, hébétée. L'idée de communiquer avec les morts la terrifiait et elle sentit des frissons d'effroi lui courir le long de la colonne vertébrale.

— Je ne sais pas si mon courage va égaler le vôtre, murmura-t-elle en se tortillant pour essayer de les chasser.

— Sachez que je ressens la même chose que vous, ma chère. J'ai jadis connu quelqu'un qui avait déjà tenté l'expérience et qui m'a instruite sur la façon de procéder. Mais jamais encore je ne m'y étais adonnée. Voilà pourquoi ma peur est grande et mon courage chancelant, mais je suis d'avis que vous êtes un livre ouvert sur l'au-delà et la seule capable de faire venir cette entité.

Le pouls de Lauriane s'accéléra d'un coup.

— Pensez-vous que par les différents phénomènes qui sont survenus, on ait cherché à me communiquer quelque chose ?

— Vous soulevez une question que je me pose depuis un bon moment. Vous percevez des choses qu'aucun d'entre nous ne perçoit, et l'entité le sait. Elle le sait depuis longtemps, selon moi.

Une nouvelle ondée de frissons assaillit la jeune femme. Dans son estomac, un nœud d'appréhension s'était formé. Elle jeta un coup d'œil rapide autour d'elles, mais pour l'instant, elle ne percevait aucune vibration particulière.

— J'ai pensé faire cela ici dans la mesure où c'est l'endroit le plus près de la pièce du coin, qui a de toute évidence été condamnée, poursuivit la vieille dame en coulant un regard sur la cloison les séparant de la pièce en question.

— J'imagine que c'est l'endroit idéal.

— Alors, mon enfant, qu'en dites-vous ?

Depuis le temps qu'elle se demandait si une entité au manoir cherchait à entrer en communication avec elle, Lauriane se dit que le moment était sans doute venu. Si on souhaitait lui parler, autant écouter.

— Je veux bien essayer. Après tout, vous avez raison : quelqu'un ici attend peut-être depuis longtemps de pouvoir s'exprimer.

— À la bonne heure ! Donnons-lui, dans ce cas, un moyen de le faire sans plus tarder.

Ce disant, Norah enfila ses lunettes, mit le feu à la mèche de la bougie posée sur la table, puis déposa devant elle une feuille ainsi qu'une plume.

— Voyons ce que nous pouvons obtenir par l'écriture automatique. Posons d'abord nos mains à plat sur la table et faisons en sorte qu'au moins l'un de nos doigts soit en contact... voilà... comme ceci... À présent, fermons les yeux et concentrons-nous sur l'entité à qui nous souhaitons nous adresser.

Elles s'exécutèrent à l'unisson, dans un silence que Norah laissa courir un moment, avant de demander :

— Esprit de ce manoir, es-tu présent, ici, avec nous ?

D'une voix lente et profonde, elle entreprit de répéter la question à intervalles réguliers. À travers la mince membrane de ses paupières, Lauriane perçut que la lumière de la bougie s'intensifiait. L'atmosphère changeait, s'alourdissait. Norah interrompit son questionnement et demanda à la jeune femme d'ouvrir les yeux. La flamme avait pris le double de sa longueur initiale. Se saisissant de la plume, qu'elle plongea dans l'encrier, la vieille dame positionna ensuite sa main sur la feuille.

— Esprit de ce manoir, en ce moment d'ouverture, prends cette plume et livre ton message si tu le veux.

Elle attendit, mais la plume resta immobile.

— Esprit de ce manoir, nous souhaitons savoir ce que tu as à dire, prends cette plume et livre ton message.

Comme, au bout d'un moment, il ne se passait toujours rien, Norah tendit la plume à Lauriane et poussa la feuille vers elle.

— Si c'est avec vous qu'il veut communiquer, par vous il communiquera. Laissez aller votre main, n'y mettez aucune résistance, il la guidera.

Non sans une certaine crainte, qu'elle s'efforça toutefois de maîtriser, Lauriane appuya sa main sur la feuille comme si elle s'apprêtait à y écrire quelque chose.

— Je suis à ta disposition, dit-elle d'une voix sourde. Je sens que tu as un message à me transmettre, toi qui te manifestes à moi depuis tellement longtemps. C'est le moment de le faire, tu n'as qu'à guider ma main.

La flamme de la bougie prit encore de la hauteur et se mit à se dandiner comme un serpent faisant des vagues avec son corps lumineux. En même temps, la jeune femme sentit que la température dans la pièce dégringolait. Son cœur se mit à marteler avec force contre ses côtes quand un fourmillement se fit dans sa main, combiné à un effet d'engourdissement. Elle sentait encore le contact du papier sous sa paume et avait toujours la conscience physique de sa prise sur la plume, mais elle perdait petit à petit la maîtrise de sa main. Si bien que ses doigts, au bout d'un certain temps, commencèrent à remuer hors de sa volonté.

Demeurant concentrée, Lauriane n'offrit aucune résistance, les laissa se mouvoir à leur guise. Un premier trait d'encre apparut sur la feuille, ébauché avec une lenteur qui se perdit au fur et à mesure que la plume se déplaçait. Un gribouillis prit forme, lequel se mua en zébrures saccadées et très appuyées faisant horriblement grincer la pointe de la plume sur le papier qui finit par se déchirer.

À cet instant, la bougie s'éteignit d'un coup et la main de Lauriane redevint immobile. Figée dans l'obscurité, la jeune femme attendit, mais le picotement dans sa chair avait cessé et elle était de nouveau maîtresse de ses doigts.

— Il s'en est allé, chuchota Norah.

Un grattement d'allumette précéda l'apparition de son visage grave dans le halo de la flamme qui jaillit dans un crépitement. Lauriane déposa la plume dans l'encrier et tendit à la vieille dame la feuille mal en point.

— Qu'est-ce que ça veut dire ? Ce n'est que du bar-
bouillage et quelques lettres difformes, sans ordre. Il n'a
rien écrit.

Le front plissé, Norah se pencha sur la feuille.

— Hum... l'écriture est très maladroite, en effet.

— Est-ce que c'est normal ? Est-ce que c'est de cette
façon que l'écriture se présente d'habitude ?

— Elle va selon l'entité, elle est censée être la même que
celle qui caractérisait la personne de son vivant.

— Alors, est-ce qu'on pourrait présumer qu'il ou elle ne
savait pas écrire ?

— C'est très possible. Lacune qui pourrait dénoter une
éducation modeste et nous donner un indice quant au rang
que cette personne occupait dans la société à l'époque. Mais
ne tirons pas de conclusions trop hâtives, il se peut aussi
que l'entité ait éprouvé quelques difficultés à investir votre
main suffisamment pour bien écri...

Un courant d'air glacé les balaya soudain. Quelques
mèches des cheveux de Norah remuèrent, confirmant à la
jeune femme qu'elle l'avait aussi senti. Muette, la vieille
dame écarquilla les yeux et porta la main à sa chevelure.
Elle n'eut guère le temps de retrouver le sens de la parole
qu'un vacarme épouvantable leur fit faire un violent sursaut
sur leur chaise. De concert, elles portèrent leur regard sur le
mur les séparant de la pièce condamnée. Un nouveau bruit
les fit tressaillir. Comme si on venait d'assener un coup de
masse dans la cloison. Il se répéta à plusieurs reprises, faisant cette fois jaillir les deux femmes de leur chaise. Il
sembla ensuite se déplacer ailleurs à l'intérieur de la pièce
et leur parvint plus étouffé. Au bout d'un certain temps, il
s'arrêta enfin, rétablissant le calme d'avant.

— *Good heavens…*

Norah avait entrecroisé ses mains, qu'elle pressait contre sa poitrine secouée par une respiration haletante. Ses yeux luisant à la lumière de la bougie et son visage exsangue exprimaient la contradiction avouée lors de leur toute première rencontre, à savoir qu'elle entretenait avec l'inexplicable une relation de peur-passion.

Lauriane était aux prises avec les mêmes sentiments. Son attrait pour les phénomènes surnaturels la poussait à agir, mais lorsqu'ils se produisaient devant elle, ses entrailles se crispaient d'effroi. Elle tirait tout de même une certaine satisfaction de l'expérience qu'elles venaient de vivre. Un début de communication s'était établi avec l'entité et surtout, elle n'était plus seule, désormais, à avoir été témoin de ses manifestations. D'ailleurs, Norah devait être en train de se faire la même réflexion, car elle remarqua d'une voix rauque :

— Sa force est grande, je ne m'étais pas trompée.

Lauriane ressentait toutefois une légère déception, ayant espéré que l'écriture automatique leur apporterait davantage.

— Quelle conclusion tirez-vous de cette expérience, Norah ?

— Que William Fedmore père n'aurait pas dû rendre l'âme sans avoir livré tous ses secrets, lâcha la vieille dame dans un souffle.

L'accalmie restaurée après le vacarme ayant sévi dans la pièce condamnée ne dura pas plus d'une poignée d'heures.

Sur le point de descendre pour le souper, Lauriane fut alertée par des bruits suspects en provenance de la bibliothèque des invités. Intriguée, elle s'y dirigea, mais à mesure qu'elle se rapprochait, le silence reprenait du terrain. Elle hésita un instant devant la porte fermée, l'oreille tendue, avant de se décider à l'ouvrir, plus rien ne se faisant entendre de l'autre côté.

La pièce baignait dans une compacte et oppressante obscurité que la lumière du couloir perça quelque peu, assez pour que la jeune femme se fige de stupeur en constatant le désordre qui y régnait. À ses pieds se trouvait la petite table, renversée sur le sol, pointant le plafond de ses pattes. Des livres, des piles et des piles de livres, s'élevaient en hauteur comme autant de colonnes dans un palais. Ainsi plongées dans la pénombre, elles évoquaient de patibulaires personnages en train de la fixer d'un mauvais œil.

Sentant un poids lui comprimer la poitrine, Lauriane fit un pas à reculons. Elle alla arracher une bougie d'une applique, puis revint éclairer ces bonshommes qui, à la lumière, ne redevinrent que de banales piles de livres. L'endroit était sens dessus dessous. Les quelques pièces de mobilier avaient toutes été renversées, gisant pattes en l'air, et le reste des objets s'éparpillaient un peu partout.

— Lauriane ? Qu'y a-t-il ?

Du seuil, la jeune femme avisa Norah qui s'approchait.

— Je vous ai vue prendre une bougie, que regardez-vous ?

— Venez voir.

Faisant un pas à l'intérieur, Lauriane leva la bougie pour en répandre un maximum de lumière. Norah eut un choc à la vue du singulier spectacle.

— *My Lord !* Que s'est-il donc passé ici ?

— J'allais descendre pour le souper quand j'ai entendu du bruit, et c'est ce qui m'a incitée à venir jeter un coup d'œil.

— Quel désordre ! Ces meubles renversés et ces hautes piles de livres, quelle étrangeté…

— Je ne le perçois plus maintenant, mais en arrivant, j'ai senti quelque chose de lourd, d'étouffant, je… comment dire… c'était comme si chaque objet dans cette pièce m'était hostile, comme s'ils étaient chargés de… de fureur…

— Vous ne me confiez pas cette impression pour la première fois, mon enfant. Cela rejoint les propos de William père, qui prétendait avoir eu l'impression que le manoir était en colère. Il apparaît évident que nous avons affaire à une entité perturbée, tourmentée dans la mort tout comme elle a dû l'être dans la vie, du moins au cours de ses derniers instants en ce monde.

— C'est aussi ce que je pense, Norah. Cette personne n'est pas partie en paix.

Les yeux de Lauriane se portèrent sur le mur les séparant de la pièce condamnée.

— D'un côté, nous avons une âme tourmentée et de l'autre, une pièce qu'on s'est visiblement donné beaucoup de mal à faire disparaître, ce qui porte à croire qu'il s'y est peut-être passé une chose… dérangeante.

— Certainement. Il a dû se produire un événement épouvantable pour que l'on ferme cet endroit de la sorte ; nous nous en doutons, bien que nous ignorions ce dont il s'agit exactement. Peut-être William père en savait-il plus long à ce propos ? Ou encore son père, Colin, car des événements étranges survenaient alors que ce dernier vivait toujours. Ainsi, la dissimulation de la pièce a très bien pu se faire sous la gouverne de l'un ou de l'autre. Je regrette de n'avoir pu obtenir davantage d'informations. Quoi qu'il en soit, nous ne pouvons savoir ce qu'ils savaient, mais nous commençons à vivre un peu de ce qu'ils ont vécu. Cela tend à prendre de l'ampleur depuis cet incident avec le chandelier durant le temps des fêtes. Non plus que de l'ordre du ressenti, c'est assez fort pour atteindre le niveau matériel, comme autrefois.

— Est-ce que nous avons pu offenser l'entité en cherchant à communiquer par l'écriture, advenant qu'elle ne sache pas écrire? À moins que ce soit une manifestation de sa frustration de ne pas pouvoir communiquer avec nous à cause de ça?

— Cela se peut, cela se peut fort bien.

La vieille dame effleura le pied de la table du bout des doigts, parcourut du regard les colonnes de livres, pour finir par se tourner vers Lauriane, les traits modelés de gravité.

— Nous avons connu aujourd'hui les premières traces concrètes des manifestations de l'entité pour une personne autre que vous. Je me questionne cependant à savoir si cela n'est pas de mauvais augure, en regard des événements passés.

Tels des oiseaux de malheur, ces mots volèrent au-dessus d'elles, porteurs d'un brumeux présage auquel la jeune femme ne voulut toutefois pas se laisser prendre. De bon augure ou non, elles allaient devoir composer avec ce changement, qui attestait à tout le moins une chose, soit une volonté chez l'entité de leur transmettre un message.

❋ ❋ ❋

Tandis que la terre dormait ensevelie sous son épaisse couverture de neige, à l'abri des rigueurs hivernales que savait si habilement déployer le mois de janvier, des idées germaient dans l'esprit de Lauriane. Leur semence provenait d'un petit garçon chaussé de bottes de fille. L'incident l'avait touchée à un point tel qu'il lui avait fait égrener un chapelet de réflexions. Notamment sur les conditions de vie difficiles de certaines familles à Monts-aux-Pins, les valeurs qu'on lui avait inculquées et qu'elle chérissait, ses propres ressources intérieures aussi et ce qui comptait vraiment à ses yeux, ce qui servait d'aiguillon à ses actions. Il en avait résulté une volonté, un élan, de même que la façon de procéder afin de les concrétiser, soulevant aussitôt en Lauriane un engouement fervent. Elle mettrait à profit une chose qu'elle aimait faire : la couture ; elle utiliserait ce dont elle avait la chance de bénéficier : le temps ; et elle se servirait des moyens à sa disposition : un peu d'argent gagné grâce à son emploi de demoiselle de compagnie et un coffre plein de retailles de tissu.

Elle n'avait pas mis dans l'oubli sa vie d'avant. Jamais elle ne le pourrait. Elle savait ainsi ce que c'était que de rapiécer, de retailler, de rajuster, de transformer, de tenter de faire du neuf avec du vieux. Malgré tous ces besogneux efforts, on se retrouvait parfois devant un manque pouvant s'avérer difficile à combler pour qui avait peu de moyens, et c'était là où Lauriane souhaitait intervenir. Elle fabriquerait des vêtements dans le but de les distribuer aux plus démunis. Ce serait une agréable façon de rendre service et d'occuper ses dix doigts par moments bien désœuvrés depuis son entrée au sein de la riche famille Fedmore.

Impatiente de partager son enthousiasme avec quelqu'un, Lauriane s'empressa d'en glisser un mot à Norah, dont la réaction fut des plus étonnantes. En effet, l'idée lui plut tant et si bien que, aimant elle aussi s'adonner à la couture, elle sauta sur l'occasion pour lui proposer son aide. Trop contente de recevoir un tel appui, la jeune femme accepta sans aucune hésitation.

Il ne lui en fallut pas davantage pour commencer à tout planifier. Les retailles ne constituaient qu'une première étape. Pour que son projet puisse véritablement prendre forme, il lui faudrait acquérir du matériel comme du fil, du tissu, des aiguilles, des boutons et une multitude d'autres choses encore. Lauriane avait, de plus, très envie d'acquérir une machine à coudre qui lui serait, sans l'ombre d'un doute, d'une précieuse utilité. Le dernier point à régler serait de dénicher un endroit où s'établir, exclusivement réservé aux travaux de couture, agréable et où il ferait bon travailler. Norah proposa d'utiliser la grande pièce du rez-de-chaussée, celle où les domestiques avaient retrouvé Lauriane le lendemain de son effrayante expérience nocturne quelques mois plus tôt. L'endroit n'avait pas été aménagé et comportait d'immenses fenêtres qui leur offriraient une abondance de lumière, exactement ce qu'il fallait.

En un premier temps, Lauriane s'attaqua au nettoyage. Elle fit briller le plancher, donna un coup de chiffon aux carreaux des fenêtres et lava les rideaux, ce sous le regard improbatif d'Ellen. Le tout terminé, la jeune femme fit descendre deux tables à tréteaux du grenier, de même que le coffre de retailles logé dans sa chambre, et fit aussi apporter quelques chaises confortables. En un rien de temps, tout le nécessaire fut installé et prêt pour le début des nouvelles activités qui furent inaugurées par un petit incident amusant.

— J'aimerais bien comprendre la fascination qu'exercent les bobines de fil sur les jeunes chats, soupira Norah en se penchant pour saisir l'objet en question qui gisait sur son fauteuil.

— J'ai bien averti les enfants de ne plus le faire entrer ici, l'informa Lauriane, un sourire dans la voix.

— Fort bien. Ce n'est pas un terrain de jeu pour félins, ici, même si celui-ci l'a considéré comme tel, ce qui était inévitable. Dès qu'un chat aperçoit un bout de fil, il devient fou.

La jeune femme avait envie de rire devant le tapis de lignes enchevêtrées formé par les fils que l'animal avait déroulés de leur bobine avec de précis coups de pattes et de dents. Il n'y avait pas à dire, le chaton que Ryder et Harrison avait eu la brillante idée d'amener pour le montrer à Lauriane s'en était donné à cœur joie ! Il avait opéré avec une célérité des plus motivées, faisant du plancher un vaste terrain à obstacles composé de pattes de chaises et de tables. Quelques secondes d'amusement pour le chat, de longues minutes à tout démêler et à ranger pour les deux femmes…

Norah se frotta les mains, son regard s'égarant vers une fenêtre.

— Il recommence à neiger, pour faire changement.

— Avez-vous froid ? Je peux remettre du bois au feu.

— Nul besoin, merci, je ne frissonne pas. J'ai parfois une mauvaise circulation dans les doigts, il me faut les remuer un peu de temps à autre.

Elle sourit en joignant le geste à la parole. Puis, reprenant la bobine qu'elle avait déposée sur une table, elle commença à y enrouler du fil, pour aussitôt s'interrompre.

— Avec un climat aussi rude, les gens ont également besoin de bonnes couvertures. Si cela vous agrée, je me propose de tailler des pièces de tissu pour la confection de courtepointes. J'ai aimé l'expérience cet automne et il me plairait de le refaire.

— Des couvertures... oui... bien sûr... Pourquoi se limiter aux vêtements ? Vous avez raison, les gens en ont bien besoin et nous avons de belles étoffes qui pourraient servir à en faire de très jolies.

Lauriane avisa la table où elle avait étalé le contenu du coffre et imagina sans mal différents modèles de courtepointes à motifs colorés. Sitôt eurent-elles terminé de rembobiner tous les fils qu'elles allèrent sélectionner les premières étoffes destinées à leur nouvelle idée. En utilisant la machine à coudre, l'assemblage des pièces prendrait beaucoup moins de temps et Norah choisit de s'attitrer cette tâche, laissant ainsi à Lauriane la liberté de se consacrer à la confection de vêtements d'enfants. Compte tenu de ses nouvelles occupations, la vieille dame décida de faire l'acquisition d'une seconde machine à coudre, de manière à ce que chacune puisse avancer à son rythme sans nuire au travail de l'autre.

Bientôt, Lauriane découvrit que le projet ne soulevait pas l'intérêt que de Norah. Un matin, elle eut la surprise de trouver celle-ci en compagnie de madame Nolet, les mains occupées à jouer de l'aiguille. Mise au fait de leurs activités, la veuve les avait jugées fort louables et avait d'emblée voulu y prendre part. Touchée et se réjouissant de recevoir cette aide inattendue, la jeune femme aménagea un coin où les deux femmes pourraient travailler ensemble aux courtepointes, tailler les pièces, les assembler. Seule au départ, Lauriane se faisait une grande fierté de constater qu'elles étaient à présent trois pour donner vie à ce projet qui lui tenait tant à cœur.

* * *

Portant une main à sa bouche, Lauriane masqua un long bâillement. Bien que ne comptant pas encore aller rejoindre son lit, elle estima le moment venu de délaisser ses travaux d'aiguille, qui l'avaient tenue très occupée durant toute la journée. Elle tira sur son fil pour solidifier le dernier point qu'elle venait de faire à la main et le coupa avec ses dents.

— Je m'arrête là pour ce soir, annonça-t-elle à Norah, occupée à fouiller les retailles de tissu.

— Je vais faire de même sous peu, ma chère. Mes yeux commencent à se fatiguer. Vous montez vous coucher ?

— Pas encore.

L'attention de la vieille dame dévia sur elle.

— Ah oui, c'est vrai, vous avez parlé tout à l'heure que vous comptiez retourner explorer ces souterrains.

— J'y pense depuis déjà plusieurs jours, mais je n'ai pas trouvé le temps de le faire. J'ai décidé de m'y mettre ce soir.

— Je salue votre bravoure de vous y aventurer seule. N'eût été ces vilains rhumatismes qui me harcèlent et que l'humidité en ces lieux ne ferait que nourrir, je m'empresserais de vous accompagner, vous le savez bien.

Les souterrains suscitaient en effet chez la vieille dame un intérêt des plus marqués. Seulement, malgré que Lauriane aurait de loin préféré ne pas s'y aventurer seule, elle considérait que c'était mieux ainsi. Déjà qu'elle culpabilisait depuis leur descente dans le passage, car il lui semblait que les souffrances de Norah avaient empiré depuis. Cette dernière tenait toutefois mordicus à ce que Lauriane la tienne informée des moindres détails.

— C'est dommage que le remède de ma tante n'ait pas plus d'effet sur vos rhumatismes.

— Si compétente que soit Adéline, j'ai peur qu'elle ne puisse guère prodiguer de miracle en ce qui a trait au vieillissement du corps humain, philosopha Norah en admirant une étoffe aux jolis imprimés de guirlandes de roses.

La jeune femme approuva d'un lent hochement de tête. Sa tante guérissait de nombreux maux, mais sa médecine avait tout de même ses limites. Il fallait les accepter et se réjouir de pouvoir profiter de ses compétences déjà bien extraordinaires.

— En tout cas, pour ce qui est des souterrains, de la bravoure, je ne sais pas, mais une bonne dose de volonté, certainement, affirma Lauriane, qui ficha son aiguille dans une pelote avant de se lever.

Bien qu'accaparantes, ses nouvelles occupations ne lui avaient pas pour autant fait oublier le journal de Fanélie. Durant les jours qui avaient suivi la séance d'écriture, il lui était arrivé à quelques reprises de capter de lointains cognements, en particulier la nuit, ce dont Norah avait prétendu, pour sa part, ne pas avoir eu connaissance. Par l'entremise de Lindsay, questionnée indirectement afin de ne pas éveiller ses soupçons, Lauriane avait pu apprendre que personne, non plus, ne les avait entendus parmi la domesticité. Quelques vérifications, de temps en temps, à la bibliothèque des invités, lui avaient par ailleurs indiqué que rien d'autre ne s'y était produit.

Souhaitant le bonsoir à la vieille dame, Lauriane quitta l'atelier pour rejoindre l'ancienne chambre principale. Avant de s'introduire dans le passage, elle veilla à bloquer l'armoire avec un fauteuil afin d'éviter qu'elle revienne s'appuyer contre le mur. Même si Norah lui avait indiqué comment la faire bouger de l'intérieur, la jeune femme préférait garder l'entrée dégagée pour ainsi éviter de se sentir coupée du monde complètement. Évoluer dans ces souterrains donnait l'impression de disparaître de la surface de la Terre, d'être digérée vivante dans les entrailles du manoir qui l'aurait goulûment engloutie après l'avoir attirée en usant de tactiques surnaturelles.

Après avoir traversé la pièce basse sur laquelle donnait l'escalier, Lauriane enfila le couloir jusqu'à l'intersection en T. Comme elle n'avait pas terminé son exploration du côté droit, ce fut cette même direction qu'elle choisit. C'était dans le coude qui se trouvait un peu plus loin qu'elle avait rebroussé chemin. Comparés à la fois précédente, ses différents malaises l'incommodaient avec moins d'intensité. Des sueurs froides harcelaient toujours son corps, une crampe lui barrait le ventre et l'impression de n'être pas la bienvenue en ces lieux continuait de l'habiter, mais les sensations demeuraient tolérables, moussant ainsi sa détermination à poursuivre sa visite.

Le coude franchi, la jeune femme arriva à un secteur où le sol se muait en un court escalier descendant sur un mètre environ. En bas, une distance de quelques pas le séparait d'un autre escalier qui remontait et permettait de continuer à suivre le couloir. Tâchant de ne pas perdre pied, Lauriane descendit les degrés et s'approcha d'une cavité fendant le mur de droite. L'éclairant de sa lampe, elle constata qu'il s'agissait d'un autre passage, plus bas, si bien qu'elle dut courber le cou afin de pouvoir s'y engager.

Au bout de quelques mètres, elle se retrouva devant deux embranchements, dont l'un dégageait un air glacé et prenait une pente descendante. Frissonnant de plus belle dans son épaisse veste de laine, Lauriane choisit d'emprunter l'autre, où le sol demeurait au même niveau. Très étroit, le passage s'allongeait interminablement, aurait-on dit, avant de prendre fin sur un escalier logé sous une trappe aménagée dans le plafond. La jeune femme se heurta à de vaines tentatives pour la soulever et se résigna à revenir sur ses pas. Son exploration n'était pas encore terminée, cela dit, et peut-être trouverait-elle ailleurs des débouchés plus heureux.

De retour entre les deux séries de marches qui se faisaient face, elle remonta du côté opposé à sa descente. Le couloir se poursuivait jusqu'à un autre coude vers la gauche et continuait ensuite tout droit. Était-elle en train de faire le tour du manoir ? Ce fut ce que Lauriane tendit à croire en apercevant deux portes dans le mur, à bonne distance l'une de l'autre, lui rappelant un peu ce qu'elle avait vu lors de sa première visite en compagnie de Norah. L'une d'elles devait monter à la chambre de la vieille dame, si tel était le cas. Mais, en vérité, tout se ressemblait dans ces souterrains.

Son pied heurta quelque chose qui fut projeté plus loin dans une succession de légers rebonds. Abaissant sa lampe vers le sol, Lauriane repéra le petit objet roulant qui perdit de la vitesse et finit par s'immobiliser. Elle le ramassa et sourit en découvrant la pièce de bois conique pourvue d'une tige au centre de son axe. Une toupie. Ses frères en fabriquaient autrefois avec des bobines de fil et organisaient des concours. Lauriane s'amusait à les peindre de façon à ce que chacun en ait une différente. Celle qu'elle avait en main actuellement était d'un rouge fade avec de drôles de motifs jaunes.

L'insérant dans la poche de sa veste, elle se remit à avancer. En voyant un mur se dresser un peu plus loin, elle en déduisit que le passage se terminait sur un cul-de-sac. Elle allait s'en approcher pour l'éclairer complètement, au cas où il s'y trouverait une ouverture, quand il lui sembla apercevoir du coin de l'œil une ombre furtive. Son cœur sauta un battement et elle se statufia net. Son regard effaré balaya alentour, à l'affût. Une pluie de chair de poule l'informa que la température ambiante dégringolait davantage, assez qu'en quelques secondes à peine, Lauriane se mit à grelotter de tous ses membres. Une buée blanche s'échappait de sa bouche, elle sentait l'humidité la cribler de toutes parts et la pénétrer jusqu'aux os.

Si ses yeux ne perçurent aucun nouveau mouvement d'ombre, ses oreilles captèrent de faibles sons ressemblant à des murmures qui proviendraient de derrière les parois l'entourant. *Comme si les murs chuchotaient entre eux,* avait dit William Fedmore père sur son lit de mort.

— Hou hou…, fit la jeune femme d'une voix hésitante.

Son filet de voix sonna caverneux comme dans un tombeau. Les murmures s'éteignirent, absorbés par le silence sépulcral. Ce fut alors que, tel un souffle exhalé par la bouche d'un géant, un grand déplacement d'air se produisit et fit mourir la flamme de sa lampe. Une épaisse obscurité l'assiégea, mystérieuse, inquiétante. Son cœur martelant violemment sa cage thoracique comme s'il voulait s'en échapper, Lauriane s'accroupit, déposa la lampe sur le sol et en retira le verre. Une infime gerbe d'étincelles s'échappa de son briquet à amadou, sans plus. Ses mains tremblantes la rendaient maladroite et les vaines tentatives qu'elle enchaîna contribuèrent à gonfler sa nervosité. D'autant que les ténèbres qui l'entouraient se chargeaient d'une énergie de plus en plus inquiétante, répulsive, lui donnant l'irrésistible envie de prendre ses jambes à son cou.

— Allez, allume-toi! grommela Lauriane en s'acharnant de plus belle sur son briquet récalcitrant.

Cric! Cric! La molette grattait la pierre dans un bruit répété qui à lui seul aiguillonnait son angoisse. Un hoquet de terreur lui échappa soudain. Tous les poils de son bras s'étaient hérissés d'un commun élan, quelque chose venant d'effleurer la manche de sa veste. Sa respiration se suspendit, le liquide paralysant de la peur s'injecta dans ses veines, voyagea jusqu'à ses muscles, qu'il inonda, lui ravissant graduellement la maîtrise de ses membres, qu'elle sentait devenir de plomb.

Au moment où la panique menaçait de l'emporter, l'étoupe du briquet s'embrasa enfin, faisant apparaître la plus belle lueur que Lauriane ait jamais vue. Par crainte de la perdre, elle s'empressa de souffler dessus pour activer le feu, avant de rallumer la mèche de la lampe. Dans le halo doré qui apparut, la jeune femme se sentit comme enveloppée d'un cocon protecteur. Le froid perdit de son emprise sur son corps, dont les tremblements se résorbèrent en même temps qu'un sang chaud, vivifiant, recommençait à couler dans ses veines.

Se redressant, Lauriane promena un regard de reproche autour d'elle.

— Vous n'aimez pas que je sois ici. Pourquoi ?

Mais il lui sembla que ses mots ne firent qu'atteindre les parois et s'y répercuter sans trouver d'écho. Elle ne percevait plus aucune vibration particulière et l'espace autour d'elle avait perdu de son étroitesse, la laissant même sur une impression de vide absolu. Elle était de nouveau seule avec elle-même.

Prenant quelques lentes inspirations, Lauriane se décida à faire demi-tour et repartit en sens inverse. En atteignant le T, elle opta pour la branche de gauche. Arrivée à la hauteur d'une unique porte dans le mur, elle s'arrêta et prit un moment pour s'orienter. L'escalier menant aux appartements de William devait se trouver derrière. Avoir été en mesure de faire bouger le loquet coincé lors de son exploration avec Norah, elles se seraient sans doute retrouvées à cet endroit précis. Lauriane se hâta d'éclairer le sol, au cas où le journal aurait été glissé sous la porte tel qu'elle l'avait présumé, mais à sa grande déception, il ne se montra pas.

Passé la porte, le couloir prenait fin sur un autre cul-de-sac. Aucun murmure ne se fit cependant entendre derrière les murs. La jeune femme fit demi-tour et prit le chemin de la sortie, désappointée et frustrée. Où était donc passé ce maudit journal ? Comment avait-il pu disparaître ainsi sans laisser de traces ? Toutes les recherches qu'elle menait pour le retrouver n'aboutissaient à rien et elle commençait sérieusement à douter d'arriver un jour à remettre la main dessus.

La toupie revint occuper ses pensées alors qu'elle regagnait la tiédeur de sa chambre. Ce jouet l'intriguait et elle ressentit la nécessité de lui consacrer davantage d'attention. À la lumière du feu dans la cheminée, elle entreprit de l'examiner. Sale et poussiéreux, il dégageait un relent de moisissure. Lauriane enleva les quelques toiles d'araignée qui s'y accrochaient tout en réfléchissant. Ce jouet avait de toute évidence été perdu ou oublié par un enfant dans les souterrains. Cela signifiait que ceux-ci étaient connus des habitants du manoir autrefois, du moins de certains d'entre eux. Ou alors ils avaient été découverts par hasard par des enfants qui descendaient y jouer en cachette.

La jeune femme releva les yeux, pensive. Il n'y avait rien d'étonnant à découvrir que les passages secrets avaient été fréquentés dans le passé, ce n'était pas cela qui la tracassait vraiment; c'était la toupie. Elle avait à son sujet une vague intuition. Rien qu'à la tenir dans ses mains, elle ressentait une étrange impression qui demeurait toutefois imprécise.

La plaçant à la verticale entre son index et son pouce, Lauriane lui donna une petite poussée pour la faire pivoter. Simple babiole d'enfant, minuscule objet sans particularité aucune, cette toupie la laissait pourtant bien songeuse. Quant au journal de Fanélie, le constat était encore le même : il demeurait désespérément introuvable.

10

Sous surveillance

*F*orcées par le jour levant, les ténèbres lâchèrent prise et se retirèrent de la chambre. La clarté chercha passage à travers les épais rideaux, répandant une lumière grise. Dans son lit, la jeune femme s'agitait, abîmée dans un songe brouillé.

— Un petit garçon!

Lauriane ouvrit grand les yeux, saisie par le son de sa propre voix. Encore absorbée par les images floues tourbillonnant dans son esprit, elle mit un moment avant de constater qu'étrangement, le plafond lui apparaissait dans une perspective inhabituelle. La position des caissons avait changé. La jeune femme frotta ses yeux embués de sommeil, se croyant confondue par eux, mais son geste n'eut aucun effet.

Sa tête pivota. Désorientée, Lauriane ne trouva pas dans son environnement immédiat les repères coutumiers. Il ne s'agissait pas que du plafond, l'ensemble de sa chambre avait changé de sens! Elle s'assit, déroutée, pour en venir à se rendre compte que ce n'était pas la chambre, mais plutôt son lit qui s'était déplacé. Il se trouvait presque au centre de la pièce et avait pivoté de telle façon que le pied était à la tête et la tête au pied.

Quand elle se fut quelque peu remise de sa surprise, Lauriane se glissa hors du lit et fixa celui-ci avec découragement. Inutile d'essayer de le bouger, il était trop massif pour qu'elle y arrive seule. Ce fut ce que durent aussi penser ceux qui furent chargés plus tard de le remettre en place. La jeune femme fit ainsi en sorte de ne pas assister à la manœuvre afin d'éviter tout commentaire ou question de leur part. Elle en avait eu suffisamment avec la mine décontenancée de Bruce lorsqu'elle lui avait confié la responsabilité de cette tâche. Si le majordome avait assez de subtilité pour ne pas montrer sa curiosité de manière trop évidente, la jeune femme ne l'avait pas moins devinée.

Après s'être sustentée d'un bon repas, elle se dirigea à l'atelier, où Norah la rejoignit un peu plus tard, forte de sa bonne humeur coutumière et de cette motivation commune qu'elles partageaient. Lauriane était sur le point de lui faire le détail de sa visite de la veille dans les souterrains quand le son sec et métallique du heurtoir retentit dans l'entrée, suivi du pas assuré de Bruce. Quelques propos furent échangés et Lauriane sourit en reconnaissant la voix de Marie-Louise. Le majordome la priait apparemment de lui confier quelque chose, ce qu'elle refusa. L'instant d'ensuite, elle faisait irruption dans l'atelier, chargée d'une poche de jute au ventre bien rempli, sous l'œil vexé de Bruce, qui s'éloigna de sa démarche toujours aussi droite et digne.

— J'ai failli ne pas me rendre !

Un peu essoufflée, Marie-Louise se délesta de son fardeau sur une table et feignit de s'effondrer dessus.

— Avoir su, j'aurais envoyé quelqu'un la chercher, rit Lauriane.

— Mon frère Ovide devait la transporter pour moi, mais comme d'habitude, il s'est désisté à la dernière minute. Il n'a aucune parole ! Il ne fait jamais rien de ce qu'il dit.

Roulant des yeux exaspérés, Marie-Louise se redressa et tapota la poche.

— Il y a là-dedans du très vieux, du très, très vieux et du si vieux que je ne sais pas si ça pourra servir. Et attention : mon grand-père s'est débarrassé de la vieille chemise qu'il portait depuis des années. Je crois qu'elle date du temps où il allait bûcher dans les chantiers. D'après l'odeur, je ne suis pas sûre qu'elle ait été lavée, mais peut-être aussi qu'après tout ce temps, elle est juste restée imprégnée.

L'on entendit le rire aérien de Norah s'élever du coin de la pièce où elle travaillait.

— Si le tissu est bon, je la laisserai tremper dans de l'eau et du vinaigre le temps qu'il faudra, dit Lauriane. Pour le reste, je vais faire un tri minutieux ; il y a sûrement des pièces qui pourraient servir à faire autre chose. Tu remercieras tous les donateurs pour leur générosité.

— Je vais essayer de t'en ramasser plus la prochaine fois. Pour tout de suite, est-ce qu'il y a quelque chose que tu pourrais me faire faire ? Je voudrais bien mettre la main à la pâte, moi aussi, si je le peux.

Toute aide étant bienvenue, Lauriane évalua d'un coup d'œil ce qu'il y avait à faire dans l'immédiat. L'ouvrage ne manquait pas avec toutes les nouvelles étoffes qu'elle s'était procurées et qui n'attendaient que de prendre la forme qu'elle voudrait bien leur donner. En plus que depuis peu, elle avait commencé à recueillir de vieux vêtements par-ci par-là, soit pour les réparer, soit pour les utiliser à d'autres fins. Marie-Louise s'était gentiment portée volontaire pour lui en trouver, séduite elle aussi par le projet.

— Si tu veux, tu peux tailler les pièces de patron qui sont épinglées sur la table, là.

— Qu'est-ce que c'est ? demanda Marie-Louise en allant évaluer le travail.

— Un corsage, il va avec la jupe que je suis en train de finir d'assembler.

Son amie caressa du bout des doigts l'épais velours bordeaux.

— Ça va faire une belle robe du dimanche pour une petite fille, ça !

S'emparant d'une paire de ciseaux, elle se mit aussitôt à l'ouvrage. Lauriane retourna s'asseoir derrière sa machine à coudre, mais resta à regarder la tailleuse d'un œil amusé. Marie-Louise coupait le tissu avec une grande application, la lame inférieure des ciseaux raclant la table en un bruit continu qui finit par arracher à Lauriane un grincement de dents. Elle s'ébroua et se mordit la langue pour tenter d'en annuler l'effet. C'était aussi désagréable que le crissement d'une craie sur un tableau !

— J'ai vu Gédéon Pellerin, hier, annonça Marie-Louise à brûle-pourpoint.

— Comment va-t-il ? As-tu des nouvelles fraîches de l'état de santé de son père ?

— Par Gédéon, peu, mais madame Pellerin a dit à ma mère que son mari prend encore du mal. C'est fâcheux à dire, mais ce sont ses abus qui sont en train de le ronger.

— De quoi souffre cette pauvre âme ? questionna Norah, qui avait levé les yeux de son ouvrage.

— Le foie, Madame. Il a une cirrhose.

— Malheureuse affaire...

La désolation de la vieille dame rejoignait celle de Lauriane, qui adhérait également à l'opinion émise par son amie, laquelle n'était rien d'autre qu'un constat de la réalité. Monsieur Pellerin avait fait pendant des années un abus outrageux de l'alcool. Quand Lauriane allait autrefois jouer chez Gédéon avec ses frères, ils voyaient souvent l'homme s'enfermer dans la dépense sous divers prétextes. Ce comportement les intriguait beaucoup. Une bonne fois, Thomas les y avait entraînés, Gédéon et elle, profitant d'un moment où monsieur Pellerin s'était absenté. Ils avaient découvert une bouteille cachée dans un vieux bac à lessive. Le liquide qu'elle contenait ressemblait à de l'eau et ils n'avaient pas compris l'intérêt qu'il y avait à la cacher. Fort déçu de ne rien trouver de plus intéressant, Thomas avait voulu se venger en répandant le contenu de la bouteille sur le sol. Il avait retiré le bouchon et, surpris par l'odeur forte qui s'en dégageait, il avait décidé d'y goûter. Une violente quinte de toux avait failli l'étouffer et il avait alors déclaré que ce n'était pas de l'eau.

Plus tard, Gédéon s'était échappé devant sa mère au sujet de la bouteille. Aujourd'hui, Lauriane comprenait la signification de l'expression qu'avait affichée la femme : c'était celle de quelqu'un qui sait sans vouloir savoir. Par la suite, monsieur Pellerin n'était plus allé dans la dépense. Lauriane avait cru qu'il avait cessé de boire la méchante eau, pour ensuite en venir à comprendre qu'il avait juste décidé de ne plus se cacher pour le faire.

— Gédéon semble tenir le coup malgré tout, dit Marie-Louise, dont l'œil plissé se concentrait sur sa tâche. Il fait ce qu'il a à faire, il se tient occupé.

— Avec son père malade, il a le fardeau de tout sur la ferme. Il n'a pas le choix de prendre le relais, la vie continue.

Son amie mettait de côté les pièces découpées. Ce faisant, elle se rapprocha de Lauriane et parla à voix basse :

— Comme après toi. La vie a continué pour lui après t'avoir perdue, mais ton mariage lui a donné un sacré coup et je ne suis pas sûre qu'il s'en soit encore remis.

— Même si je ne m'étais pas mariée avec William, je ne sais pas si je serais allée vers lui, Loulou. J'y pensais, parce qu'il était le meilleur parti pour moi, mais je ne sais pas si je me serais rendue jusqu'au mariage.

— Ça, il n'y a que toi qui aurais pu le décider. En tous cas, j'en connais une autre que ton mariage avec William a sérieusement assommée…

Adressant à Lauriane un regard éloquent, Marie-Louise retourna à son découpage, avant d'ajouter :

— Paraîtrait que Clara reviendra de Montréal au printemps ; du moins, c'est ce que ses pies de sœurs jacassent au village. Son orgueil blessé doit mieux se porter, maintenant. Parce que ses parents ont eu beau dire que son départ pour la grande ville, l'automne dernier, avait déjà été plus ou moins prévu depuis des mois, tout le monde sait que c'est faux. Clara n'a pas pu supporter de rester au village après que William t'ait choisie à sa place, la voilà, la vérité !

L'évocation de Clara remua quelque chose en Lauriane. D'abord, elle crut que ce n'était dû qu'à ses ruminations habituelles à l'égard de la belle brune et de son mari. Seulement, elle comprit que c'était plus sérieux en se surprenant à ressentir une forte émotion de nature négative. Mon Dieu ! Haïssait-elle Clara ? Était-elle en train d'élever contre elle son indignation parce qu'elle la rendait responsable de ses échecs avec William? S'il n'y avait pas eu Clara, bénéficierait-elle davantage de son attention? Son séjour au chantier se serait-il achevé sur une meilleure note? Peut-être. Sans doute. Elle en avait gros contre une jeune femme qui se trouvait loin de Monts-aux-Pins et de qui rien n'était la faute en vérité, du moins pas de façon volontaire!

La conversation dévia vers d'autres sujets, ce qui permit à Lauriane de chasser ces sombres pensées. Au bout d'un certain temps, Marie-Louise annonça qu'il lui fallait partir. Elle promit cependant de revenir les aider très bientôt. Se retrouvant de nouveau seule avec Norah, Lauriane saisit cette occasion de lui parler enfin des souterrains et de la toupie. Depuis son mariage, elle se montrait plus discrète vis-à-vis de sa meilleure amie concernant les phénomènes surnaturels, sachant qu'ils risqueraient de l'effrayer et de la décourager de revenir.

— Je ne comprends pas que ce jouet ait pu se retrouver dans ces passages; ce ne sont guère des lieux convenables pour des enfants, commenta Norah avec une moue désapprobatrice lorsque la jeune femme eut achevé de tout lui raconter. Comment se fait-il que l'on ait commis l'imprudence de les laisser s'y aventurer? Ils n'auraient pas même dû connaître leur existence, eux qui ont souvent plaisir à se faufiler dans ce genre de recoins.

Un sourire retroussa la commissure des lèvres de Lauriane.

— Moi-même j'aurais raffolé d'aller y jouer quand j'étais plus jeune! Mais c'est vrai qu'il y a du danger, entre autres les escaliers qui sont très abrupts.

— Cette toupie s'y trouvait depuis très longtemps, en tout cas. Côte-Blanche n'a pas vu la famille Fedmore avec de jeunes enfants depuis les soixante dernières années. Cela remonte au premier quart de ce siècle, du temps de Colin et Cassandra, alors que William père était encore un jeune garçon.

Un jeune garçon. Lauriane eut une pensée pour son rêve de ce matin.

— Combien d'enfants avez-vous dit que Colin et Cassandra avaient ?

— Quatre. William, Owen, Edworth et Anna. La toupie devait certainement leur appartenir.

— Peut-être à un des garçons.

La certitude qui perçait dans cette supposition éveilla la curiosité de Norah. La peau diaphane sous ses yeux se fripa.

— Quelque chose vous inciterait-il à le croire ?

— Oui, en fait, non. Mes frères ont beaucoup joué à la toupie, ce qui a sûrement influencé mon rêve.

— Quel rêve, mon enfant ?

Se laissant aller contre le dossier de sa chaise, Lauriane esquissa une grimace tout en secouant la tête.

— Je suis bête… J'ai cru qu'il s'agissait peut-être d'une… enfin d'une sorte de vision. J'ai rêvé d'un garçon, cette nuit. Il était dans les souterrains.

— Avez-vous vu son visage ?

— Non, malheureusement. C'était assez flou et il était presque de dos. Il prenait le jouet, ses mains étaient toutes crottées, il y avait de la crasse sous ses ongles. Ses vêtements étaient usés et sales, mais bon, c'est sans doute le fruit de mon imagination.

— Il serait étonnant que ce soit là l'apparence qu'avaient les fils Fedmore. Quand même, c'est intrigant, ce rêve.

Mais la jeune femme, elle, n'y voyait désormais plus rien de singulier. Son imagination l'avait tout simplement menée en bateau en s'inspirant de ses souvenirs.

— Ce qui mériterait plus d'être qualifié d'intrigant est ce que j'ai vu en me réveillant, dit-elle, choisissant de passer à un autre sujet.

— Ah? Qu'avez-vous donc vu?

— Ma chambre dans l'autre sens. Mon lit était au milieu de la pièce, tête au pied. Je ne sais pas comment il s'est retrouvé là, ça s'est fait pendant que je dormais et je ne me suis rendu compte de rien.

Les yeux noirs de la vieille dame s'arrondirent. L'aiguille, qu'elle venait de piquer dans la manche de chemise qu'elle était en train de repriser, s'immobilisa cependant que l'hébétude la figeait sur place.

— Par ma foi! Quel réveil insolite cela a dû vous occasionner…

— J'étais complètement désorientée, c'est le moins qu'on puisse dire! Ce qui m'ennuie, c'est qu'il a fallu que je demande à Bruce de voir à ce que le lit soit remis à sa place. Je n'ai pas pu faire autrement, je ne pouvais pas le déplacer toute seule.

— Bien sûr, cela va de soi, je vous comprends. Comme pour l'incident de la bibliothèque, nous ne pouvons décider ni du moment ni du lieu où un fait inexpliqué survient, et nous devons nous préparer à la possibilité que nos gens puissent en avoir un jour connaissance, je le crains.

Et Lauriane pressentait que cela se produirait dans un avenir rapproché. La séance d'écriture automatique semblait avoir rouvert une porte jusque-là entrebâillée sur l'au-delà. Déjà, certains domestiques se trouvaient au fait d'un premier incident inusité, et bien qu'ils ne sachent pas exactement de quoi il en retournait, une interrogation était semée dans leur esprit.

La jeune femme préférait ne pas imaginer ce qu'il adviendrait lorsque la véritable nature de l'incident ayant suscité cette interrogation serait découverte…

❄ ❄ ❄

Février s'écoulait sans plus ni moins de clémence que janvier. Lauriane avait relogé sa machine à coudre près d'une fenêtre pour bénéficier de la chaleur du soleil qui prenait de la force lentement mais sûrement. Ainsi située, elle trouvait que c'était plus vivant, elle voyait les déplacements des gens du manoir, Ryder aller et venir de l'école, flanqué de son petit frère qui l'accompagnait jusqu'au portail. Ces derniers regardaient toujours en direction de la fenêtre afin de savoir si elle y était et, le cas échéant, ils la saluaient à grands gestes des bras.

Des apparitions troublantes se produisaient aussi parfois. Une demi-heure plus tôt, Lauriane avait en effet pu apercevoir quelqu'un d'inattendu : son mari. Il était passé à pied en compagnie de Neil. Ignorant qu'il devait revenir, la stupéfaction de la jeune femme avait été telle qu'elle lui avait fait rater une couture. Elle avait pesté contre sa maladresse et aussi contre les frétillements dans son ventre. Comme si revoir William avait pour elle le moindre intérêt après leur dernière conversation au chantier… N'empêche qu'elle s'était surprise à jeter des coups d'œil vers la fenêtre à quelques reprises par la suite. Par chance, personne n'était là pour voir son manège, Norah et madame Nolet s'étant absentées pour aller faire de menus achats au magasin général.

En fin de compte, William se remontra non pas dehors mais à l'intérieur, dans l'atelier même, la surprenant alors qu'elle fouinait justement par la fenêtre. Il portait toujours son manteau, mais s'était dénudé la tête, et ses cheveux quelque peu en bataille lui conféraient un aspect négligé des plus séduisants. Il s'immobilisa après avoir fait un pas dans la pièce. Son visage afficha un air vaguement étonné laissant penser que, si Norah l'avait informé de leurs nouveaux projets par le biais de la correspondance qu'elle entretenait avec lui, il n'avait peut-être pas imaginé qu'ils avaient pris une telle ampleur.

L'endroit ressemblait à un véritable petit atelier de couture avec ses machines à coudre et ses tables pleines de rouleaux de tissu. Deux bustes mannequins trônaient avec une certaine allure entre les piles de vêtements à découdre, à repriser ou à laver. Dernière tâche qui se faisait à même l'atelier, que Lauriane avait équipé d'une cuve, d'une planche à laver et de cordes tendues devant l'âtre pour le séchage. Il y avait également tout ce qu'il fallait pour le repassage : une jeannette, trois fers et une table couverte d'un drap de coton, sous lequel se trouvait une couverture de laine, pour les plus grosses pièces. Un espace était réservé aux vêtements et couvertures prêts à partir.

— Vous avez trouvé là une étonnante vocation à cette pièce libre, formula William en guise de bonjour.

— Elle est grande et bien située, ce qui en fait l'endroit idéal.

Faisant rouler entre ses doigts les bouts de fil provenant de la couture qu'elle venait de défaire, Lauriane observa de biais son mari en train d'examiner les boutons en corne du gilet qui habillait l'un des mannequins.

— Ce sont tous des vêtements cousus de votre main ?

— Ceux-là, oui. Mais il nous en arrive parfois des tout faits qui ont juste besoin d'être raccommodés ou rapiécés.

— Vous semblez vous attarder aux vêtements d'enfants en particulier.

— J'ai commencé à en créer aussi pour les adultes, mais c'est vrai que j'ai tendance à en faire plus pour les enfants. Après tout, ils sont ma plus grande source de motivation. C'est un enfant qui m'a indirectement donné l'idée de ce projet.

William avisa l'autre machine à coudre positionnée à proximité d'une table remplie de petites pièces de tissu aux formes géométriques variées, en de multiples motifs et couleurs.

— J'ai cru comprendre que vous pouviez compter sur l'aide de Norah.

— Oui, elle aime beaucoup passer du temps ici, comme d'autres personnes qui ont ce projet à cœur.

— Vous la première, de par votre vécu, je présume ?

Il avait dévié son regard sur elle le temps de la question. Lauriane fit un geste d'acquiescement.

— Ma famille a connu son lot de misère : la vie sur une ferme est faite de hauts et de bas, elle suit les caprices de la nature. Le fait d'avoir déjà été concernée me rend très sensible au sort des gens qui sont dans l'indigence. Je me vois aujourd'hui vivant dans une maison somptueuse, avec des domestiques à mon service, et je me dis que quand on a les moyens d'aider ceux qui ont moins de chance, on doit le faire.

Cela allait tout naturellement de soi pour elle, pourtant son mari, lui, sembla ne pas le considérer comme tel. Son expression dubitative lui donna même l'air de vouloir marginaliser le raisonnement de la jeune femme et par conséquent, sa générosité. Dieu que cet homme pouvait parfois avoir une vision sombre du genre humain ! constata-t-elle *in petto*.

Il jeta un coup d'œil au mantelet de coton piqué d'épingles que portait l'autre mannequin, se déplaça ensuite en distribuant son attention de part et d'autre. Inspection qui sembla si bien l'absorber que Lauriane en vint à ressentir une combinaison de fierté et de malaise, trouvant inhabituel de le voir s'intéresser à ce qu'elle faisait.

— D'après ce que je constate, vous semblez allier la cause à la passion.

— Vous devinez bien. J'adore coudre, je pense que c'est ce que je préfère. C'était aussi ce que ma mère disait, ajouta la jeune femme, replongeant par le fait même dans ses souvenirs. Elle cousait avec un plaisir qui n'appartient qu'à ceux qui ont le feu sacré et elle le faisait avec un doigté admirable. Avec une aiguille et du fil, elle pouvait donner forme à n'importe quoi. Un jour, elle m'a fabriqué toute une robe avec des feuilles d'épis de maïs qu'elle s'est amusée à tresser et à coudre. J'avais même de jolies boucles au corsage, on aurait dit une œuvre d'art, j'en étais tellement fière ! Quand je l'ai portée, je ne me suis pas assise de toute la journée pour ne pas abîmer un si beau travail.

— N'avez-vous pas craint qu'on ait envie de vous éplucher pour vous grignoter ?

— Euh… non…, fit Lauriane, déstabilisée.

Le sourire amusé qui avait courbé les lèvres de William s'effaça. Il n'aurait pas dû faire cette métaphore. Déjà, son imagination se débridait. Ce qui se dessinait dans sa pensée s'éloignait diamétralement de l'image d'une fillette. Il la visualisait femme dans sa robe de feuilles et se voyait en train de les lui arracher une par une, jusqu'à ce que sa chair appétissante soit mise à nue et qu'il puisse y mordre à belles dents.

— Il y a combien de temps déjà que vous avez perdu votre mère ? s'enquit-il pour se changer les idées.

— Ça fait plus de huit ans maintenant… Et la vôtre ?

— Je n'ai pas compté. Si je ne m'abuse, Adéline serait sa sœur ?

— Une sœur avec qui elle était tricotée serrée. La mort de ma mère a d'ailleurs été très difficile pour tante Adéline, qui n'avait plus qu'elle au monde.

— Mieux vaut pleurer une sœur chérie que de ne pas pleurer une misérable insignifiante.

Prononcée sur un ton sec, cette déclaration sema un soudain silence entre eux, en même temps que l'ambiguïté dans l'esprit de Lauriane. Pourquoi une telle comparaison ? N'était-ce que dans un but de justification ou bien William pensait-il à quelqu'un de précis ? Ne pas pleurer une misérable insignifiante… Il venait à l'instant d'affirmer ne pas avoir compté le temps depuis le décès de sa mère. Qui ne saurait pas dater un tel événement, même de façon approximative ? Mais lui ne l'avait pas fait, ce qui était pour le moins curieux. Faisait-il ainsi allusion à sa mère ? Pourtant, un jugement aussi dur à l'endroit de celle qui l'avait mis au monde semblait plutôt inconcevable. Lauriane en conclut donc qu'elle faisait fausse route. D'autant plus que le visage de son mari marquait une absence d'émotion la poussant en ce sens.

S'il s'était jusque-là appliqué à la bombarder de questions, il s'abîmait maintenant dans un silence méditatif. Venu près de sa machine à coudre, il examinait la blouse d'indienne, qu'elle avait fini d'assembler un peu plus tôt, avec une attention encore une fois inhabituelle. Bien vite, cependant, Lauriane ne songea plus à s'étonner de quoi que ce soit, troublée par cette soudaine proximité avec son mari. Le chantier n'avait peut-être pas servi à créer entre eux des liens affectifs, mais ils s'étaient rapprochés tout de même, d'une autre façon. Son corps maintenant initié aux délices conjugaux était réceptif à cet homme dans sa dimension charnelle, se moquant ferme des tensions, des divergences qui les éloignaient d'esprit.

— Cet automne, en faisant du ménage au deuxième étage, j'ai trouvé des vêtements qui ont sans doute appartenu aux domestiques de votre père. Puisqu'ils sont à l'abandon, est-ce que vous accepteriez que je les redistribue à d'autres qui en auraient besoin ?

Déposant la blouse, William releva les yeux en plissant légèrement le front.

— Les pièces n'ont pas toutes été ouvertes, c'est vrai. À leur arrivée, les domestiques se sont choisi des chambres dans lesquelles ils ont trouvé divers effets personnels. Pas dans toutes, mais dans plusieurs. Je les ai autorisés à garder ce qui leur faisait envie.

— C'est aussi la première chose que je pensais faire, laisser les domestiques se servir et garder le reste pour l'atelier.

— *Do it then*[16] ! Cela débarrassera.

— Merci.

Elle lui sourit puis, voyant qu'il la fixait, elle se pencha sur sa machine pour reprendre la couture ratée de tout à l'heure. Faire un rebord au bas d'un pantalon, il n'y avait rien de plus simple pourtant. Le tissu fixé sous le pied, elle fit jouer la pédale en s'adressant mentalement quelques remontrances.

— Personne n'a trouvé étrange que tous ces effets personnels soient encore ici ? se décida-t-elle à lui demander directement.

— Il n'y a pas lieu de se poser de questions juste parce qu'on trouve quelques vêtements délaissés.

— Moi, je m'en serais posées.

— La différence est que leur perception de la réalité n'est pas contaminée par le vent des rumeurs comme l'est la vôtre.

— Il n'y a pas de fumée sans feu, seulement, vous êtes le dernier à vouloir l'admettre, s'irrita Lauriane en s'arrêtant pour couper le fil au bout de sa couture. Si les rumeurs ont nourri mon imagination pendant longtemps, elles sont devenues bien réelles depuis la première fois où je suis entrée dans cette maison.

William fronça les sourcils et haussa les épaules. Faisant le choix judicieux de ne pas la relancer sur ce sujet de désaccord, il la laissa à sa couture et repartit par où il était venu.

❄ ❄ ❄

Ses raquettes aux pieds, William s'avança pour balayer du regard le corps principal de la future usine à papier située

---

16. Faites donc !

sur la gorge de la chute. Les travaux de rénovation et d'agrandissement avaient rondement progressé l'automne dernier ; il lui tardait que le printemps arrive pour les poursuivre.

Une large superficie de terrain avait été dégagée jusqu'à maintenant par ses équipes de bûcherons. William contemplait d'un œil satisfait le travail effectué. Au dégel, il faudrait dessoucher et niveler le sol. Divers bâtiments, notamment des maisons d'employés, pousseraient dans le paysage. L'ancien dortoir serait rénové et agrandi. Puis, un chemin de fer s'étendrait de l'usine jusqu'à la chaufferie qui serait construite au cours de l'été.

Il continua sa marche en remontant vers le lac. La neige était si épaisse que ce dernier avait complètement disparu. Ne restait plus qu'une vaste étendue blanche et désolante recouvrant une solide couche de glace. En voyant cela, William eut l'impression que l'hiver ne connaîtrait jamais de fin. Pourtant, dans quelques semaines, l'impossible en apparence se produirait. Flocon par flocon, la neige se retirerait, la glace se liquéfierait. Devant lui s'étendraient de nouveau les eaux noires et tranquilles qui alimentaient la rivière et la chute, d'où l'usine tirerait son pouvoir par le biais de la roue à eau établie sur la gorge.

Les bras collés contre son corps, le nez dans le col de fourrure de son manteau, William descendit la pente et chemina vers le *sleigh*. Avec son gant, il balaya les flocons accumulés sur la banquette de velours avant d'y reprendre place. Il mit ensuite le cheval au pas et prit la direction de l'écurie.

Quelqu'un raclait la neige devant l'entrée avec une pelle. Sa posture courbée et la lenteur de ses gestes renseignèrent William. Il immobilisa la voiture, mit pied à terre et s'avança vers l'employé, la semelle de ses bottes crissant sur le tapis neigeux.

— Eh bien, Sheldon, c'est la première fois que je te vois troquer ton balai pour une pelle.

Le vieillard l'observa entre les étroites fentes de ses paupières plissées. Sa bouche se tordit en une grimace que William reconnut bien, qui constituait pour lui un sourire. Sheldon parcourut ensuite du regard le sol alentour, faisant pivoter son corps d'un côté à l'autre, puis arbora un air satisfait.

— Tant que tu veilles à ne pas te faire un tour de reins ou à ne pas te malmener le cœur…, prévint William. Car la neige est traîtresse, elle peut te tuer à l'effort.

Sheldon opina du bonnet avec vigueur. Il plaça sa main au-dessus du sol à la hauteur de sa taille en écarquillant les yeux, mimant une épaisseur impressionnante de neige, ce qui fit rire William.

La porte de l'écurie s'ouvrit, livrant passage à Neil en train de boutonner son manteau.

— Bonj… bonj… Monsi… Fedm…

Un éternuement le secoua, suivi d'un deuxième. Il vint ensuite pour reprendre la parole, mais fut muselé par un autre éternuement. Il grogna de dépit.

— Ça doit faire dix en ligne et c'est comme ça depuis ce matin! ronchonna-t-il d'une voix nasillarde.

Il renifla, tira un mouchoir douteux de sa poche et se moucha dans un bruit de trompette sous l'œil méfiant de Sheldon, qui s'était distancé de quelques pas. Neil le piqua d'un regard exaspéré.

— Bien quoi! Ce n'est pas de ma faute si ces fichus éternuements ne me lâchent pas! Je dois être en train d'attraper un de ces rhumes, comme si j'avais besoin de ça…

— Je crois que notre vieux Sheldon voudrait que tu gardes ton mal pour toi, remarqua William. Je viens de comprendre pourquoi je le trouve dehors à pelleter aujourd'hui.

Neil regarda d'un œil larmoyant la pelle que maniait le vieil homme, continuant de gratter le sol, le métal grinçant sur la croûte de neige. Un nouvel éternuement le secoua.

— Ça, ce n'est pas à cause de mon mal. Il s'est découvert une envie de traîner au grand air depuis quelque temps. Je le trouve dehors à tout bout de champ, même quand ça caille à nous faire pisser de la glace. Il n'a pas froid, je crois bien.

Il ponctua ces mots d'un reniflement sonore avant d'être secoué par une quinte de toux creuse qui fit s'attarder sur lui l'attention de William.

— Passe voir ma femme avant que cela ne s'aggrave. Avec une tante aussi savante en médecine, elle aura peut-être un remède efficace à te conseiller.

Recommandation que le jeune homme s'empressa d'approuver, motivé davantage, toutefois, par le bonheur de revoir l'adorable Lauriane que par la perspective d'un remède. Le cœur léger, il alla ouvrir les portes du hangar, puis s'arrêta pour observer Sheldon, qui regardait fixement le manoir pendant que sa pelle grattait inlassablement le sol au même endroit.

— Tu veux faire arriver le printemps plus vite en grattant jusqu'à la terre ?

À William, qui se tourna pour observer le vieil homme, Neil expliqua :

— Sheldon passe son temps à surveiller le manoir. Même quand il est dans l'écurie, il a toujours le nez collé à la fenêtre, mais je n'arrive pas à savoir pourquoi.

Ce disant, il éclata d'un rire malicieux qui s'égrena dans l'air glacial.

— C'est drôle, il fait ça depuis que vous vous êtes marié, Monsieur Fedmore. J'ai comme l'impression que votre femme lui est tombée dans l'œil, hein mon Sheldon?

L'hilarité de Neil redoubla alors que le vieillard le dardait d'un regard courroucé. Riant tout bas, William fixa distraitement la silhouette grise du manoir qui se découpait sur le fond bleu pastel du ciel. Entendre parler de sa femme en ces termes lui rappela la conversation qu'il avait eue avec elle en fin de matinée. Il eut tout à coup une vision d'elle dans sa robe de feuilles de maïs et retomba dans ses pensées lubriques de tout à l'heure. À partir du moment où il s'était retrouvé dans la même pièce qu'elle, d'impérieux besoins charnels s'étaient acharnés à le tarauder impitoyablement. Tel qu'il l'avait exigé, elle avait retiré toutes ses affaires de ses appartements. Il avait pu apprendre qu'elle occupait une chambre à l'angle du couloir, assez éloignée de la sienne. Il pourrait toujours aller l'y retrouver cette nuit, mais compte tenu de la façon dont les choses s'étaient terminées entre eux au chantier, il doutait qu'elle l'accepterait dans son lit. Ses attentes déçues ne l'inciteraient sûrement pas à vouloir satisfaire les siennes dans l'immédiat. Quoiqu'il serait toujours temps de lui rappeler qu'en tant qu'épouse, elle se devait d'accéder aux exigences de son mari en matière de droits conjugaux.

Le rire de Neil avait fini par se coincer dans sa gorge enflammée et s'était transformé en une longue quinte de toux. À un moment, William crut qu'il s'étouffait pour de bon en voyant son visage virer au cramoisi et fit un geste pour aller vers lui, mais le jeune homme le rassura en levant la main. Sa toux finit par se calmer, le laissant les yeux larmoyants et à bout de souffle.

— C'est vrai… Sheldon… tandis que monsieur Fedmore est là…, articula-t-il d'une voix éraillée.

Sheldon hocha la tête, ficha sa pelle dans un banc de neige et fit un signe comme quoi il revenait tout de suite, puis il pénétra dans l'écurie. Durant ce temps, William rejoignit Neil, qui s'apprêtait à dételer le cheval. Le jeune employé ne s'étonna pas outre mesure de voir son maître se joindre à la tâche, habitué qu'il était à ce genre de comportement de sa part.

Le vieil homme reparut peu de temps après, chargé de deux sacs de jute. Les déposant à ses pieds, il les pointa du doigt et pointa ensuite le manoir.

— Ce sont quelques petites choses que Sheldon et moi, on a ramassées, expliqua Neil. On a entendu parler des affaires de couture de votre femme et… bien… on a décidé de faire notre part.

Il s'interrompit et coula un regard à Sheldon, qui émit un grognement en lui faisant signe de poursuivre.

— Euh… ce qu'il y a, c'est qu'on voulait vous demander si vous accepteriez de les lui apporter pour nous, mais sans lui préciser de qui ça vient…

La peau blême de ses joues s'était légèrement colorée de rouge, observa William, amusé. Apparemment, Sheldon n'était pas le seul à avoir un faible pour sa femme… Il reporta son attention sur le vieil homme, qui plaça son index devant sa bouche, l'invitant lui aussi à garder le silence sur leur identité de donateurs.

— *That's okay.* Bien que je ne comprenne pas ce qui motive une telle demande, je la respecterai si c'est là ce que vous voulez. Après tout, quelle importance ? Seul le geste compte.

Ce qu'approuva Sheldon par l'ébauche d'une grimace-sourire. Le cheval à présent dételé, le vieil homme se chargea de l'emmener dans l'écurie pendant que William aidait Neil à rentrer la voiture à l'intérieur du hangar. Quand ce fut fait, William resta un moment à échanger avec son employé qui avait indéniablement mauvaise mine. Réitérant son conseil d'aller voir sa femme, il se saisit des sacs et se mit en marche en direction du manoir.

Secoué par de nouveaux éternuements, Neil s'engouffra dans l'écurie, heureux de retrouver la tiédeur ambiante qui parut étonnamment chaude sur son corps frissonnant. Ayant terminé de bouchonner le cheval et de lui donner son avoine, Sheldon s'était posté à la fenêtre et observait dehors.

— C'est quand même un peu dommage, dit le jeune homme en reniflant. Excepté nos vieilles frusques, il y avait des trucs intéressants dans ces sacs. Je n'ai jamais compris pourquoi, à notre arrivée l'an dernier, tu t'es empressé de tout ramasser ce qu'on a trouvé, refusant qu'on pige dedans. Tu avais bien l'air d'y tenir à toutes ces affaires abandonnées. Va savoir pourquoi ! Ceux avec qui tu travaillais dans le temps n'en ont plus besoin depuis belle lurette, même que plusieurs doivent être morts depuis longtemps. Ce n'était sûrement pas tous des endurants comme toi.

Bras croisés sur sa poitrine, Sheldon eut un sursaut d'épaule désintéressé.

— En tout cas… Et là, aujourd'hui, tu acceptes qu'on les donne à madame Fedmore. Pas à nous, rien qu'à elle. Pfff ! Tu es vraiment bizarre, toi, parfois. Mouin… bref… je vais te dire, je ne sais pas ce qui vous a pris à l'époque. Laisser ses choux gras comme ça, voire si ça a du bon sens ! Moi, je n'y comprends rien à rien. C'est à croire que vous êtes partis sur un coup de tête !

Les traits de Sheldon lui modelèrent une expression étrange, alors que dans ses yeux dansait une lueur énigmatique que le jeune homme ne lui avait encore jamais vue. Sachant bien que la majorité des pensées et des émotions du vieillard étaient vouées à demeurer sous le verrou de son mutisme, Neil en resta là et s'éloigna, accompagné d'une quinte de toux. Toujours collé à la fenêtre, Sheldon reporta son attention au-dehors et recommença à observer le manoir fixement.

11

D'innocentes victimes

Avec un sourire, Lauriane se pencha pour ramasser la veste abandonnée sur le sol par les enfants. Ils venaient de temps à autre faire de l'atelier leur terrain de jeux, ce dont les couturières en besogne ne se plaignaient pas, au contraire. Voir les deux petits bonshommes jouer aux fantômes avec des couvertures ou s'amuser à habiller puis à déshabiller les bustes mannequins était une distraction rafraîchissante. Lauriane leur avait fait cadeau de la toupie trouvée dans les souterrains, et les garçons s'étaient longuement amusés à l'essayer sur toutes sortes de surfaces pour trouver celle qui la ferait pivoter le plus rapidement et le plus longtemps.

Un petit objet s'échappa de la poche de la veste qu'elle avait saisie à l'envers et roula sur le plancher. La jeune femme sourit de nouveau en reconnaissant son dé à coudre dans lequel Harrison s'était plu à lui servir de nombreux petits verres de lait imaginaires. Le ramassant, elle entendit au même moment des pas en provenance du hall. Ils s'arrêtèrent à l'entrée de l'atelier et, se retournant, Lauriane aperçut son mari chargé de deux gros sacs de jute.

Le regard gris fit rapidement le tour de la pièce avant de s'arrêter sur elle.

— *Still alone*[17] ?

— Norah vient de monter et madame Nolet est partie depuis environ une demi-heure.

Remettant la veste à la place qui lui était réservée sur la table des vêtements achevés, Lauriane glissa le dé à coudre dans la poche de sa robe et se rapprocha de son mari.

— *To what do I owe the honor of having a second visit in one day*[18] ?

Si la touche d'orgueil contenue dans son ton de voix amusa William, elle ne lui sembla pas moins justifiée. Aussi ne put-il réprimer la pointe d'admiration soulevée en lui du fait de constater quelle élève douée elle s'avérait être. Sa prononciation était impeccable, les syllabes roulaient sur sa langue avec une fluidité naturelle. Tandis qu'il fixait ses lèvres, il imagina cette langue douce et humide jouant avec autre chose que des mots. Il tressaillit, puis leva les sacs qui pendaient au bout de chacun de ses bras.

— Un donateur anonyme vous envoie ceci. Où dois-je les déposer ?

Lauriane dressa les sourcils d'étonnement. D'un geste, elle lui indiqua une table et le suivit des yeux tandis qu'il allait se délester de son fardeau.

— Ce sont des vêtements ?

— Entre autres, m'a-t-on dit.

— Mais… pourquoi vouloir rester anonyme ?

---

17. Encore seule ?

18. Deux visites en une journée ; en quel honneur ?

Une main appuyée sur l'un des sacs, William se tourna vers elle.

— *I don't know.* On a insisté en ce sens et voilà tout.

— D'accord. En tout cas, vous remercierez cette personne de ma part. Je ne comprends pas pourquoi elle veut rester dans l'ombre, mais c'est son choix, alors je me contente d'accepter sa générosité. Je vais faire bon usage de ce don.

Lauriane allait s'approcher d'un des sacs pour en découvrir le contenu, mais fut freinée par un mouvement à l'extérieur qui attira son attention sur la grande fenêtre de façade. Un *sleigh* approchait à vive allure, talonné par un nuage de poudrerie. Le conducteur opéra un virage audacieux qui éleva un mur blanc derrière lequel il disparut un instant, puis il tira vivement sur les rênes pour immobiliser la voiture devant le manoir.

William, dont l'attention s'était également portée sur ce qui se passait dehors, quitta l'atelier pour se diriger vers l'entrée principale. Le son métallique du heurtoir résonna comme il atteignait la porte. En ouvrant, il se retrouva face à un homme d'un certain âge. Au-dessus de la barbe broussailleuse, constellée de flocons, apparaissait un regard troublé qui alarma immédiatement William. L'inconnu, en proie à une vive agitation, demanda d'une voix oppressée :

— Bonjour, Monsieur Fedmore. Lauriane… est-ce qu'elle est là ?

Pressentant une situation d'urgence, William estima bon d'acquiescer sur-le-champ et fit signe à l'homme d'entrer. Ce dernier s'exécuta prestement, ses mouvements empreints d'une tension certaine. William s'éclipsa après lui avoir assuré qu'il ramenait sa femme tout de suite.

Postée sur le seuil de l'atelier, celle-ci le regarda s'approcher d'un air interrogateur.

— Une visite pour vous, annonça-t-il.

La gravité du ton fut des plus intrigantes pour Lauriane, qui jaillit de la pièce, fort curieuse de savoir qui la demandait. En voyant l'homme planté dans l'entrée, elle ne masqua pas sa surprise.

— Gaston?

Or, son étonnement fut vite remplacé par des petits pincements d'inquiétude au creux de son abdomen en remarquant les traits décomposés du nouveau venu.

— Salut, Lauriane. Il faut que je te parle... Il s'est... passé quelque chose de terrible chez Adéline... Eucharistie! C'est épouvantable...

Son visage se contracta en une grimace de répulsion tandis que ses yeux se voilaient. Ballottée entre incompréhension et appréhension, Lauriane se sentit blêmir.

— Chez ma tante? Comment ça? Qu'est-ce qui s'est passé?

— C'est un cauchemar... tous les animaux... sauvagement abattus... morts... Ils sont tous morts, lâcha Gaston d'une voix étranglée.

Lauriane écarquilla les yeux, suffoquée.

— Quoi?

Elle aurait voulu avoir mal entendu, mais l'horreur l'avait déjà atteinte, la balayant comme un souffle fétide et l'emplissant de répugnance. Elle rencontra une seconde le regard de William, dans lequel se refléta sa propre incrédulité mêlée de stupeur.

Gaston inspira puis expira avec force avant de fixer tristement Lauriane.

— Quelqu'un a tué tous les animaux de ta tante, c'est un vrai carnage... Je jure que ce n'est pas beau à voir...

— Quand est-ce arrivé ? s'informa William.

— Dans le courant de la journée. Ça ne doit pas faire bien longtemps parce que le sang n'était pas encore gelé sur la hache que j'ai trouvée dans la neige.

Lauriane retint un petit cri d'une main plaquée sur sa bouche. Son mari l'observa, contracta la mâchoire, puis se détourna. Le voyant prestement mettre son manteau, la jeune femme obligea ses jambes pétrifiées à bouger et se hâta de l'imiter, essayant tant bien que mal de refouler les larmes qui menaçaient d'affluer. Comprenant ce qu'elle faisait, William tenta de l'en dissuader.

— Je ne crois pas que votre présence là-bas soit souhaitable. D'après ce que dit cet homme, il y a tout lieu d'imaginer qu'un immonde spectacle nous attend. Mieux vaudrait que vous n'y assistiez pas.

Ses émotions à vif, Lauriane le happa d'un œil courroucé et se rebuta vivement :

— J'y vais aussi ! Un drame vient de se dérouler chez ma tante et vous pouvez être sûr que rien ne m'empêchera d'y aller, rien !

Troquant ses chaussures contre ses bottes, elle rejoignit Gaston sans plus accorder d'attention à William, qui secoua la tête, mais n'insista pas.

Dehors, ils se hissèrent à bord du *sleigh*, que Gaston lança à toute vitesse sur le chemin. Au côté de son mari silencieux, Lauriane se tenait raide sous une épaisseur de fourrures, menant un combat incessant contre la peine immense qui cherchait à l'engloutir. Elle pressait désespérément ses lèvres l'une contre l'autre, refusant de céder à la montée de sanglots qui faisaient embâcle dans sa gorge. L'absurdité de la situation à elle seule constituait la digue qui freinait le déchaînement de la marée d'horreur provoquée en elle par les paroles de Gaston.

Quand la voiture s'immobilisa enfin devant la maison de sa tante, Lauriane retint son souffle, frappée par l'atmosphère sinistre qui planait sur les lieux. Pétrifiée sur la banquette, elle y resta presque clouée, mais la main de William se tendit et elle la saisit, tâchant toutefois d'éviter de croiser son regard. Gaston les précéda en direction de la cour, les mettant en garde contre la répugnante scène qui les attendait. Le cœur de Lauriane battait la chamade, fouetté par la crue de son appréhension.

Soudain, il s'arrêta net. Dans la neige gisait le corps décapité d'une poule, et un peu plus loin, la tête auquel elle avait appartenu. D'autres corps ayant subi le même sort se trouvaient à proximité, maculant la blancheur du sol d'un mélange de sang et de plumes.

— Tout ce qu'il y a là-dedans y est aussi passé, mentionna Gaston en regardant William s'approcher de la porte entrouverte du poulailler. J'ai trouvé cette hache dans la neige. De toute évidence, c'est elle qui a servi pour achever ces pauvres bêtes…

Il indiqua du doigt l'outil en question appuyé au mur du bâtiment. La lame était souillée de sang, de même qu'une partie du manche. William l'examina avec attention avant d'ouvrir complètement la porte pour regarder à l'intérieur. Un début de nausée avait commencé à incommoder Lauriane, que la vue du désordre de paille, de plumes et d'éclaboussures écarlates, à travers l'ouverture, amplifia.

Ajouté à cela, une odeur fétide de mort qui la força à plaquer sa main sur son nez et sa bouche.

— C'est écœurant…, gémit-elle, des trémolos dans la voix.

Gaston coula sur elle un œil navré.

— Pour ça, ce n'est pas beau à voir vrai, mais c'est dans l'étable que c'est le pire.

Écarquillant les yeux, la jeune femme porta son attention sur la bâtisse située un peu plus à gauche. À première vue, rien ne laissait soupçonner l'ignominieuse réalité que Gaston laissait entendre, excepté la porte grande ouverte. Elle n'aurait jamais dû l'être par d'aussi froides températures. Mue par une absurde impulsion, Lauriane marcha dans sa direction, se disant qu'il fallait la refermer, mais tout à coup, elle se pétrifia. Le sol de terre battue avait une sinistre couleur rouge qui se propageait au-delà du seuil jusque dans la neige. Non pas de simples souillures, il s'agissait de gigantesques flaques de sang en partie absorbées par la terre non gelée à l'intérieur.

Lauriane étouffa une plainte dans ses gants. Frappée par l'étendue de cette situation cauchemardesque, criblée de toute part par les échos de souffrance et d'agonie saturant l'air, sa vue se brouilla et de violents hoquets secouèrent sa poitrine. La présence de Gaston se fit bientôt sentir à ses côtés, alors que William se dirigeait vers l'entrée de l'étable. Se postant sur le côté pour ne pas souiller ses bottes, il se pencha vers l'intérieur.

— *Bloody hell!* lâcha-t-il en secouant la tête.

— Pas un seul survivant… pas un! déplora Gaston, accablé. Les cochons ont été saignés à blanc, les vaches

embrochées et même le cheval, bâtard de bout de ciarge !
Celui qui a fait ça est un maudit sadique sans cœur ! S'en
prendre à ces pauvres bêtes… je n'ai jamais vu une boucherie semblable de ma vie !

— Fourche, pic, on a de toute évidence utilisé les outils
disponibles sur place, la hache également, selon toute vrai-
semblance, c'est pourquoi on l'a laissée en plan.

— Mouais, je crois bien qu'elle est à Adéline.

Prise d'une nausée de plus en plus violente, Lauriane
s'éloigna en leur faisant dos, croyant qu'elle serait malade.
Tandis qu'elle s'efforçait de prendre de grandes inspirations, mains plaquées sur ses cuisses, elle entendit les pas
de son mari crisser sur la neige.

— Ça va ?

— Oui… il faut juste que je respire un peu…

Elle crut capter le son d'un soupir qui, à ses oreilles,
sonna comme un « Ne vous avais-je pas prévenue ? »

De nouveau, son mari se déplaça et s'adressa à Gaston :

— Ainsi que vous le disiez, cela semble récent. Le corps
de ces malheureuses bêtes est sans doute encore chaud.

— Sûrement, Monsieur Fedmore. Le pire, c'est que ce
matin, je suis venu comme d'habitude et tout était normal,
les animaux étaient tous bien vivants et là, je reviens
pour le train du soir et je découvre cette boucherie. Si je
m'étais attendu à une affaire pareille !

— Le coupable savait probablement que vous deviez
repasser et a agi peu avant. Il ne devait également pas
craindre de se faire remarquer pour avoir pris le risque
d'agir en plein après-midi.

William entreprit d'examiner les empreintes de pas
dans la neige. Elles étaient nombreuses aux alentours des

bâtiments, parfois on y voyait des traces de sang mêlées à du foin. Celles du coupable, forcément. William essaya de les suivre. Elles convergeaient vers un point où la neige avait été piétinée. D'autres traces propres en repartaient et rejoignaient le flanc de la maison, donnant à penser que le coupable s'était changé de bottes avant de repartir par la rue.

— Aucune ne s'éloigne en direction des bois, ce qui aurait pu nous aider. Pour ce qui est de la maison, y avez-vous détecté d'éventuels bris?

Paniquée à l'idée qu'on puisse avoir pénétré dans la maison de sa tante, Lauriane pivota sur ses talons et attendit anxieusement la réponse de Gaston. À son grand soulagement, ce dernier secoua la tête de droite à gauche.

— Tout est fermé à clé et aucune fenêtre ni porte n'a été forcée, Dieu merci!

Un soupir triste lui échappa.

— Les animaux, c'est déjà trop. Je voudrais bien savoir qui a pu être assez sadique pour faire ça.

— Vous qui venez ici deux fois par jour, commença William, n'avez-vous rien remarqué de suspect dernièrement?

Pendant que Gaston réfléchissait, Lauriane fut tout à coup éclairée d'une idée. Son pouls s'affola.

— Matteau! Qui d'autre que lui? Il la déteste depuis des années. Ça ne peut être que lui!

Plus elle y pensait, plus cette possibilité s'imposait comme une évidence. Nombreux étaient ceux qui méjugeaient sa tante et médisaient sur son compte, mais une seule personne dans les environs lui vouait une véritable haine. Comme Matteau habitait tout près, il pouvait aisément venir commettre un méfait et repartir sans être vu. Lauriane poussa un grognement de rage.

— Oui… c'est lui… c'est ce chien galeux de Matteau !

Gouvernée par une fureur dévorante, les joues inondées de larmes de hargne, elle se mit au pas de charge, fermement décidée à aller arracher les yeux de ce monstre avec ses ongles, à passer sur lui toute la frustration que des années d'injustice à l'égard de sa tante avaient accumulée dans son cœur. Ce fut toutefois sans compter la poigne solide qui se referma sur son bras, l'immobilisant net avant de l'obliger à pivoter.

— Où croyez-vous aller ainsi ? gronda William, la plombant de son regard d'acier.

Vainement, Lauriane agita son bras pour essayer de se dégager.

— Lâchez-moi ! intima-t-elle avec véhémence. Je vais aller régler son compte à ce salaud ! C'est lui le responsable de ce massacre et il va le regretter !

— Qui est ce Matteau ?

— Un sale pourri qui ne cherche qu'à causer du tort à ma tante !

— Mais encore ? Dites-m'en plus à son sujet.

Considérant ces questions comme une perte de temps, Lauriane s'agita, cherchant à se libérer. Une seconde main captura son autre bras, la faisant davantage prisonnière.

— Je vous ai dit de me lâcher ! s'indigna-t-elle, haletante.

— Dites-m'en plus au sujet de cet homme, réitéra son mari, son visage tout près du sien, au point qu'elle sentit la chaleur de son haleine sur sa joue. Que s'est-il passé entre lui et votre tante ? Je veux savoir ce qui vous porte à le croire coupable.

Après un grognement furieux, constatant qu'elle n'avait aucun choix, Lauriane se résigna à lui répondre.

— Cet homme déteste viscéralement ma tante et ne s'en est jamais caché. Il fait peser sur elle de fausses accusations et colporte toutes sortes de ragots à son sujet. Il croit dur comme fer qu'elle est de mèche avec le Diable. Récemment, il a même mis Gaston en garde en lui disant que l'enfer le guettait s'il continuait à servir une sorcière.

— Et vous pensez vraiment que ce pourrait être lui le responsable ?

— J'en suis sûre. Sa maison est à deux pas d'ici, il doit connaître les habitudes de Gaston et il en a profité pour agir pendant qu'il n'y avait personne.

Lauriane observa son mari de ses yeux noyés de larmes.

— Mon Dieu, je savais qu'il la haïssait, mais de là à s'en prendre à ces animaux sans défense… ça dépasse l'entendement… Un être humain, capable d'une aussi grande cruauté… je… c'est… abominable… abominable !

Sa gorge nouée se crispa davantage, de nouveaux sanglots l'étouffèrent. Le visage grave de son mari se perdit dans le brouillard de sa peine qui se mêlait à sa fureur. Elle sentit la poigne des mains qui la retenaient se dissiper. L'étreinte de deux bras se referma autour de son corps tendu, secoué de spasmes. Pressée contre son mari, Lauriane se livra à son chagrin, goûtant ce réconfort inattendu. La fourrure de son manteau était douce et froide sous sa joue. L'odeur familière de tabac et d'eau de Cologne remplaça celle, métallique, du sang dans ses poumons, calmant la nausée toujours menaçante.

Lorsque ses sanglots se furent quelque peu apaisés, William l'écarta délicatement de lui et plongea dans ses yeux éperdus tandis que, de ses pouces, il balayait les larmes mouillant ses joues.

— Indiquez-moi où habite cet homme et j'irai moi-même lui parler, dit-il d'une voix dont la douceur enveloppa la jeune femme.

— Non… je veux…

Les mains de son mari exercèrent une légère pression sur ses épaules.

— Je serai plus convaincant que vous, croyez-moi, insista-t-il en soutenant son regard. Je le ferai parler. S'il est responsable de ce qui s'est passé ici, je vous promets que je le découvrirai et qu'il en subira les conséquences.

Son ton de voix s'était durci, à la mesure de sa physionomie dont toute aménité avait été chassée. Le massacre des animaux semblait soulever en lui le même sentiment de révolte que celui qui faisait rage dans la poitrine de Lauriane et elle en vint à admettre tout le bon sens de ces paroles. Le voir débarquer risquait d'intimider davantage Matteau que sa féminine personne et William saurait certainement mieux gérer la situation qu'elle-même.

Résignée, elle lui indiqua donc quelle maison Robert Matteau habitait.

❄ ❄ ❄

Les empreintes de pas dans la neige longeaient la maison et allaient se perdre dans la rue. William présuma que le coupable avait dû marcher dans les traces de patins des voitures et que le passage subséquent de celles-ci s'était chargé de les effacer. En vue de la maison de Matteau, il pressa le pas, fouetté par la colère qui l'obnubilait. Il s'arrêta sur le seuil, ses poings crispés de part et d'autre de son corps. Sans qu'il eût besoin de frapper, la porte s'ouvrit dans un grincement et une petite femme à l'air chétif apparut.

— Vous désirez ?

Dans un suprême effort de courtoisie, William inclina la tête brièvement.

— Bonjour, Madame, je souhaiterais m'entretenir avec Robert Matteau.

Le visage de la femme se rembrunit, enlaidissant ses traits déjà fort disgracieux.

— Il n'est pas là.

William serra les dents. Un instant, il fut dévoré par l'envie de la bousculer et de fouiller la maison de fond en comble. Mais il demanda plutôt :

— Est-il parti depuis longtemps ?

— Bah ça… il n'a pas été là de la journée, répondit la femme avec une apparence de sincérité. Je ne sais pas où est-ce qu'il traîne ni quand il va revenir !

Étonnement, William fut porté à la croire. Il réfléchit un moment à la situation, avant de dire d'une voix sèche :

— Quelqu'un a sauvagement massacré tous les animaux chez votre voisine cet après-midi et j'ai de fortes raisons de croire que les mains de votre mari sont maculées de leur sang. Aussi, lorsqu'il daignera se montrer, ayez l'obligeance de l'informer que William Fedmore est à sa recherche et qu'il n'a pas intérêt à rester terré longtemps. Et s'il s'avère que j'obtiens la moindre preuve de sa culpabilité, je me chargerai personnellement de lui faire regretter d'avoir causé du tort à la tante de ma femme, est-ce clair ?

La bouche béante, la femme était devenue livide. Elle agita sa tête oblongue avec vigueur en guise d'acquiescement, de toute évidence incapable d'articuler un mot. Un sourire sans chaleur étira les coins de la bouche de William, qui porta brièvement les doigts à sa toque en fourrure avant de tourner les talons. Il entendit la porte se refermer dans son dos. De toute évidence, ses propos venaient d'assommer cette pauvre femme.

La mine décomposée, Lauriane se trouvait assise sur le rebord de la galerie chez Adéline et se triturait les mains. Gaston était sans doute quelque part derrière, car il demeura invisible.

William rejoignit sa femme, qui se redressa en le voyant approcher. Ses yeux rougis s'agençaient à son nez de la même teinte. Ils le fixèrent avec interrogation.

— Je n'ai pas pu lui parler, annonça William à regret. Il n'était pas chez lui.

Déception et colère se succédèrent sur le visage de la jeune femme.

— Oh non! Je suis sûre que c'est fait exprès! Il devait se douter qu'on le soupçonnerait et s'est arrangé pour disparaître.

— Possible, effectivement. Du reste, j'ai parlé à sa femme. J'ai d'abord cru qu'elle me mentait pour le couvrir, mais après réflexion, j'ai lieu de penser que son gentil petit mari ne l'a pas mise au parfum.

— Je n'en suis pas si sûre. Cette chipie déteste ma tante presque autant que lui.

— Peut-être, mais sans doute pas au point de se mouiller dans ce crime. On peut haïr quelqu'un profondément sans pour autant en venir à de tels actes de barbarie. Je pense que cette femme n'était pas au courant des agissements de son mari avant que je les lui dévoile, ce qui a semblé la déstabiliser au plus haut point.

— N'empêche que lui, en attendant, il savoure quelque part sa victoire sans être inquiété !

— Je suis conscient que cette situation peut vous paraître injuste, mais dans l'heure, nous ne pouvons rien faire pour y remédier. Soyez toutefois assurée qu'il ne saurait rester dans l'impunité encore longtemps : je suis loin d'avoir dit mon dernier mot en ce qui le concerne. Bien que nous n'ayons aucune preuve tangible l'incriminant, je ne le lâcherai pas d'une semelle et saurai obtenir de lui ce que je veux, croyez-moi.

— Tous ces cadavres derrière sont des preuves, je trouve ! Ils sont tous là, baignant dans leur sang parce qu'un monstre les a massacrés à coups de hache, de fourche et de je ne sais quoi d'autre encore ! Toute la monstruosité de son crime est là sous nos yeux…

L'émotion avait fêlé sa voix. Lauriane déglutit, se fit violence pour contenir un nouveau flot de larmes.

— Tout ça parce que ce malade déteste ma tante… Mon Dieu… elle n'a plus rien… plus rien…

William lui couvrit les bras de ses mains, chercha à capter son regard.

— Écoutez-moi. Cessez de vous tourmenter avec tout ceci. À présent, vous allez rentrer au manoir et tâcher de vous détendre, ce qui, dans votre état, n'est pas à négliger. Gaston et moi nous chargerons ensuite de tout nettoyer.

— Je… je vais vous aider à…

Mais Lauriane s'interrompit à la vue de la flamme réprobatrice qui étincela au fond des prunelles de son mari.

— N'y songez même pas, avertit-il, autoritaire. Vous allez rendre le contenu de votre estomac après avoir seulement pénétré dans la cour. Vous rentrez au manoir, point final.

Encore une fois, Lauriane se vit dans l'obligation d'abdiquer. À quoi serait-elle utile, en larmes et malade ? Étouffant un sanglot, elle pressa ses paupières l'une contre l'autre dans un vain effort pour effacer de son esprit cette sinistre scène qui y défilait en boucle. Un vent glacé s'insinua dans sa poitrine à la pensée de sa tante Adéline qu'on venait de déposséder de si atroce façon, sans pitié aucune pour les vies ainsi fauchées. Un cinglé avait donné libre cours à sa haine et à sa violence, et celle contre qui cet acte barbare avait été indirectement dirigé n'était au courant de rien.

12

Anonyme

Bâillant à s'en décrocher la mâchoire, Lauriane frotta ses yeux brûlants avec ses doigts. Les tourments de sa nuit laissaient leurs traces, tant émotionnelles que physiques. Que ce soit lors de ses trop nombreuses périodes d'éveil ou au cœur de ses songes, des images dégoûtantes l'avaient harcelée, défilant dans sa tête à travers un voile écarlate qui lui donnait envie de vomir. Même à présent, elle se sentait toujours nauséeuse, l'odeur écœurante du sang et de la mort semblant s'être incrustée jusqu'au fond d'elle.

On martela contre la porte. Finissant de boutonner son corsage, Lauriane autorisa qu'on entre d'une voix éteinte. Elle fut vaguement étonnée de voir apparaître son mari, d'autant que l'aurore naissait à peine. L'œil gris la parcourut de pied en cap avant de se concentrer sur son visage.

— Ainsi, je ne me suis pas trompé. Je pensais bien vous trouver debout, présumant d'une nuit qui ne fut apparemment que trop courte.

— J'ai dormi par intermittence. Je n'ai pas arrêté de penser aux animaux de ma tante, j'ai tellement de peine pour eux… je suis encore sous le choc…

Juste d'en parler, une boule recommençait déjà à se former dans sa gorge. Elle tenta de la chasser en avalant sa salive et inspira. Pendant ce temps, William referma la porte et s'y adossa. La jeune femme remarqua alors ses traits tirés, son regard terne. Un début de barbe ombrait sa mâchoire carrée, ajoutant à l'aspect négligé que lui conféraient ses habits froissés.

— Vous non plus, vous ne semblez pas avoir beaucoup dormi, observa-t-elle.

Fixant le vide devant lui, William expira longuement.

— Gaston et moi avons tout nettoyé, cela nous a pris toute la soirée et une partie de la nuit. Il nous a fallu tirer les carcasses hors de l'étable pour les brûler. Quant au sang, il a été difficile de le faire disparaître, il y en avait partout. Nous avons dû retirer à la pelle une importante couche de terre souillée dans l'étable.

Portant ses doigts à sa bouche, Lauriane soupira douloureusement.

— Merci…, murmura-t-elle en l'observant de ses yeux humides. Merci d'avoir pris les choses en main aussi efficacement, je n'aurais pas voulu que Gaston reste seul avec cette sale besogne. Si je n'avais pas eu ces nausées…

— Vous ne vous seriez pas davantage impliquée, je ne l'aurais pas permis, objecta William, son regard dans le sien. Ce n'était guère un spectacle pour vous, enceinte ou non. Le peu que vous avez vu vous bouleverse déjà suffisamment. Mieux vaut que vous n'ayez pas vu de plus amples détails de cette boucherie.

Lui-même en avait été éprouvé, pensa-t-il en se revoyant au milieu des corps décapités, mutilés, gisant dans des flaques de sang puant et poisseux. Il ne faisait aucun doute que certaines de ces bêtes avaient souffert une lente agonie avant de rendre leur dernier souffle et William, qui n'avait rien d'une âme sensible, avait senti son cœur se crisper de pitié. Cette scène le hanterait certainement durant un bout de temps. En cet instant, il sentait l'odeur de la mort accrochée à ses vêtements, à sa peau, et dès qu'il fermait les yeux, l'écran de ses paupières se colorait de rouge.

— Peut-être, mais ça s'est passé chez ma tante et j'aurais voulu faire plus pour aider à effacer les traces de ce cauchemar. Argh! Je sais que c'est Matteau le coupable et ça me révolte qu'on ne puisse pas le prouver, je voudrais l'étrangler de mes propres mains!

Ses poings s'étaient serrés et ses joues s'étaient empourprées sous le coup de la fureur qui grondait en elle. Contemplant un moment son buste qui se soulevait et s'abaissait rapidement, William ne put s'empêcher de trouver que cette émotion lui allait bien, faisant ressortir l'éclat impétueux et sauvage que prenaient ses yeux en d'autres circonstances plus intimes.

— Selon vos affirmations, et après m'être entretenu avec Gaston, j'ai également tendance à croire que ce Matteau puisse être l'auteur de ce méfait. Et si tel est le cas, je vous promets que je finirai par le découvrir. Bien que je n'ai pu le rencontrer hier, je n'en ai pas pour autant terminé avec lui. En attendant, il ne faudrait cependant pas commettre l'erreur d'exclure d'autres pistes. Votre tante n'a malheureusement pas bonne réputation auprès d'un certain nombre de personnes à Monts-aux-Pins.

— Je sais… je sais. Mais Robert Matteau est le seul à avoir ouvertement manifesté de l'animosité envers elle ces derniers temps.

— Je voudrais quand même que vous preniez le temps de bien réfléchir. Ce n'est pas toujours le chacal qui aboie le plus fort qui est le plus dangereux. Pensez à tous ceux qui, selon vous, pourraient haïr votre tante au point de vouloir lui nuire de façon concrète et voyez s'il n'y aurait pas parmi eux une personne susceptible de se livrer à des actes de cruauté. Certains traits de personnalité, voire certains gestes ayant pu être posés dans le passé, peuvent parfois s'avérer de bons indicateurs.

— D'accord. Pour l'instant, personne ne me vient en tête, mais je vais essayer d'y réfléchir.

William inclina brièvement la tête, sur quoi il bougea, se distançant avec lenteur de la porte, qu'il rouvrit. Son regard plongea dans celui de la jeune femme.

— Si horribles que puissent être les actes commis hier chez votre tante, tâchez de ne plus vous en affliger. Je veillerai personnellement à débusquer le coupable, que ce soit ce Matteau ou un autre, et je puis vous certifier qu'il aura à répondre de son crime, ajouta-t-il sur un ton lourd de menaces. À présent, je vais tenter de récupérer un peu de sommeil avant de prendre la route. J'ai un rendez-vous d'affaires demain à Shawinigan, ce qui me laisse tout juste le temps de passer par le camp afin d'aller informer Adéline de la situation.

Il vint pour sortir, mais Lauriane le retint. Ses doigts pressèrent son bras, dont elle sentit la tension des muscles sous la chemise.

— Vraiment, merci pour tout, réitéra-t-elle, émue. Je n'ai pas de mots pour vous dire combien je vous suis reconnaissante. Vous n'étiez pas obligé de vous impliquer de cette façon. Je sais que vous ne vous sentez aucune obligation envers moi et que ce n'est pas ce qui vous a motivé. Alors j'aimerais juste de vous dire que j'apprécie ce que vous avez fait pour ma tante et pour une fois, s'il vous plaît, acceptez donc mes remerciements au lieu de les rejeter avec froideur.

Une lueur s'alluma au fond des prunelles de son mari, alliant amusement et un autre éclat plus difficile à définir, mais qui lui fit un effet de chaleur dans sa poitrine glacée. La lueur fut appuyée par une ombre de sourire qui adoucit ses traits empreints de gravité, et Lauriane sut alors que sa gratitude avait réussi à franchir le rempart dressé entre eux. Après l'avoir longuement contemplée, William se glissa enfin dans le couloir.

N'ayant pas grand appétit, Lauriane n'avala qu'un croissant nature et un peu de thé avant de se diriger à l'atelier encore désert à cette heure. Le soleil s'était levé et brillait dans un ciel parsemé de nuages. Leur teinte argentée laissait croire qu'ils libéreraient quelques flocons tôt ou tard. La vision de cendres d'animaux recouvertes d'une mince couche de neige s'imposa à son esprit. Le cœur serré, Lauriane secoua vigoureusement la tête pour la chasser. Vivement que l'animation reprenne dans l'atelier pour lui changer les idées ! Son regard tomba sur les sacs apportés la veille par son mari. Voilà qui pourrait peut-être compenser en attendant.

Elle s'apprêtait à en ouvrir un quand elle aperçut Neil marchant dehors. Il s'approcha d'une fenêtre et appuya contre la vitre ses mains placées en auvent au-dessus de ses yeux. Tandis qu'il se livrait à une exploration de l'atelier, Lauriane se déplaça de façon à entrer dans son champ de vision. Neil se décolla de la fenêtre en l'apercevant, surpris, ce qui arracha un sourire à la jeune femme. Elle lui fit signe de la rejoindre et se dirigea ensuite vers l'entrée principale pour aller lui ouvrir la porte.

— Bonjour, Madame Fedmore, je n'étais pas sûr que vous étiez déjà là, se justifia le jeune homme en étirant timidement les coins de sa bouche.

Lauriane lui trouva d'emblée une mine affreuse. Son nez irrité tranchait avec la blancheur maladive de son visage, et ses yeux se voilaient de fièvre.

— Je suis toujours assez matinale, mais ce matin, vous êtes chanceux parce que je me suis vraiment levée très tôt, dit-elle en tâchant de mettre un peu de vie dans sa voix. Entrez, venez vous réchauffer un peu.

De bonne grâce, Neil se laissa guider jusqu'à l'atelier, où crépitait un bon feu. À peine venait-il d'y pénétrer qu'il s'excusa et fit dos à la jeune femme pour se moucher avec bruit.

— Quand je passe d'un air froid à un air chaud, le nez me coule aussitôt, expliqua-t-il en lui faisant de nouveau face.

— C'est normal et moi, j'ai ce problème même quand je n'ai pas le rhume.

— Ah! le rhume, la grippe, je ne sais pas trop lequel des deux c'est. On dirait que j'ai un peu de tout!

— Je vois, oui. Vous n'avez réellement pas l'air en forme, Neil, affirma Lauriane en le scrutant.

— Pas trop, non. J'ai le nez bloqué, mais qui coule comme un torrent. D'ailleurs, on se demande comment il peut couler s'il est bloqué. Enfin... Puis hier, j'ai passé la journée à éternuer, à tousser, alors là, monsieur Fedmore m'a recommandé de venir vous voir, au cas où vous auriez un remède pour ça.

— Oui, j'ai peut-être ce qu'il faut, confirma Lauriane, quelque peu flattée que son mari ait pensé à elle.

Décidément, il gagnait des échelons dans son estime depuis la veille, lui qui avait dégringolé de façon drastique après le séjour de la jeune femme au chantier.

— Mis à part la toux et le nez bloqué qui coule, quels sont vos autres symptômes ?

— Je frissonne, j'ai chaud, je re-frissonne, j'ai re-chaud et j'ai mal partout comme si j'étais tombé d'un toit haut de trois étages. J'ai aussi très mal à la tête, juste ici, indiqua Neil en appuyant un pouce entre ses sourcils.

— C'est le cas de le dire, vous avez tout en même temps !

L'employé approuva d'une plainte de découragement qui s'acheva par une quinte de toux. Il se détourna, son poing devant sa bouche.

— Si vous voulez, je peux vous faire quelques préparations maison qui vous aideront à aller mieux, proposa Lauriane gentiment. Vous n'avez qu'à repasser un peu plus tard et ce sera prêt.

Mais Neil secoua la tête avec vigueur.

— C'est bien aimable à vous, Madame, mais il n'est pas question que vous vous dérangiez pour ça. Je sais lire, alors si vous voulez, peut-être que vous pourriez juste m'écrire les recettes sur une feuille de papier et je vais préparer les remèdes moi-même.

— Oh, mais ça ne me dérange pas du tout de les préparer pour vous, Neil. Vous êtes très malade, il vous faut du repos. Je peux…

— Non, ce n'est pas la peine, Madame Fedmore, trancha le jeune homme entre deux reniflements. Je vous assure que je peux tout faire, j'insiste.

Or, il n'avait pas du tout l'aspect de quelqu'un qui pouvait se permettre d'insister, nota Lauriane, réprobatrice. Mais, par politesse, elle se rallia à son choix.

— D'accord, dans ce cas, si vous voulez bien m'attendre, je vais vous chercher les recettes tout de suite.

Reconnaissant, Neil acquiesça du chef, continuant à être secoué par sa toux.

— N'hésitez pas à vous asseoir, je reviens.

Sur ce, Lauriane quitta la pièce et monta à sa chambre y chercher son petit carnet qui contenait une panoplie de recettes maison pour soulager divers maux. À son retour dans l'atelier, elle trouva Neil appuyé à une table, bras croisés sur sa poitrine, observant sagement ce qui l'entourait. Ne l'ayant semble-t-il pas entendue venir, il tressaillit en l'apercevant, ce qui généra une secousse sur la table derrière lui. L'un des sacs qui y étaient posés bascula et s'écrasa sur le sol.

— Oups! Désolé, Madame Fedmore… Ce que je peux être maladroit! se morigéna le jeune homme en se penchant aussitôt pour le ramasser.

Une partie de son contenu s'était répandue sur le plancher. Reconnaissant les vêtements et objets que Sheldon et lui avaient fait acheminer par son patron, Neil se sentit devenir gêné. Mais il se ressaisit aussitôt, se disant qu'il n'y avait aucune raison pour que Lauriane le devine.

— Arrêtez, Neil, ce n'est pas grave ! J'étais justement sur le point de fouiller ces sacs. On me les a apportés hier et j'étais curieuse de savoir ce qu'ils contiennent. Vous venez de m'aider à le découvrir, conclut Lauriane, un sourire dans la voix.

Posant son carnet sur sa machine à coudre, elle s'accroupit et entreprit d'aider Neil à remettre les choses dans le sac.

— Regardez-moi tous ces beaux objets ! s'exclama-t-elle, ravie. Je vous prédis qu'ils vont en faire, des heureux !

En plus des vêtements, d'homme en majorité, il y avait en effet divers articles tels des chaussures, une Bible, des chapelets, des peignes, une blague à tabac et une guimbarde, que Lauriane saisit afin de l'examiner. Une puissante odeur masculine la happa à ce moment, rien de précisément définissable, mais d'assez tranché pour en rendre la masculinité indéniable. Curieusement, le métal composant l'instrument se réchauffa au contact de ses doigts et elle eut tout à coup la sensation qu'un éclair de feu grimpait le long de son bras. Ses oreilles se mirent à bourdonner alors qu'une toile blanche se hissait devant ses yeux. La seconde suivante, elle perdait contact avec la réalité…

Il avait un talent particulier pour la musique. Quand il en jouait, sa guimbarde devenait le prolongement de son âme et de son cœur. Il libérait les émotions qui fourmillaient en lui, et ceux qui l'écoutaient disaient les ressentir à travers la mélodie. Sa chère guimbarde ne l'avait jamais quitté depuis que son père la lui avait offerte pour ses douze ans. Il la gardait dans sa poche, toujours prêt à la sortir à la moindre occasion. C'était son bien le plus précieux. Le simple fait de la tenir entre ses mains lui procurait une sensation de bien-être et dès qu'il se mettait à en jouer, une profonde paix intérieure venait l'habiter.

Avide de retrouver cette sérénité, Lauriane porta l'instrument à sa bouche afin d'entamer une mélodie familière. Sa guimbarde! Sa chère guimbarde! Soudain, elle se raidit et se statufia. Mais que faisait-elle? Pourquoi jouerait-elle d'un instrument dont elle n'avait jamais joué? Et pourquoi disait-elle *sa* guimbarde alors qu'elle ne lui appartenait pas et qu'elle ne l'avait encore jamais vue avant?

— Seigneur! souffla-t-elle en la relâchant subitement comme si elle renfermait quelque pouvoir démoniaque.

L'instrument s'écrasa sur le sol dans un bruit métallique.

— Qu'est-ce qu'il y a, Madame Fedmore? Vous vous êtes fait mal? s'inquiéta Neil en fixant ses mains, à la recherche d'une quelconque blessure.

— Euh... non... non... c'est cette bombarde[19]...

Se rendant compte de ce qu'elle s'apprêtait à dire, Lauriane s'interrompit net.

— Non... oubliez ça... je n'ai pas bien dormi... je dis n'importe quoi, excusez-moi..., balbutia-t-elle.

Elle se redressa en hâte, se détourna, cherchant à dominer son trouble. Elle saisit son carnet puis, se composant tant bien que mal un visage serein, elle fit de nouveau face à Neil, qui l'observait d'un air intrigué.

— Tenez, je vous le prête. J'ai plié le coin des pages qui contiennent les recettes pour vous. Il y a un sirop contre la toux, fait avec du gingembre, du miel et du beurre, mais si

---

19. Terme québécois qui désigne une guimbarde.

elle est trop persistante, vous pouvez essayer le mélange avec la mélasse et le gingembre. Il y a aussi un sirop contre le rhume, à base de gomme d'épinette et d'eau-de-vie, et vous trouverez plusieurs tisanes pour faire tomber la fièvre. Avec tout ça, vous devriez très vite vous rétablir.

— Un gros merci, Madame Fedmore, dit le jeune homme en prenant le carnet qu'elle lui tendait. Je vous le rapporte bientôt.

Il le coinça sous son aisselle et termina de remettre dans le sac les objets éparpillés. Ne resta bientôt plus que la guimbarde sur le sol. Il la ramassa et la garda entre ses doigts pour l'admirer. L'espace d'un instant, Lauriane se demanda s'il serait lui aussi victime de cette étrange hallucination qu'elle venait d'avoir.

— Elle est en parfait état, observa-t-il en caressant le métal lisse de l'armature. J'aime beaucoup les guimbardes. Ça tient dans une main et j'aime leur sonorité particulière, le fait qu'on change les sons avec notre bouche, qui devient une pièce de l'instrument, en fait.

— Vous pouvez la garder si vous voulez, offrit spontanément Lauriane.

Le regard étonné de Neil se fixa sur elle.

— Vous êtes sérieuse?

— Mais oui, si vous l'aimez, je vous la donne avec plaisir.

— Wouah... Je vous remercie beaucoup, Madame Fedmore!

L'air on ne peut plus heureux, le jeune homme ramena son attention sur l'instrument, le manipula avec une étonnante délicatesse. Après quoi, il l'inséra dans une poche de son manteau et s'empara du sac, qu'il replaça sur la table. Puis, comprenant que c'était pour lui le moment de partir,

Neil contempla une ultime fois le visage ravissant de la jeune femme pour l'imprimer dans sa mémoire. Elle était un peu blême et il craignit tout à coup de lui avoir transmis son virus. Il s'en voulut et fut soudainement pressé de s'éloigner d'elle. La dernière chose qu'il voulait, c'était bien de la voir aussi malade que lui !

— Bon alors, j'y vais, moi. À la prochaine et merci pour tout !

En proie à une nouvelle quinte de toux, il fila promptement. Lauriane se rendit à peine compte qu'il n'était plus là, encore ébranlée par la singulière expérience qu'elle venait de vivre.

❄ ❄ ❄

L'air piquant du dehors pénétra les poumons du jeune homme et fit redoubler sa toux. Avec son corps douloureux, le simple fait de marcher lui était pénible. Il atteignit l'écurie le souffle court et épuisé, mais heureux d'avoir une bonne nouvelle à transmettre à son vieil ami Sheldon. Ce dernier fumait la pipe, assis au grand air. Neil savait qu'il l'avait attendu.

— Je vais pouvoir me soigner, annonça-t-il en montrant fièrement le carnet qu'il tenait. Il y a là-dedans de quoi me préparer tout un tas de remèdes ! Monsieur Fedmore a eu raison de m'envoyer voir sa femme ! Mais ça, c'est juste la première bonne nouvelle.

Il adressa à Sheldon un regard malicieux et vit l'un des sourcils blancs vibrer légèrement, signe d'intérêt de la part du vieillard.

— L'autre bonne nouvelle, c'est que pendant que j'étais là, j'ai fait tomber par inadvertance un de nos sacs qui avait été mis sur une table...

Il s'interrompit en voyant le sourcil blanc s'arquer vivement cette fois.

— Mais non, ce n'est pas ça, la nouvelle ! Je voulais juste te mettre en contexte. Non, la bonne nouvelle, c'est que madame Fedmore a eu l'air d'aimer nos affaires. En tombant, le sac s'est ouvert et son contenu s'est répandu. Elle m'a aidé à tout ramasser, bien sûr, douce et généreuse comme elle est ! Et puis... enfin... elle a découvert en même temps ce que le sac contenait et elle s'est montrée très intéressée. Elle a même dit que des gens allaient être très contents de recevoir toutes ces choses. Ton idée était bonne, Sheldon.

Le jeune homme lui tapota l'épaule, puis son sourire s'affadit.

— Il y a juste cette étrange réaction qu'elle a eue et que je n'ai pas trop comprise... Elle a ramassé la guimbarde que je voulais garder, tu te souviens ? évoqua-t-il sans oser préciser qu'il l'avait maintenant en sa possession, Sheldon s'étant catégoriquement opposé à ce qu'il la prenne. Alors, elle l'avait en main et tout d'un coup, elle a figé sur place. Ses yeux sont devenus comme vides. Ensuite, elle a porté la guimbarde à sa bouche comme si elle était pour en jouer, mais au dernier moment, elle l'a brusquement lâchée. Pour un peu, on aurait cru que le métal était brûlant ! Je te le dis, c'était vraiment bizarre. Après, elle a fait mine de rien, mais j'ai bien vu qu'elle était perturbée. En tout cas, je ne sais pas du tout ce qui lui est arrivé, mais bon, elle semblait bien aller quand je suis parti, à part qu'elle était pâle. Sur le coup, j'ai eu peur de lui avoir refilé mon mal, mais en y repensant, je crois que c'est cet étrange incident qui l'a fait blêmir comme ça. Ouais... bon... je vais aller me soigner, maintenant que j'ai de quoi me remettre sur pieds.

Neil pénétra dans l'écurie, laissant son vieil ami continuer à fumer sa pipe, qui resta cependant immobile entre les doigts calleux, Sheldon étant désormais complètement absorbé par sa contemplation du manoir. Lentement, une grimace tordit sa bouche, mais ceux qui le connaissaient bien savaient qu'il s'agissait d'un sourire.

❅ ❅ ❅

Dans le seul bruit de ses chaussures sur le dallage de marbre, Lauriane s'approcha de la porte entrebâillée du bureau. Elle s'arrêta et, par l'ouverture, avisa son mari, assis dans un fauteuil près de l'âtre. Coudes appuyés sur ses genoux, une tasse logée entre ses mains, il regardait fixement le feu. Des habits propres et sans faux pli avaient remplacé les autres, sa courte chevelure d'ébène avait été disciplinée et brillait dans la lumière des chandeliers. Le vernis de gentleman avait repris le pas sur l'allure négligée de celui qui ne craignait pas d'accomplir de sales besognes. Les muscles de sa mâchoire rasée de frais étaient néanmoins contractés sous ses favoris. On pouvait effacer les traces physiques que la turpitude laissait sur soi, mais pas celles qui vous éclaboussaient l'intérieur...

Relâchant l'air que ses poumons avaient retenu sans qu'elle en ait conscience, Lauriane frappa la porte de trois petits coups de jointure. La tête de son mari pivota et elle crut voir les traits durcis s'adoucir quelque peu lorsqu'il l'aperçut. Il l'invita à entrer et se redressa d'un mouvement souple. Son regard, plus que jamais énigmatique, la détailla tandis qu'elle poussait sur le battant pour l'ouvrir plus grand et s'avançait dans la pièce baignée d'une enveloppante tiédeur. Une vague odeur de bois, de cigare et d'eau de Cologne lui chatouilla le nez, fit palpiter son cœur bien malgré elle.

— Bonjour, commença Lauriane d'une voix qui manquait étrangement de force. J'espère que je ne vous dérange pas ?

— Aucunement, mais vous avez de la chance de me trouver ici, je comptais partir dans les plus brefs délais.

— J'avais demandé à Bruce de m'avertir quand vous alliez descendre, je voulais vous parler.

L'un des sourcils de jais se haussa imperceptiblement. D'un geste, son mari l'invita à se choisir un siège, mais Lauriane refusa poliment, préférant rester debout. Haussant une épaule, William se dirigea vers le massif bureau en acajou et déposa sa tasse dans un plateau qui contenait une serviette de table, des couverts et une assiette vide. Il braqua ensuite sur la jeune femme ses yeux attentifs, attendant visiblement qu'elle prenne la parole.

— Alors… vous avez pu vous reposer un peu ? s'enquit-elle en jouant machinalement avec l'étroit volant de tulle noir bordant la manche de sa robe.

— Après une nuit blanche, j'ai sombré profondément, trop même. Cela m'a fait du bien, mais je ne comptais pas dormir aussi longtemps. Il se fait déjà tard et je dois arriver au camp avant la nuit afin d'informer Adéline de la situation.

— Justement, je voulais vous demander... Si je vous promets de faire mes bagages à toute vitesse, est-ce que vous accepteriez de m'emmener ? Je voudrais annoncer moi-même la mauvaise nouvelle à ma tante.

Lauriane attendit, guettant la réaction de son mari. Mais il demeura impassible, ce qui la porta à penser qu'il avait peut-être anticipé une telle demande.

— Il est évident que le massacre de ces bêtes ne sera pas une nouvelle des plus réjouissantes à annoncer à Adéline, commenta-t-il avec gravité. Cela lui portera un dur coup, assurément.

— C'est le moins qu'on puisse dire ! renchérit la jeune femme, que peine et colère tiraillaient depuis la veille. Ce n'est pas comme si on lui avait volé quelques poules ou un agneau : on lui a carrément enlevé son pain et son beurre de la bouche d'une façon ignoble et inhumaine ! Elle sera anéantie et je veux être là pour lui offrir mon soutien.

William se déplaça vers le devant du bureau, auquel il s'appuya, et croisa les bras sur sa poitrine, ce qui fit adhérer sa chemise à ses biceps, révélant ainsi leur courbure d'acier. Il resta à contempler la jeune femme un instant, qui s'étira comme une éternité, avant de déclarer :

— Je comprends très bien les raisons qui vous motivent, mais je dois vous informer que Neil n'a pas de retour au camp prévu avant deux semaines.

— Deux semaines ? Oh...

Lauriane sentit ses épaules s'affaisser. Elle avait bien envisagé qu'il lui faudrait demeurer là-bas un certain temps. Tout au plus quelques jours, avait-elle néanmoins estimé. Son mari s'absenterait en outre pour affaires, ce qui tombait à point nommé. Mais voilà qu'il venait de lui donner matière à réflexion. Deux longues semaines loin du manoir, de Norah et de l'atelier... Sans compter que William finirait par rentrer de voyage. Donc, plusieurs jours à se sentir de trop auprès d'un mari qui, bien qu'il ne le lui ait pas dit, ne tenait assurément pas à ce qu'elle l'encombre de nouveau de sa présence. Ce qui ne signifiait pas pour autant qu'il se donnerait la peine de refaire un aller-retour à Côte-Blanche pour se débarrasser d'elle...

— Je présume que vous n'aviez pas songé à cet aspect de la situation, dit William, n'ayant pas manqué de remarquer sa déconvenue.

— Pourtant oui, mais je ne pensais pas qu'il faudrait deux semaines avant que Neil retourne là-bas.

Se détournant, Lauriane fit quelques pas au hasard, crispée par le sentiment de frustration qui sourdait en elle. Pourquoi fallait-il que ce fichu camp de bûcherons soit si loin ?

— Dites-moi, selon vous, les événements d'hier sembleront-ils amoindris aux yeux d'Adéline parce qu'ils sortiront de votre bouche ? questionna William.

La jeune femme l'observa de biais.

— Je suis sa nièce, je suis plus proche d'elle que n'importe qui et elle aura besoin d'une oreille compatissante.

— Bon, présentons les choses autrement. Sera-t-elle bouleversée ? Certainement. Mais le sera-t-elle au point de rendre essentielle votre présence à ses côtés ? Je ne le crois pas. Qui plus est, bien que le sort réservé à ces animaux soit cruel et révoltant, il n'y a pas eu mort d'homme, fort heureusement, ce qui fait toute la différence. En ce qui concerne la question de sa subsistance, que cette lourde perte met en péril, n'ayez crainte, cela se réglera en temps et en heure voulus, je puis vous le garantir.

Phrase énigmatique qui sut intriguer Lauriane plutôt efficacement, d'autant qu'il y résonnait une note de conviction absolue.

— Que voulez-vous dire par là au juste?

— Je vous en révélerai davantage le moment venu, répondit William en étirant un vague sourire tout aussi sibyllin que ses propos.

Ce à quoi la jeune femme réagit par un froncement de sourcils. Elle se déplaça de nouveau, revenant à son point d'origine. Sa tante revint occuper ses pensées. Malgré tout, Lauriane aurait aimé aller la voir, ne serait-ce que pour être à ses côtés, et sa frustration de ne pouvoir le faire demeurait vive.

— Bon... puisque c'est comme ça, je vais rester ici, lâcha-t-elle dans un soupir sec. Mais je voudrais au moins que vous lui disiez que je pense à elle et que je compatis.

— Je n'y manquerai pas.

— Merci. Et, s'il vous plaît, dites-lui aussi qu'elle n'hésite pas à m'écrire si elle a besoin de se confier à quelqu'un.

— Entendu.

Leurs regards demeurèrent accrochés l'un à l'autre un peu plus longuement que nécessaire, avant que Lauriane s'oblige à rompre le contact en se détournant. Elle atteignait la sortie quand un détail oublié lui revint à l'esprit. Elle fit volte-face et sentit un éclair de feu lui traverser l'estomac. Son mari n'avait pas bougé ni détourné les yeux d'elle, comme s'il était soumis à une sorte d'envoûtement.

— J'allais oublier de vous demander quelque chose, dit la jeune femme, dont le pouls s'était subitement accéléré. C'est à propos de ces sacs que vous m'avez apportés hier...

— Si cela concerne leur contenu, je dois vous dire que je n'en connais pas la nature exacte, si ce n'est qu'il s'agit d'effets personnels.

— Non, c'est au sujet du donateur. Je sais qu'il veut rester anonyme, mais accepteriez-vous quand même de me dire qui c'est?

Lauriane était encore déconcertée par ce qui s'était passé au moment où elle avait tenu la guimbarde dans ses mains. Comme si elle s'était tout à coup retrouvée plongée dans un souvenir ne lui appartenant pas, voire... dans la peau de la personne à qui l'instrument appartenait. Ce qui n'avait absolument aucun sens, à première vue. À moins qu'il ne s'agisse d'un phénomène dont Norah lui avait déjà parlé, à savoir qu'un objet peut parfois emmagasiner l'énergie de la personne qui l'avait possédé.

Cela n'avait pas manqué d'amener la jeune femme à s'interroger sur la provenance de ces fameux sacs. Elle voudrait en connaître plus sur l'ancien propriétaire de la guimbarde, savoir entre autres s'il s'agissait bien d'un homme, s'il vivait toujours ou si l'attachement profond qu'elle avait ressenti avait pu perdurer au-delà de la mort. Mais pour avoir accès à ces informations, il lui faudrait convaincre son mari de lui révéler l'identité du mystérieux donateur, ce qui ne serait peut-être pas une mince affaire.

D'ailleurs, William secoua le menton en signe de refus.

— Je ne puis vous le dire, *sorry.*

— Mais pourquoi? Je ne comprends pas ce qui pousse tant cette personne à vouloir garder son identité secrète.

— Cela m'échappe tout autant qu'à vous, mais il n'en demeure pas moins que j'ai donné ma parole.

William vit la jolie bouche de sa femme s'amincir de mécontentement.

— Pourquoi tenez-vous tant à le savoir ?

— Pour rien... J'aurais juste aimé pouvoir remercier cette personne, mentit Lauriane, qui ne comptait certainement pas lui avouer la vérité sous peine d'être prise pour folle.

— Sachez que j'ai déjà transmis vos remerciements à qui de droit, je vous suggère ainsi de ne plus vous y attarder.

— Et si cette personne avait d'autres effets à me donner durant votre absence ?

Cette ultime tentative, venue à elle spontanément en dernier recours, lui attira un petit sourire en coin de la part de son mari.

— Je ne crois pas que cela arrivera, mais le cas échéant, cela attendrait à mon retour au printemps, tout simplement.

La jeune femme tâcha de contenir son désappointement. Son insistance ne devait pas se poursuivre, au risque d'éveiller l'esprit suspicieux de son mari. Elle n'eut donc plus qu'à se résigner.

— Très bien, dans ce cas, vous me ferez signe à ce moment-là, s'il y a quoi que ce soit.

Ses efforts pour dissimuler sa déception amusaient William, qui se demandait pourquoi elle s'intéressait tant au donateur. Que pouvaient bien avoir mis Neil et Sheldon dans ces sacs ? Mais il abandonna aussitôt son questionnement. Après tout, ce n'était pour lui d'aucun intérêt.

Le ravissant visage de sa femme, par contre... La teinte légèrement rosée qu'avaient prise ses joues, ses yeux si expressifs, le dessin divin de sa bouche, des plus tentantes, à la courbure légèrement boudeuse, le tenaient captivé d'admiration. Depuis qu'elle avait franchi le seuil de la pièce,

William n'avait pu détacher son regard d'elle et en cet instant, plus que jamais, il était dévoré par l'envie de la plaquer contre lui pour goûter la douceur de ses lèvres, se soûler de son parfum. Il voulait l'entendre gémir, frémir sous ses caresses; il se voyait la déshabiller et la porter jusqu'à son bureau pour la posséder avec toute la brutalité du désir qui le carbonisait de l'intérieur.

Pourtant, lorsqu'elle tourna les talons, il demeura immobile, cruellement immobile, se contentant de regarder la porte se refermer sur elle de ses yeux incandescents, et de serrer les dents. Le temps lui faisait défaut aujourd'hui. Mais sa femme ne paierait rien pour attendre. À son retour, au printemps, il aurait amplement l'occasion de lui faire des avances. Là, tout de suite, une autre affaire, certes beaucoup moins agréable, requérait son attention.

La lente pluie de flocons s'échappant du ciel chargé feutrait le bruit sec des bûches qui s'entrechoquaient. Robert Matteau jeta celle qu'il avait en mains sur l'amas accumulé dans le traîneau, puis il laissa entendre un long reniflement de gorge avant d'éjecter un crachat bien gras dans le tapis de neige à ses pieds. Il se remit ensuite à la tâche, continuant de transférer les quartiers de sa corde de bois au traîneau.

Quand il estima en avoir assez, il s'arrêta pour reprendre son souffle et frappa ses mains l'une contre l'autre pour détacher la saleté de ses gants. Il s'apprêtait à contourner le chargement lorsqu'un étau d'acier le happa par-derrière, l'obligeant à reculer. D'une violente poussée, il fut projeté contre le mur du hangar, où une force implacable fit pression sur sa poitrine pour qu'il y demeure cloué. De ses yeux dilatés d'ahurissement, il fixa le visage dur qui se matérialisa devant lui.

— Monsieur Fedmore ?

Sa bouche entrouverte se referma et il avala rapidement sa salive avant de demander :

— Qu'est-ce que vous me voulez ?

La question, tout autant que sa sonorité creuse, porta sur les nerfs de William. La femme qu'il avait vue la veille n'avait certainement pas manqué de transmettre son message à son mari.

— N'auriez-vous pas par hasard vu quelque chose de suspect hier après-midi chez votre voisine Adéline ? questionna-t-il d'un ton incisif.

Un rictus tordit la bouche de Matteau.

— Chez cette saleté de suppôt de Satan ?

Le coup de poing partit sans même que William l'ait prémédité. La tête de Matteau roula sur le côté en même temps qu'elle heurtait brutalement le mur sous la force de l'impact. Sa tuque ne suffit pas à amortir le choc et, quelque peu sonné, il gémit de douleur. La lèvre supérieure retroussée de hargne, William lui broya la mâchoire de ses doigts, l'obligeant à lui faire face et à soutenir son regard incendiaire.

— Peut-être aimerais-tu que je te donne la chance de reformuler ta réponse, vil insecte ?

Son visage contorsionné en une sorte de grimace grotesque, Matteau respirait par saccades. Au fond de ses prunelles, dilatées et fixes, luisait l'éclat de la peur farouche, instinctive, de l'animal pris au piège. Cette même peur qui faisait battre follement la veine saillant dans son cou.

— Qu'est-ce que... vous me voulez ? redemanda-t-il d'une voix blanche.

Derrière son masque menaçant, William sourit de satisfaction. Il se pourrait bien que ce soit plus aisé que prévu d'obtenir ce qu'il était venu chercher...

13

Si on vous frappe
sur la joue droite...

*L*es bruits franchissaient les murs du manoir comme si ces derniers n'étaient constitués que d'air. Dépourvus de restriction, sans amortissement, ils distribuaient ainsi leurs échos des fondations au toit. Tirée du lit par leur intensité décuplée, Lauriane avançait prudemment dans le couloir, cherchant à situer ces cognements retentissants qui ne semblaient pas avoir de foyer. Ils venaient d'en dessous, d'au-dessus, de nulle part et de partout à la fois.

La jeune femme s'orienta en direction de la bibliothèque. La lueur d'une bougie en provenance de l'escalier montant à l'étage supérieur l'arrêta. Ellen parut, en robe de chambre, le visage peint d'affolement.

— *God !* D'où viennent tous ces bruits infernaux ?

Lauriane en demeura interdite.

— Vous les entendez aussi ?

— Bien sûr, comment ne pas entendre un tel vacarme ! Il nous a réveillés, Bruce et moi. Nous avons cru qu'il s'agissait d'un tremblement de terre, mais notre lit restait bien immobile. Qu'arrive-t-il donc? Nos filles sont terrorisées.

— Ça a réveillé toute la maisonnée, on dirait…

Un claquement retentit juste sous leurs pieds, si violent qu'on aurait cru qu'une pierre gigantesque venait de s'écraser sur le marbre du hall, faisant tressaillir Lauriane et hurler Ellen de stupeur. L'instant d'ensuite, un répit fut accordé à leurs oreilles et le calme se restaura, seulement troublé par quelques lointains cognements allant en faiblissant. La jeune femme posa une main rassurante sur l'épaule de la domestique livide.

— C'est presque fini. Pourriez-vous, s'il vous plaît, aller rassurer tout le monde?

— Mais… que dois-je leur dire?

— Dites-leur juste que tout va bien et qu'ils peuvent se recoucher.

— Enfin… ce tapage venait bien de quelque part…

— J'aimerais pouvoir vous éclairer, mais je n'en sais pas plus que vous.

— Et pour ce bruit en bas?

— Je m'occupe d'aller vérifier. Ne vous en faites pas, c'est très écho dans le hall, ce n'est sûrement pas grand-chose. Montez, s'il vous plaît, rassurer tout le monde, réitéra Lauriane sur un ton alliant douceur et fermeté.

Ellen hocha la tête avec rigidité avant de s'éloigner dans la lumière dansante de sa bougie. Abandonnant momentanément l'idée de se rendre à la bibliothèque, Lauriane s'apprêtait à gagner le rez-de-chaussée quand une autre lueur se montra au fond du couloir. Sa menue silhouette se balançant sous une cascade de mousseline de soie blanche et de volants, Norah s'amenait avec célérité. On aurait dit une fée venue d'un pays de glace. Sa chevelure libérée lui conférait un air de jeunesse et rendait à ses traits une parcelle de cette beauté devant l'avoir jadis parée.

— Lauriane… Lauriane, mon enfant, je les ai entendus, se hâta-t-elle de l'informer d'une voix fébrile.

— Les domestiques aussi. Je viens de voir Ellen, ils ont tous été réveillés par le bruit.

— Vraiment ? Les domestiques aussi ? Ils doivent être complètement désorientés, pour ne pas dire effrayés…

— Je n'ai pas su quoi dire à Ellen.

— Je vous comprends. Comment lui expliquer ? Nous nous doutons de la nature de ces bruits, mais l'annoncer à nos gens… C'est d'autant plus délicat.

— Qu'est-ce qu'ils vont penser, Norah ? Qu'est-ce qu'il faudrait leur dire ?

— Au train où vont les choses, je crois bien que si nous commençons à leur fabriquer des explications, nous n'en finirons pas.

Lauriane ne pouvait malheureusement qu'être d'accord. Éluder, dissimuler ne pourrait suffire encore bien long-temps si les manifestations continuaient. La réalité se montrerait à eux, tout invraisemblable et effrayante était-elle, et ils finiraient invariablement par tirer leurs propres conclusions.

Revenant à ce qu'elle était sur le point de faire, la jeune femme dirigea son regard sur l'escalier principal.

— Il y a eu un gros bruit en bas, j'allais voir ce que c'était.

— J'y vais avec vous.

Une énigme les attendait au rez-de-chaussée. Contrairement à ce qu'avait pu laisser croire le violent bruit, rien n'était déplacé ni tombé dans le hall. Il ne s'y trouvait aucun objet suffisamment massif, de toute façon, qui aurait pu justifier un tel vacarme s'il avait été renversé. Il ne s'était en fait agi que de son, sans fondement matériel, comme dans le reste du manoir, sur lequel régnaient à présent un calme et un silence absolus.

— Je pense que c'est fini pour cette nuit, supputa Lauriane, qui avait l'expérience des cognements depuis quelque temps.

Bien qu'ils aient été de courte durée, leur intensité ne tenait cependant aucune comparaison avec les précédents et cette fois, elle n'avait pas été la seule à les entendre, chose qu'elle aurait de loin préférée. Car comme anticipé, l'incident souleva par la suite un questionnement chez les domestiques et ouvrit la porte aux spéculations. N'ayant aucune explication valable à leur fournir, Lauriane ne fut pas en mesure de les éclairer sur ce qui s'était produit, ce qui eut pour conséquence de les plonger dans une ambiguïté qu'elle trouva des plus regrettables.

Les nuits suivantes furent en sa faveur et se présentèrent paisibles. Malgré tout, Lauriane n'en passait plus une sans se réveiller, parfois à plusieurs reprises. Un soir, elle se décida à boire une tisane apaisante avant de se coucher. La boisson l'aida à s'endormir, mais ne l'empêcha pas pour autant de voir son sommeil brisé encore une fois. Sans doute la faute revint-elle à la température; en effet, Lauriane se réveilla criblée de frissons, bien qu'enveloppée dans de chaudes couvertures. Geignant paresseusement, elle se refusa à bouger et souhaita de toutes ses forces arriver à se rendormir au plus vite. Résolu à l'en empêcher, le froid s'intensifia et s'acharna à la harceler de toute part. Même son cuir chevelu était hérissé de chair de poule. Elle grogna de dépit. Qu'elle le veuille ou non, il lui faudrait sortir de son cocon pour aller regarnir l'âtre si elle aspirait à retrouver le sommeil.

Se risquant à sortir sa tête de sous les couvertures, elle s'étonna aussitôt de la clarté régnant dans la chambre. De forts crépitements se faisaient entendre. Incrédule, Lauriane se dressa sur un coude et constata que le feu dans l'âtre s'était emballé, comme si on venait d'y jeter de l'huile, sans pourtant dégager la moindre chaleur. Bizarrement, il lui apparaissait embrouillé. Elle fit papilloter ses paupières, pensant avoir une poussière dans l'œil, mais cela ne changea rien. On aurait plutôt dit que quelque chose se trouvait entre le feu et le lit. Clair comme du cristal, c'était large et haut comme un humain, avec un contour bien défini. Cela n'avait rien d'effrayant ni d'hostile, Lauriane ne sentait aucun poids lui comprimer la poitrine. Elle se contentait d'admirer, curieuse et fascinée, le spectacle qu'offrait cette singulière vision.

Son regard s'arrondit quand celle-ci bougea, commençant à se déplacer latéralement avec une tranquille lenteur. Les objets en arrière-plan apparaissaient un peu déformés comme à travers de l'eau. La vision se mouvait d'ailleurs avec le balancement fluide d'un liquide. Elle s'éloigna, perdit peu à peu de sa consistance, s'estompant comme une brume matinale sous la caresse des premiers rayons du soleil. Bientôt, Lauriane la perdit de vue. Elle examina la pièce avec attention, mais la vision avait disparu pour de bon. La jeune femme en eut la confirmation quand, dans l'âtre, le feu s'apaisa et ne redevint que braises. Le froid, lui, ne s'en alla pas.

✳ ✳ ✳

L'enveloppe pesait lourd entre ses mains et elle portait encore la fraîcheur que le long voyage en traîneau y avait imprégnée. Lauriane la posa sur son lit et se dirigea vers son armoire pour y ranger son carnet de remèdes que venait de lui rapporter Neil en même temps que la lettre. Réjouie de constater que le jeune homme avait meilleure mine que la dernière fois où elle l'avait vu, elle l'avait invité à revenir la voir n'importe quand en cas de besoin, ce qu'il lui avait promis de faire tout en la remerciant chaudement.

L'armoire refermée, Lauriane retourna en hâte à son lit et s'y installa confortablement, le dos appuyé contre son oreiller. Elle décacheta l'enveloppe de ses doigts nerveux, son cœur cavalant dans sa poitrine. La lettre de sa tante Adéline, qu'elle avait tant attendue au cours des deux dernières semaines! Pas un jour n'était passé sans que la jeune femme se demande comment elle avait réagi à la mauvaise nouvelle et de quelle façon elle vivait cette épreuve, si elle arrivait à prendre le dessus sur elle.

Inspirant une grande goulée d'air qu'elle expira ensuite tout doucement, la jeune femme s'immergea sans plus attendre dans sa lecture :

Ma très chère Lauriane,

Il passe une heure du matin. J'ai les yeux aussi grands ouverts que ceux d'une chouette. Le vent a décidé de me tenir compagnie, il ronfle comme un mari épuisé de sa journée. Pourtant, ce n'est pas lui qui me tient réveillée. Ça fait des jours que le sommeil me boude et tu te doutes sûrement pourquoi. D'ailleurs, je sais que tu t'inquiètes pour moi et c'est ce qui m'a décidée à t'écrire. Mais avant de le faire, il fallait d'abord que je prenne du temps pour me recentrer avec moi-même, parce que les émotions, quand elles sont trop fortes, ont tendance à nous décaler, et même, à nous égarer.

Quand j'ai vu ton mari sur le pas de ma porte l'autre soir, j'ai tout de suite su qu'un malheur était arrivé. Il était tard, quoiqu'il aurait pu s'agir d'une urgence médicale, mais mon intuition me disait que ce n'était pas le cas. De plus, il y a quelques jours de ça, j'ai fait un cauchemar. J'ai vu du sang, beaucoup de sang, et avant même que ton mari ouvre la bouche, je savais que ses paroles en seraient éclaboussées. Bonté divine... J'étais pourtant bien loin de me douter que tout ce sang dans mon cauchemar était en fait celui de mes propres animaux!

Sur le coup, j'étais abasourdie, sonnée. J'écoutais parler William d'une oreille complètement incrédule, je ne pouvais pas admettre que les abominations qu'il était en train de me décrire s'étaient passées dans mon poulailler et mon étable. Mais en même temps, j'avais cette sensation de serrement dans le ventre, celle qui te dit que la partie la plus instinctive et primitive de ton être, elle, a déjà regardé en face cette effroyable réalité... J'ai alors senti un immense chagrin me tordre le dedans et me retourner comme un jupon à l'envers. J'étais consternée... Mon cheval, Gros Noir, disparu! Je l'avais depuis seize ans, tu t'en rends compte? Et mes demoiselles caqueteuses... Il doit planer sur la basse-cour un silence assourdissant...

Je me suis demandé qui avait pu être assez sadique pour poser un geste aussi extrême et sanguinaire, et pourquoi? Pour m'atteindre? Me blesser? Qui peut me haïr assez pour faire ça? Comme de raison, j'ai tout de suite pensé à cette canaille de Matteau, et je sais que tu y as pensé, toi aussi,

Lauriane. Une colère noire est alors venue se mêler à ma peine. J'ai voulu me précipiter à Monts-aux-Pins, quitte à y aller à pied. C'est ce que j'ai dit à ton mari. J'étais dévorée par l'envie de me ruer chez Matteau pour lui tordre le cou, même sans être sûre qu'il est coupable. Il me semble que ça m'aurait fait du bien. Me croiras-tu, Lauriane, si je t'avoue avoir même échafaudé des plans de vengeance un peu puériles, comme mettre un poison dans l'eau de son puits pour le rendre malade? Eh oui, tu peux le croire, ma chérie, parce que c'est vrai.

Mais par chance, ta vieille tante a encore un peu de bon sens sous sa tignasse. Répondre à du négatif par du négatif aurait été ma plus belle erreur et je me félicite de ne pas être tombée dans le piège. Ce dont j'ai besoin, c'est de lumière, et cette lumière, elle est ici, au camp : je la puise dans le bonheur que j'ai à faire mon travail de guérisseuse. Je compte bien là-dessus pour me procurer toute la force dont j'ai besoin pour contrer cette noirceur qui cherche à me tirer vers le bas, mais qui ne m'aura pas au final, ça, c'est certain! En plus, William m'a dit que Gaston allait s'installer chez moi jusqu'au printemps, alors je peux être tranquille, je n'ai aucune raison valable de rentrer.

Le plus difficile, je crois, a été quand j'ai soudain pris conscience que je n'avais plus de cochons à engraisser, plus de poules pour me pondre des œufs. Il ne me reste que mon potager et mon jardin à herbes médicinales, ce qui est bien peu. Trop peu. Je me suis laissée sombrer dans le découragement et le désespoir. Oh oui... je l'ai vécu très durement. J'ai travaillé fort ces derniers jours pour me sortir de ce précipice et arriver à me concentrer sur les solutions plutôt que sur le problème. Aujourd'hui, j'ai une lueur d'espoir à laquelle me raccrocher. Je suis bien payée pour le travail que je fais ici. Quand je rentrerai au printemps, j'aurai de l'argent en poche et je pourrai me racheter des animaux. Voilà ce qui me donne ma force, même si c'est encore très dur par moment, quand je relâche la bride de mes émotions...

En tout cas, ton mari a toute ma reconnaissance! Il a été très compréhensif. Il est resté avec moi un bon bout de temps le soir où il m'a tout raconté. Nous avons longuement parlé, de tout et de rien; je pense qu'il voulait me changer les idées. Je lui ai dit que j'appréciais vraiment tout ce qu'il a fait, entre autres le nettoyage des bâtiments : une tâche ingrate. Lui et Gaston ont le cœur solide. Moi, je n'aurais pas pu. C'est un homme bien que tu as comme mari, Lauriane. Je le pense profondément. Enfin, tout ça pour dire que je suis contente que William ait été là. Tu aurais dû le voir, il avait l'air tellement sûr de lui, il m'a dit de ne pas m'en faire avec le futur ni avec le coupable. Il y avait tellement de conviction, d'assurance dans ses paroles, qu'il en est presque venu à me convaincre que tout allait vraiment rentrer dans l'ordre. Du moins, il a réussi à me transmettre une bonne dose de confiance.

Je sais que tu es bouleversée, toi aussi, ma chérie. Je vais finir là-dessus, je commence à sentir enfin la fatigue m'embrumer les idées. Je pense que ça m'a fait du bien de me vider le cœur en t'écrivant. Dis-toi qu'au moment où tu vas lire cette lettre, j'irai encore mieux : je me solidifie de jour en jour, et j'espère que toi aussi. J'espère que tu n'es pas restée avec des images trop répugnantes dans la tête. Je me considère chanceuse de ne pas avoir assisté à cette scène d'horreur, contrairement à toi, et je sais que ça t'a beaucoup secouée. Mais maintenant, il faut que tu oublies. Concentre-toi sur toutes les belles choses qu'il y a dans ta vie, et plus particulièrement ton enfant. Il doit commencer à avoir de la bougeotte, ce petit trésor. J'ai hâte de te revoir avec ta bedaine, tu dois être tellement jolie...

Tu vois, là, j'ai les larmes aux yeux, mais ce sont des larmes de joie. Ce petit être est un rayon de soleil qui nous éclaire et nous réchauffe le cœur, avant même d'avoir pointé le bout de son nez dans le monde.

Prends soin de toi, ma chérie, et de lui!

Avec toute mon affection,

Tante Adéline xxx

Ses lèvres courbées en un sourire ému, Lauriane cligna des yeux pour clarifier sa vue qui cherchait à s'embrouiller. Elle replia la lettre et l'inséra dans son enveloppe. Sa main se logea sur son ventre, qu'elle se mit à caresser avec tendresse. La jeune femme oubliait parfois que sa tante possédait la force tranquille du grand chêne qui savait affronter les éléments. Elle avait sa façon bien à elle de percevoir le monde et d'interagir avec lui. Tout était, pour Adéline, une question d'attitude et de vibrations. Ne pas donner d'emprise au malheur en s'y attardant, mais plutôt se centrer sur des sources de bonheur pour l'attirer à soi et faire bouclier.

Quant à William, Lauriane avait un mea culpa intérieur à faire à son sujet. Elle s'était crue la mieux placée pour camper le rôle d'oiseau de malheur face à sa tante, imaginant mal son mari se donner la peine d'enfiler des gants blancs pour amoindrir le choc, et encore moins être tout ouïe et faire preuve de compassion. Mais elle avait eu tort. Si ces atroces événements lui avaient appris une chose sur le père de ses enfants, c'était qu'il n'était pas dépourvu d'humanité, même s'il en donnait parfois l'impression. Sans doute avait-il eu une façon plus rationnelle d'exposer les faits, mais son approche, bien que différente de celle de la jeune femme, semblait avoir porté ses fruits. Au bout du compte, il n'y avait que cela qui importait. Du reste, pour s'être elle-même retrouvée dans un état de vulnérabilité en présence de son mari, Lauriane se devait bien d'admettre qu'avoir un homme tel que lui de son côté, qui mettait son intransigeance et son implacable volonté à son service, avait quelque chose d'indéniablement rassurant.

En définitive, elle se rangeait donc à l'avis de sa tante concernant William et la manière dont il avait agi dans cette abominable affaire depuis le début. Il restait encore, cependant, à savoir quelle en serait la fin. Allait-il bel et bien réussir à débusquer le coupable tel qu'il le lui avait assuré ? Le cas échéant, quel sort lui réserverait-il ?

❋ ❋ ❋

Grouillant d'activité, l'atelier résonnait d'un amalgame de bruits : à celui des machines à coudre s'ajoutait celui du métier à tisser de Josette Paré, inclus au décor tout récemment. La sexagénaire s'était proposée pour confectionner des catalognes bénévolement. L'ayant entendue se plaindre d'un manque de compagnie, Lauriane lui avait offert de venir s'installer à l'atelier. La pièce contenait assez d'espace pour que madame Paré puisse tout faire au même endroit, du découpage des bandelettes de coton jusqu'au tissage.

Par ailleurs, Lauriane commençait à ressentir les effets de la fatigue. Avec ses travaux de couture, ses leçons d'anglais et le sommeil de ses nuits troublé dernièrement, en plus de ses enfants qui grandissaient en son sein, elle éprouvait souvent l'envie d'aller s'allonger. Mais elle résistait et en était donc à bâiller comme une huître au beau milieu de ses tâches.

Un après-midi où Lauriane se sentait particulièrement lasse, Marie-Louise, venue donner un peu de son temps à l'atelier, la prit en flagrant délit.

— Au prochain, je pense que tu m'avaleras.

— Je crois que je serais bien capable de tomber endormie dans un banc de neige…

Les yeux noisette de son amie s'arrondirent exagérément cependant qu'elle la pointait de son découseur.

— Ça, c'est grave ! Être aussi fatiguée quand tu n'as même pas de mari dans ton lit !

— Et je ne risque pas d'en avoir un de sitôt.

— Je sais et d'ailleurs, je n'en reviens toujours pas. Tu es mariée au plus bel homme du pays et tu ne partages pas sa chambre. Ça me dépasse complètement.

— C'est lui qui m'a jetée dehors, en passant, je te rappelle.

Son découseur toujours en l'air, Marie-Louise réfléchit.

— Il faudrait encore attendre que sa décision soit mise à l'épreuve avant de dire que vous faites officiellement chambre à part. On verra bien ce qui va se passer au printemps.

Elle marqua une pause, au cours de laquelle son regard flotta, perdu dans les vapeurs d'une rêverie.

— Oui, le printemps s'en vient et qui sait ce qu'il apportera…

— Une brise pourrait souffler et ramener du Nord quelques espoirs, hein Loulou ? fit Lauriane, se laissant aller à un brin d'espièglerie.

Cette remarque fit éclore un joli sourire sur les lèvres de son amie. Son découseur retourna mordre dans les fils de la couture qu'elle était en train de défaire.

— Dans sa dernière lettre, Martin m'a jetée par terre en me disant qu'il avait hâte de revenir à Monts-aux-Pins. Avant, il avait l'air de vouloir oublier que l'hiver aurait une fin, le printemps était presque un sujet tabou. Je suis renversée par ce changement. Ça se sentait même dans les choses qu'il disait. Je ne sais pas comment dire… Il paraissait plus gai et plus serein, on dirait. Je pense qu'il a fini par trouver dans les bois la paix qu'il était allé y chercher.

— S'éloigner du village pendant un certain temps, prendre une distance physique avec sa vie est parfois le meilleur des remèdes.

Dressant la tête, son amie l'étudia d'un œil sagace.

— C'est la première fois depuis longtemps que je ne sens pas de tension dans ta voix quand tu parles de Martin, je me trompe ?

— Non, tu as raison.

Lauriane posa sur ses genoux le corsage de robe auquel elle était en train de coudre des boutons recouverts de velours et réfléchit à ce qu'elle allait dire. Autant saisir cette occasion de parler à Marie-Louise ouvertement tandis que l'atelier ne comptait que leur seule présence.

— Quand j'étais au chantier, nous nous sommes parlés, lui et moi. C'est arrivé comme ça, sans que ce soit prévu. Chacun a exprimé le fond de sa pensée par rapport au duel et à la mort de Thomas. Je crois que, sans le savoir, j'en avais vraiment besoin, autant que Martin, d'ailleurs. Il fallait que nous nous libérions de ce poids qui nous pesait pour pouvoir enfin passer à autre chose.

— Le changement d'attitude de Martin ne se doit pas qu'à l'hivernement, dans ce cas, en déduisit Marie-Louise d'une voix assourdie. Il ne s'est pas beaucoup confié à moi, mais je savais qu'il vivait avec de la culpabilité et que toi, de ton côté, tu ressentais un malaise vis-à-vis de lui. Moi, je me sentais prise entre deux feux, mais je ne voulais surtout pas m'en mêler.

Des plis de contrition apparurent au-dessus des sourcils de Lauriane.

— Je suis désolée, Loulou, que ça t'ait placée dans cette position inconfortable. Ce n'est pas ce que je voulais. Je voyais bien que tu étais mal à l'aise de me parler de lui, alors que je suis ta meilleure amie et que tu es censée pouvoir tout me dire. Mes sentiments t'ont mis une barrière.

— Oui, mais je te comprenais, Lauriane. Je vous comprenais tous les deux. J'espérais juste que ça finisse par s'arranger et maintenant, c'est fait. Je suis contente que Martin et toi, vous vous soyez enfin parlé.

— Moi aussi…

Elles entretinrent un silence ému, chacune ayant ses propres raisons de se sentir soulagée et sachant surtout que le seul sujet dont elles n'osaient s'entretenir n'avait plus aucune consistance. C'était à n'en pas douter une occasion de se réjouir et bientôt, leur gravité se dissipa, faisant place à leur camaraderie habituelle et à leurs rires complices. Il n'y avait rien de tel pour chasser la grisaille qu'une bulle de temps passé ensemble, à ne goûter que le bonheur de faire fleurir toujours et encore leur amitié si chère.

Rien ne semblait pouvoir les atteindre dans ces moments-là, rien sauf… ce picotement qui se fit tout à coup sentir sur la nuque de Lauriane, accompagné d'une sensation de poids au niveau de sa poitrine.

— Lauriane ? s'inquiéta Marie-Louise, la voyant se statufier.

Un bruissement dévia leur attention sur leur gauche. Les longs rideaux de l'une des fenêtres ondulaient, agités, dirait-on, par une main invisible. Cela gagna en force, à un point tel qu'ils se gonflèrent comme des voiles de navire, poussés par un vent inexistant, d'autant que rien n'était encore ouvert à cette période de l'année. Les grands pans de tissu ne s'en retrouvèrent pas moins pratiquement à l'horizontale à un certain moment, flottant tout en légèreté et en souplesse. Enfin, ils retombèrent en douceur et retrouvèrent une complète immobilité.

— C'était quoi... ça? s'écria Marie-Louise, ses yeux écarquillés d'effarement rivés sur les rideaux.

— C'était lui, Loulou. L'esprit qui hante le manoir.

Comme si un ennemi invisible l'attaquait, Marie-Louise eut un brusque mouvement de recul sur sa chaise, dont les pattes grincèrent sur le plancher.

— Comment ça se fait que je l'ai vu? Je pensais qu'il y avait juste toi...

Un soupir expira sur les lèvres de Lauriane. Elle n'avait désormais plus le choix, elle devait faire preuve d'honnêteté envers son amie, au risque de l'effrayer et de l'éloigner de Côte-Blanche de façon irrémédiable.

— La situation a un peu changé ces derniers temps, avoua-t-elle, néanmoins investie d'une certaine retenue.

— Changé? Comment ça?

— Norah et moi, nous avons fait une séance d'écriture automatique.

— Une séance de quoi?

— D'écriture automatique. C'est une façon d'entrer en contact avec l'au-delà. Tu prends une plume et une feuille, puis tu laisses ta main se faire guider par l'entité avec laquelle tu veux communiquer.

— Hein? Tu veux dire que... c'est elle qui écrit vraiment... avec ta main?

— C'est difficile à décrire, mais c'est comme si elle en prenait possession, tu en perds la maîtrise et l'entité écrit à travers elle.

Marie-Louise grimaça avec dédain tout en secouant sa main.

— Brrrr! Ça doit être plutôt bizarre comme sensation. Et alors, qu'est-ce que cette âme errante a écrit?

— Rien de lisible, malheureusement, ce qui nous a amenées à penser que peut-être, de son vivant, c'était quelqu'un qui ne savait pas écrire.

— Ah bien oui, ce serait logique, mais dommage, puisque votre moyen de communiquer avec elle devient inefficace.

— Oui, à moins que l'entité n'ait pas pu prendre pleinement possession de ma main, comme l'a supposé Norah. En tout cas, depuis cette séance, les phénomènes surnaturels dans la maison sont plus fréquents.

Lauriane dressa à son amie le portrait des derniers événements. Ce qui venait de se produire le confirmait encore: la façon dont l'entité se manifestait avait changé, elle s'était intensifiée, au point que Lauriane n'était plus la seule à en être témoin désormais. Une expression de pure terreur décomposa les traits de Marie-Louise à l'entente de ces dernières confidences.

— Sainte bénite! Tu sais bien que j'arrive à entrer ici de peine et de misère, et seulement parce que tu y habites. Tant qu'il ne se passait rien d'étrange, ça allait, mais là, je vais mourir de peur! Je ne comprends pas comment tu fais pour vivre ici; moi, je me serais sauvée en courant depuis longtemps! Je ne supporterais pas de penser qu'un fantôme peut me frôler par-derrière n'importe quand...

Raide comme un piquet sur sa chaise, elle jeta un coup d'œil craintif par-dessus son épaule.

— Ne t'imagine pas que je n'ai pas peur, Loulou. Tu sais, il y a des moments où je me sauverais en courant, moi aussi. Mais ce n'est pas la bonne chose à faire. L'esprit qui hante la maison semble être tourmenté et en colère. Ce que j'aimerais, c'est communiquer avec lui pour savoir ce qu'il a à dire, essayer de savoir ce qui le retient ici-bas. S'il délivre enfin son message, peut-être qu'ensuite, il finira par partir et que Côte-Blanche retrouvera la paix.

— Mais peut-être qu'il ne veut pas partir. Qui que ce soit, cette âme erre dans la maison depuis des années. Son but est peut-être de chasser tous ceux qui y habitent.

Le son d'une course se fit entendre dans le hall. Une Ellen essoufflée, blanche comme du marbre, se matérialisa dans l'entrée de l'atelier.

— Madame! C'est... c'est... venez tout de suite!

Les deux amies échangèrent un regard intrigué. On aurait dit qu'Ellen avait vu un...

— Qu'est-ce qui se passe? s'enquit Lauriane en bondissant sur ses pieds.

La femme de charge la fixa d'un air épouvanté, pirouetta et repartit sans donner de réponse. Les jeunes femmes se lancèrent derrière elle. Ellen avait traversé le hall et s'engageait dans l'escalier principal. Au premier, Lauriane s'étonna de la voir prendre la direction de l'aile des invités. La bibliothèque s'imposa alors dans son esprit et y instaura un doute qui se vit incessamment confirmé par la vue des livres épars dans le couloir.

Ellen s'arrêta à proximité et braqua ses yeux apeurés sur sa maîtresse.

— Regardez... Madame... tous ces livres et...

Elle lorgna en direction de la porte ouverte de la bibliothèque, croisa les bras sur sa poitrine comme pour réprimer un frisson.

— Vous devriez… jeter un coup d'œil à l'intérieur, Madame… Bruce est là…

Redoutant ce qu'elle y verrait, Lauriane s'approcha du seuil avec hésitation et s'y figea. Marie-Louise, sur ses talons, eut un brusque hoquet de stupeur. Une main malfaisante avait de nouveau frappé l'endroit. Non seulement les livres avaient-ils tous été délogés des rayons, mais ils semblaient avoir été projetés au hasard avec violence. Debout au milieu de ce désordre, le majordome avait le teint aussi blafard que celui d'Ellen. Sa posture, naturellement droite, semblait empreinte d'une inhabituelle rigidité.

— Ça n'a pas de sens ! Qu'est-ce qui a pu se passer ici ? souffla Marie-Louise, estomaquée.

— Ces livres étaient par terre dans le couloir… déjà… à notre arrivée, Madame…, expliqua Ellen d'une voix saccadée. Il y a eu… ce bruit à l'intérieur…

Ses mots se coincèrent dans sa gorge alors que, visiblement, une vive émotion faisait marée haute en elle. Ce fut Bruce qui prit la parole à sa place :

— Un bruit s'est fait entendre, je suis donc entré et j'ai fait la découverte de ce fourbi qui m'a pour le moins sidéré. J'en étais à me demander qui avait pu faire ça lorsqu'il s'est soudain produit une chose absolument… renversante.

Sa tête poivre et sel se balança de gauche à droite, en appui à son incrédulité. Il coula ensuite un regard oblique à Ellen, demeurée dans le couloir. Il semblait hésitant, voire sous l'emprise d'un certain embarras.

— J'ai peine à croire à que je m'apprête à vous dire, mais c'est pourtant bien ce que j'ai vu. Quelques livres se trouvaient encore sur un rayon et c'est alors que, tout bonnement, ils ont été projetés à travers la pièce, comme ceci, indiqua-t-il en s'appuyant d'un grand mouvement de son bras levé en l'air. Je puis vous certifier que je les ai vus de mes yeux, Madame.

— C'est la vérité…, soutint Ellen. J'ai clairement entendu ces livres s'écraser sur le sol… alors que Bruce se trouvait juste sous mes yeux !

Lauriane tourna vers le majordome un visage empreint de compréhension.

— Je vous crois. Si vous me dites que c'est bien ce qui s'est passé, je vous crois sans réserve, Bruce. Vous n'auriez aucune raison d'inventer une chose pareille.

— Merci, Madame. Je ne suis d'ordinaire pas enclin à prêter foi à ce qui défie toute logique, mais je crois ce que je vois. Je ne peux ainsi nier ce que j'ai vu de mes yeux à l'instant et qui, dois-je le dire, me laisse totalement médusé et perplexe…

— En plus de ce qui s'est produit l'autre nuit… avec tous ces bruits…, ajouta la femme de charge, que l'incident avait visiblement marquée. Mais que se passe-t-il donc dans cette maison ?

Son regard anxieux pesa sur sa maîtresse, laquelle glissa un coup d'œil à Marie-Louise, qui avait retraité plus loin dans le couloir, l'air de vouloir prendre ses jambes à son cou. Lauriane reporta ensuite son attention sur Ellen, cherchant ses mots.

— Des phénomènes étranges surviennent au manoir depuis… un certain temps. Comme vous ne sembliez pas en avoir connaissance, Norah et moi ne voulions pas vous effrayer en vous en parlant. Mais dernièrement, ils se sont intensifiés et c'est devenu difficile de vous laisser dans l'ignorance. Je n'ai plus le choix aujourd'hui de vous dire la vérité. Le manoir est… habité par une âme errante.

Une exclamation étouffée échappa à Ellen, qui s'empressa de se signer en murmurant une prière. Bruce haussa quant à lui ses sourcils grisonnants.

— Voilà un autre fait notablement insensé, Madame. Nous n'avons, que Dieu m'entende, pas eu la douleur de perdre l'un des nôtres depuis notre arrivée.

— Nous avons de bonnes raisons de penser que ce n'est pas récent, Bruce.

Son teint maintenant d'une pâleur cadavérique, Ellen semblait sur le point de défaillir. Sa main, restée figée près de son épaule après son signe de croix, alla s'aplatir sur son sternum.

— Le manoir… hanté…

— Allons, ma chère, ayez l'obligeance de vous ressaisir, la pria Bruce en la rejoignant dans le couloir. Vous savez ce qui arrivera : vous ferez une poussée d'urticaire, ce qui serait fort ennuyeux puisque vous n'en avez plus refait depuis notre traversée en Amérique.

— Vous devriez l'emmener en bas boire une bonne tisane, lui recommanda Lauriane. Demandez à Leslie de vous préparer celle que je prends parfois avant d'aller me coucher, elle est très efficace pour se détendre.

— Excellente idée, Madame.

— Et s'il vous plaît, j'aimerais que vous restiez discrets sur ce qui s'est passé ici et sur ce dont nous venons de parler. Tant que ce sera possible, nous essaierons de garder les autres dans l'ignorance.

Bruce opina du chef.

— Bien sûr. Il s'agit là d'une information qui aurait tôt fait de semer la panique et l'émoi aux quatre coins du domaine, aussi la discrétion est-elle effectivement souhaitable, et nous nous y tiendrons, Madame.

De son bras, il dressa un rempart sécurisant autour des épaules tremblantes de sa femme. Mais avant de se laisser entraîner, celle-ci se tourna vers sa maîtresse.

— Il faut faire venir le curé... pour qu'il bénisse la maison, Madame. Quand une demeure est hantée par l'âme d'un défunt, c'est ce qu'il faut faire.

— Je crois qu'elle a raison, approuva Marie-Louise tandis que le couple s'éloignait. Tu devrais en parler à monsieur le curé. Les affaires d'âme, c'est son registre.

— Peut-être, mais pour l'instant, j'ai encore bon espoir que nous n'aurons pas besoin d'aller jusque-là.

Lauriane entreprit de ramasser les livres épars dans le couloir, aidée de son amie, qui se contentait cependant de les empiler, lui laissant la tâche d'aller les porter dans la pièce. Il n'y avait pourtant rien à redouter. Aucune présence ne se faisait sentir, ni vibrations hostiles, mis à part peut-être un résidu de la colère qui avait grondé quelques instants plus tôt et causé ce désordre.

Quand elles en eurent terminé avec les livres, Lauriane referma la porte et la verrouilla. Oui, Norah et elle devaient trouver le moyen de découvrir ce qui troublait tant cette âme errante. Et il devenait impératif de le faire avant que la situation ne dégénère davantage.

14

Dernier recours

Par une journée radieuse, un traîneau se présenta au manoir, lourdement chargé de grandes caisses de bois.

— Une livraison pour madame Lauriane Fedmore, annonça un homme au nez large et aplati, tout comme son front et ses pommettes, ce qui donnait l'impression que son visage avait rencontré un fer à repasser.

Une lettre accompagnait l'envoi, signée par Florence Fischer, la couturière qui avait confectionné la robe de mariée de la jeune femme. En guise de préambule, la femme faisait d'ailleurs allusion à la splendide création dont elle se disait très fière. Venait ensuite le vif du sujet : elle avait récemment eu de nouveau l'honneur d'être contactée par « ce charmant et séduisant monsieur Fedmore ». S'estimant satisfait de la qualité du travail accompli à l'automne précédent, d'autant plus appréciable qu'il avait été exécuté avec une contrainte de temps, il souhaitait encore une fois recourir à ses services. Non pas en tant que couturière, mais plutôt comme fournisseuse de matériel et conseillère.

Madame Fischer enchaînait avec des félicitations à l'intention de Lauriane pour la mise sur pied de son atelier.

Concernant la demande de William, la couturière n'avait pas hésité à l'accepter. Comme convenu, elle se faisait donc un plaisir d'expédier à sa « ravissante épouse » tout le nécessaire afin que celle-ci puisse se constituer une garde-robe complète. Suivant les recommandations de William et l'idée qu'elle s'était faite de la jeune femme quand elles s'étaient rencontrées, madame Fischer avait fait une sélection parmi ses plus récents modèles européens. Elle espérait qu'ils plaisent à Lauriane ; dans le cas contraire, elle serait ravie de lui en proposer d'autres.

Tandis que la jeune femme prenait connaissance de la lettre, les livreurs transportèrent les caisses vers l'atelier. Le tout accompli, la jeune femme leur offrit un généreux pourboire et leur proposa le gîte pour la nuit, mais William avait, semblait-il, déjà pris des dispositions, et des chambres les attendaient à l'auberge.

Ce fut avec un mélange d'incrédulité et d'excitation que Lauriane découvrit le contenu des caisses. Un éventail de patrons en papier s'accompagnait d'un catalogue illustrant chacun des modèles. Si la jeune femme nota d'emblée que la magnificence primait parmi ceux-ci, elle fut agréablement surprise de constater que leur sélection s'était faite dans le respect de ses goûts et de sa personnalité. Rien de trop flamboyant ni de trop fastueux, bref, rien qu'elle serait mal à l'aise de porter, bien que même la robe la plus simple surpasse largement la plus belle qu'elle ait jamais possédée. William ne voulait apparemment pas que sa femme lui fasse honte.

Chacune venait avec ses propres accessoires : chaussures, réticules, chapeau. Il y avait également une variété de modèles pour des manteaux, des capes, des châles, etc. Et pour confectionner toutes ces merveilles, des rouleaux de tissu, des mètres et des mètres de satin, de brocart, de mousseline, de tarlatane, de dentelle, de fourrures, de moire de soie et de toute une gamme d'autres étoffes.

De plus, quand Florence Fischer disait tout le nécessaire, c'était *tout le nécessaire* : du fil de toutes les couleurs, chacun en quantité industrielle, du ruban, des boutons de multiples grosseurs et styles, des ornements divers, des perles, des agrafes et des brides, ainsi qu'un nécessaire de couture flambant neuf.

Lauriane sortit de l'inspection des caisses avec le tournis, et essoufflée psychologiquement. Pendant que Norah et madame Nolet butinaient autour du matériel comme deux abeilles, la jeune femme s'échoua sur une chaise, bouche bée.

✳ ✳ ✳

Zigzagant comme des poissons à travers la flore aquatique, les deux femmes tentaient de se frayer un chemin parmi les livres épars sur le plancher. Elles se penchaient pour en ramasser et les écarter de leur passage, refermaient ceux qui étaient ouverts, dépliaient les pages malmenées. Elles dégagèrent la petite table de ceux qui l'encombraient afin de pouvoir l'utiliser. Le soleil brillait depuis le matin et aidait à réchauffer l'endroit qu'aucun feu de cheminée n'animait. Un châle épais était cependant indispensable.

Lauriane avait exprimé à la vieille dame son souhait de refaire l'expérience de l'écriture automatique et avait insisté pour que la séance ait lieu dans la bibliothèque. Son intuition la gouvernait, elle sentait que c'était la voie à suivre. Le doute qui planait au sujet de la capacité à écrire de l'entité se devait d'être éclairci afin de les orienter, à l'avenir, dans leur façon d'entrer en contact avec elle.

La chandelle allumée, papier et plume prêts, elles posèrent leurs mains à plat sur la table avant de fermer les yeux.

— Esprit de ce manoir, es-tu là ? questionna Lauriane d'une voix neutre.

Elle patienta un peu, puis renouvela sa question à deux reprises en maîtrisant son débit, qu'elle voulait lent et assuré. Lorsque des ombres rougeâtres commencèrent à danser sur la membrane de ses paupières, elle devina que la flamme de la chandelle grandissait. En même temps, des frissons se mirent à courir sur sa peau, dont les poils se dressèrent au garde-à-vous. On aurait dit que son corps se mettait ainsi en mode défense, tel un porc-épic armé de piquants pour décourager les prédateurs.

— Le sentez-vous ? demanda-t-elle à Norah dans un murmure.

— Quoi donc ?

— Quelque chose nous entoure, c'est tout près de nous et c'est... si chargé... si morne que j'ai l'impression que toute la pièce va se décolorer, comme sur une photographie, et que ça va nous atteindre, s'infiltrer à l'intérieur de nous.

Tellement que Lauriane sentit une boule se former dans sa gorge et une enclume lui appesantir le cœur. C'était poignant, accablant de morosité. Tout lui paraissait tout à coup d'un terne criant, sans mesure.

Norah ouvrit les yeux, les promena autour d'elles.

— Je n'en suis pas certaine, mais je crois sentir quelque chose. C'est très subtil. L'atmosphère a changé par rapport à tout à l'heure, elle s'est en effet alourdie.

Lauriane plaça la feuille devant elle, cueillit la plume dans l'encrier et se positionna pour écrire, paupières baissées.

— Esprit de ce manoir, nous voulons savoir ce que tu as à dire et que tu tais depuis tellement longtemps. Livre ton message par ma main, si tu le peux.

Presque aussitôt, celle-ci fut prise d'un fourmillement qui se mua en effet d'engourdissement. La jeune femme se sentit en perdre la maîtrise totale au profit d'une volonté étrangère qui commença à faire glisser la pointe de la plume sur le papier.

D'abord lent et harmonieux, coulant tel un ruisseau paresseux, le mouvement s'accéléra d'un coup, au point de devenir désordonné, brusque et saccadé. Dans la pièce, des objets se mirent à trembler dans un faible bruit de cognement, comme si un séisme les y obligeait. Lauriane rouvrit les yeux et rencontra ceux de Norah, fixes et concentrés malgré tout.

Tandis que, sur la feuille, la plume continuait de se mouvoir, une force invisible souleva les livres un à un et les envoya virevolter en l'air telle une envolée de pigeons du toit d'une grange. Cette fois, la vieille dame réagit et courba l'échine par peur de se voir frappée par l'un d'eux. À ce moment, une intense sensation de brûlure déchira les phalanges de Lauriane. Ses traits convulsés en une grimace de souffrance, elle résista à une instinctive envie de retirer sa main de la table pour mettre fin à son supplice. Ce qui se passait en cet instant avait trop d'importance, elle irait jusqu'au bout, coûte que coûte.

Les livres, continuant d'être projetés en l'air les uns après les autres, s'ébattaient toujours comme des oiseaux dans un assourdissant bruissement de papier. Puis, d'un seul coup, ils cessèrent de s'animer et allèrent s'écraser sur le parquet avec fracas. Soulagée, Lauriane sentit la douleur s'estomper dans ses doigts, à présent immobiles.

— J'ai cru que nous finirions par être blessées, dit Norah, qui anhélait légèrement.

— Moi aussi…

La vieille dame porta son attention sur la feuille.

— Il semble s'être écrit quelque chose cette fois?

En effet, un début de mot était apparu. Il commençait dans une écriture claire et élégante, et se terminait dans un long gribouillage. La belle écriture réapparaissait ensuite, formant le même mot qui s'interrompait de nouveau et s'achevait cette fois par une ligne continue.

Lauriane fit pivoter la feuille, laissant la vieille dame s'y pencher pour l'étudier en plissant les yeux derrière ses lunettes.

— J… o… h… et la quatrième lettre… hum… elle est incomplète… On dirait un n. Oui, je crois qu'il s'agit d'un n, ce qui ferait « John ». Voyez.

À son tour, elle fit pivoter la feuille pour que la jeune femme l'examine.

— Je trouve aussi que ça ressemble à un n. John… Est-ce qu'il aurait écrit… son prénom?

— Sans en être sûres, nous pouvons en présumer. Le cas échéant, cette pauvre âme serait donc celle d'un homme.

John. Un homme. Lauriane réfléchit. Peut-être était-ce celui que Ryder et Harrison avaient vu alors qu'elle leur lisait une histoire dans le salon? Un espoir nouveau, mêlé de fébrilité, bourgeonna en elle. Il se pourrait bien que ce prénom puisse les aider à savoir qui était cet homme, ainsi que ce qui lui était arrivé. Et pourquoi pas éventuellement leur permettre de découvrir la raison pour laquelle il restait au manoir?

— Norah, est-ce que par hasard ce prénom vous dirait quelque chose?

— Hélas non! Je n'ai jamais eu connaissance d'un John chez les Fedmore. Il pourrait s'agir de n'importe qui en y songeant. Un ami de la famille venu séjourner au manoir, un membre de la… domesticité…

Elle avait hésité sur le dernier mot, fixant la feuille d'un air incertain.

— L'écriture est claire, trouvez-vous, mon enfant? Elle est très différente de celle que nous avons vue la dernière fois.

— C'est vrai, les lettres sont bien formées, c'est une belle main d'écriture. Ce qui nous confirme qu'il n'est pas illettré. Je vais vous avouer qu'avec la découverte de la toupie, il m'était même venu à l'idée que le gribouillis de l'autre jour puisse être celui d'un enfant. Mais ce n'était qu'une fausse piste. Il semble bel et bien s'agir d'un homme, et qui sait très bien écrire, en plus.

— Ceci témoignant d'un rang social assez élevé, à mon avis. La domesticité serait donc à éliminer.

— C'est dommage qu'il n'en ait pas écrit plus long. On dirait que c'était difficile pour lui. Il a commencé par écrire « Jo », puis il s'est arrêté. Ensuite, il a réessayé, ce qui a donné « John », mais le n n'est pas terminé. C'est d'ailleurs ce qui m'a d'abord fait penser qu'il avait juste écrit un début de mot. Il s'est encore interrompu. Je ne sais pas, j'ai l'impression que quelque chose n'allait pas.

Norah secoua la tête d'incompréhension.

— En ce domaine, tout nous est ambigu. Il apparaît évident que la maîtrise de votre main lui pose problème. La preuve en est que la première fois, son écriture était illisible et même aujourd'hui, ce ne fut non sans difficulté, bien que le résultat soit meilleur.

— Est-ce que ça pourrait venir de moi ? Je ne m'abandonne pas assez, en quelque sorte ?

— Peut-être bien, répondit la vieille dame, qui semblait ne pas avoir envisagé cette possibilité. Cela pourrait également venir de l'entité, un manque d'énergie, par exemple. Qu'en savons-nous ? Mais, au moins, nous progressons. Nous pourrions éventuellement tenter de refaire une séance afin de lui donner l'occasion d'en écrire plus long, son nom de famille, peut-être.

La jeune femme laissa errer son regard sur le prénom inscrit sur la feuille. À ce rythme, il leur faudrait refaire plusieurs séances pour en arriver à obtenir davantage d'informations. Aussi bien, dans ce cas, prendre certaines dispositions. Elle demanda à Bruce, un peu plus tard, de l'aider à vider la pièce de tous les livres, par sécurité, mais également parce qu'elle en avait assez de les voir se faire malmener. Le mobilier se vit subir le même sort, sauf pour la petite table et les deux chaises.

Continuer à pratiquer des séances d'écriture automatique fut cependant bientôt remis en question, car les contrecoups ne tardèrent pas à se manifester. À quelques reprises, Lauriane éprouva l'impression peu rassurante d'être suivie lorsqu'elle se déplaçait dans la maison. Une sensation d'essoufflement l'accompagnait souvent, l'air semblant se raréfier. Il lui arriva également d'entendre, près de son oreille, une respiration qui lui glaça le sang.

Elle se crut, de prime abord, seule à vivre ce genre d'expérience. Un matin, alors qu'elle travaillait à l'atelier, elle commença à entendre des chuchotements. Jetant un coup d'œil à Norah, madame Nolet et madame Paré, également présentes, Lauriane comprit non seulement qu'ils ne venaient pas d'elles, mais qu'ils ne semblaient pas non plus cheminer jusqu'à leurs oreilles. Ils se mêlaient en effet au bruit des machines et des conversations sans que personne n'ait la moindre réaction.

À une autre occasion encore, toujours à l'atelier, des tisons s'échappèrent de l'âtre et enflammèrent la couverture à laquelle Norah œuvrait. Un cri d'avertissement au bord des lèvres, Lauriane la vit, contre toute attente, saisir la partie en feu et commencer à faire une couture. Médusée, la jeune femme regarda les flammes prendre d'assaut les manches en dentelle puis se propager au corsage. Le visage dans la fumée, la robe en combustion, la vieille dame continuait de coudre comme si de rien n'était. L'hallucination ne dura qu'un instant, mais Lauriane se sentit tout de même bouleversée de voir ainsi Norah brûler vive...

Malheureusement, qu'elle le veuille ou non, l'inévitable vint, ce moment où elle constata encore une fois que les phénomènes surnaturels ne lui réservaient plus l'exclusivité. Norah fut la première à lui rapporter quelques faits, tels des objets soudainement pourvus de mobilité, des courants d'air froid et des fluctuations anormales de certaines flammes. Puis, ce fut au tour des domestiques, ce qui navra la jeune femme, elle qui avait tant souhaité pouvoir les tenir à l'écart.

Les premiers échos vinrent de Lindsay, qui n'hésita pas à se confier à elle. Lorsque Lauriane avait été retrouvée endormie dans le manoir à l'arrivée des employés l'été dernier, ses propos décousus avaient beaucoup fait jaser. Certains avaient entamé leur nouvelle vie à Côte-Blanche remplis de doutes et vécu les premiers mois dans la crainte qu'il se produise des phénomènes étranges. Lauriane ignorait en outre que les rumeurs à propos du manoir avaient fini par se rendre jusqu'à eux. Maintenant qu'elle le savait, elle se trouvait bien sotte de ne pas avoir pensé que ce serait inévitable.

Pour Lindsay, Lauriane s'avérait ainsi être la meilleure personne à qui livrer des confidences. La jeune servante lui raconta notamment qu'un soir, alors qu'elle achevait de préparer le bain de sa maîtresse, l'eau s'était mise à faire des bulles qui s'étaient transformées en gros bouillons, comme si un feu énergique se trouvait en dessous. L'incident l'avait si bien effrayée qu'elle s'était enfuie à toutes jambes, pour finir par revenir, ramenée à l'ordre par son devoir. L'eau ne bouillait plus, mais par précaution, Lindsay y avait versé quelques seaux d'eau froide. Lauriane, pour dédramatiser, la taquina, affirmant se souvenir en effet d'une fois où elle avait trouvé son bain particulièrement tiède.

Eu égard à l'ouverture d'esprit dont sa maîtresse faisait preuve, Lindsay lui parlait en toute confiance. Lauriane put ainsi se tenir au fait des expériences que vivaient leurs gens. Face à l'étrange et à l'inexplicable, la peur prenait du terrain ; on ne savait que penser, et la jeune femme n'eut d'autre choix que de jouer la carte de l'honnêteté. Elle tâcha de le faire avec mesure et délicatesse, et tenta de se montrer rassurante en affirmant qu'elle travaillait, conjointement avec Norah, à rétablir le calme au manoir.

En regard de tout cela, Lauriane subissait les affres de la culpabilité. Elle se sentait en grande partie responsable de cette situation, puisqu'il apparaissait que celle-ci avait un lien direct avec les séances d'écriture. Le moyen par lequel elle espérait pouvoir l'améliorer avait une contrepartie tristement paradoxale, dans la mesure où il contribuait aussi à la faire empirer.

L'agitation au manoir semblait vouloir se prolonger. Jour après jour, le quotidien se voyait troublé par diverses manifestations : des portes qui s'ouvraient ou se refermaient toutes seules, des grattements derrière les murs, des bruits de pas inexpliqués. Cela finit par convaincre Lauriane qu'il valait mieux ne plus faire venir Ryder et Harrison. Elle soupçonnait les enfants d'être plus réceptifs que les adultes à ce genre de phénomène et ne voulait pas les exposer à des expériences risquant de les traumatiser. Par cette décision, elle s'exposa au défi de devoir trouver mille prétextes pour les tenir à l'écart. La neige fut son principal allié et elle multiplia les occasions de jouer avec eux dehors.

Malheureusement, un autre objet de préoccupation vint bientôt s'ajouter : l'atelier n'était pas épargné. Jusqu'à maintenant, la chance avait fait en sorte que la plupart du temps, seule Norah ou Marie-Louise se trouvait sur place lorsqu'un fait étrange survenait. Et si par hasard quelqu'un d'autre était présent, le phénomène passait heureusement inaperçu. Toutefois, Lauriane devenait chaque jour plus inquiète de recevoir des bénévoles à l'atelier. Tôt ou tard, quelqu'un s'apercevrait de quelque chose. Ne voulant pas attendre que cela arrive, elle avoua à Norah jongler avec l'idée de suspendre leurs activités.

Quelques jours seulement après avoir fait cette confidence, un événement décisif survint. Lauriane se trouvait seule avec madame Nolet, occupée à faire du repassage. Tout se déroulait normalement, jusqu'à ce que cette dernière aille troquer son fer refroidi contre un autre qui chauffait dans l'âtre sur le pose-fer sans cendres. Il y eut d'abord une odeur de brûlé, suivie d'une exclamation étouffée.

— Ça ne va pas, Madame Nolet? s'enquit aussitôt Lauriane, alarmée.

La mine contrite, la femme lui fit découvrir la marque brunâtre sur le vêtement qu'elle repassait.

— Je suis vraiment, mais vraiment désolée!

— Mais non, ce n'est rien, ne vous en faites surtout pas, assura Lauriane avec dans la voix une note de légèreté destinée à l'apaiser. Après tout, nous sommes dans un atelier de couture, et remplacer la pièce endommagée sera une affaire de rien.

Visiblement soulagée par cette réaction optimiste, madame Nolet reprit contenance. Par prudence, elle patienta, le temps que le fer se refroidisse un peu, avant de se remettre à l'œuvre.

Croyant que l'incident était clos, Lauriane tressaillit en entendant un nouveau cri, accompagné d'une piquante odeur de calciné. Cette fois, une petite fumée se dégageait du tissu perforé et noirci par la brûlure. La jeune femme dut redoubler d'efforts pour parvenir à rassurer et à calmer sa compagne, qui hurlait son incompréhension et se martelait de reproches comme une bigorne sur une peau d'animal. Madame Nolet laissa définitivement de côté le fer destructeur qu'elle remplaça par un autre mis à chauffer depuis peu de temps, ce malgré l'utilisation restreinte qu'il permettrait.

Cette tactique n'empêcha toutefois pas le scénario catastrophique de se reproduire. La brûlure, pas moins intense, atteignit même le drap de coton qui recouvrait la table. Rien de ce que Lauriane put dire par la suite ne suffit à déculpabiliser la malheureuse femme, confuse à un point tel que les mots d'excuse lui manquaient. Appelant sur elle tous les maux de la Terre, elle laissa tout en plan et déserta l'atelier en grommelant. Les deux fers abandonnés étaient maintenant aussi écarlates que s'ils se trouvaient en plein feu. Si bien absorbée par son indignation et sa culpabilité, madame Nolet n'avait pas même songé à s'étonner du fait que les fers soient beaucoup plus brûlants que la normale, fort heureusement pour Lauriane…

Ce fut la goutte de trop dans le vase, contraignant la jeune femme à prendre la décision qui s'imposait. Il lui fallait toutefois la justifier. Elle inventa donc qu'il y avait eu un éboulis de pierres dans la cheminée et que, ne pouvant plus être chauffé, l'atelier fermait ses portes pour une durée indéterminée. Madame Nolet et madame Paré en furent fort désappointées, mais certainement pas autant que Lauriane. Rien ne l'empêchait de continuer d'y travailler avec Norah et Marie-Louise : le projet n'était pas complètement suspendu et d'ailleurs, elle n'aurait pas accepté qu'il le soit. N'empêche qu'il venait de connaître un sérieux ralentissement, «John» ayant chassé une partie des gens de l'atelier.

«Son but est peut-être de chasser tous ceux qui y habitent.» Marie-Louise avait-elle raison? Voulait-il les chasser comme il l'avait fait avec les anciens occupants? Toutes ses manifestations seraient une façon d'exprimer sa colère et sa volonté de tous les voir déguerpir afin de s'approprier le manoir? Bien sûr, rien n'était certain. Peut-être avait-il un tout autre message à transmettre et qu'il cherchait désespérément à le leur faire comprendre, mais sans succès, ce qui moussait sa frustration et provoquait d'autant la violence de certains incidents. Ou encore, peut-être n'acceptait-il tout simplement pas le fait d'être décédé et, par conséquent, il refusait de quitter ce monde.

Mais quelle qu'en soit la raison, le résultat demeurait le même : Côte-Blanche voyait de nouveau les vivants le déserter.

✻ ✻ ✻

La nuit avait fait prendre aux fenêtres une nuance d'ébène, d'autant plus opaque qu'une épaisse couche de nuages ensevelissait la lune. Cantonnée dehors, l'obscurité se moulait étroitement contre les carreaux. Elle semblait vouloir couler sa sombre robe à l'intérieur de la maison pour se marier à l'ambiance oppressante que les passages secrets exhalaient et diffusaient jusque dans les moindres recoins.

Bras repliés sur son corps, aux prises avec un vague sentiment d'inconfort qui ne l'avait pas lâchée de toute la soirée,

Lauriane fila hors de l'atelier. Elle rencontra Ellen dans le hall et lui trouva un air préoccupé.

— Madame, j'ai une faveur à vous demander. Les filles entendent des bruits au plafond de leur chambre. Bruce est monté au grenier vérifier, mais elles sont terrifiées. Elles aimeraient que vous les autorisiez à passer la nuit au rez-de-chaussée.

Un pli soucieux barra le front de la jeune femme.

— Je comprends, elles peuvent bien sûr dormir ailleurs si elles ont trop peur. Il y a plusieurs chambres d'amis au premier où elles pourraient s'installer.

— J'ai pris l'initiative de le leur proposer, Madame, mais cet étage les effraie encore plus que leur chambre.

— Ah... Le problème, c'est qu'il n'y a pas de chambre au rez-de-chaussée.

Le visage maigre de la femme de charge se modela en une expression apitoyée. Ses doigts s'entrecroisèrent devant elle. N'était-ce qu'une illusion ou essayait-elle de les empêcher de trembler ?

— Les petites sont si terrorisées qu'elles sont prêtes à passer la nuit n'importe où, Madame.

— Hum... alors... Qu'est-ce qu'elles diraient du salon ? proposa Lauriane, navrée que la situation dégénère au point d'obliger les jeunes servantes à abandonner ainsi leur chambre.

— Je crois que cela leur conviendrait bien, Madame.

— Dans ce cas, dites-leur qu'elles peuvent s'y installer.

— Bien. Je vous remercie, Madame, dit Ellen avant de s'éloigner promptement.

Sa curiosité titillée par cette histoire de bruits au plafond, Lauriane prit de ce pas le chemin du grenier. Il y faisait froid et une atmosphère lugubre planait. Les meubles et objets recouverts de housses blanches ressemblaient à des statues d'albâtre à travers l'obscurité. Hormis celle de sa propre bougie, elle ne voyait aucune lumière.

— Bruce?

Sa voix n'avait été guère plus qu'un murmure, comme si le fait de parler avait été une insulte pour les occupants inanimés, abîmés dans une méditation silencieuse. À pas feutrés, elle se déplaça, à la recherche du majordome. Le vent prenait d'assaut les corniches, faisant naître une multitude de craquements peu rassurants.

La porte menant à une autre aile du grenier était entrouverte et enfin, Lauriane crut y apercevoir une lueur.

— Bruce?

Rassurée d'entendre répondre une voix étouffée, elle poussa le battant, et le majordome parut dans le halo doré de sa lampe.

— Ah… c'est vous, Madame.

— Ellen m'a raconté pour les bruits au plafond des chambres. Avez-vous trouvé quelque chose?

— Du tout, Madame. Point d'objets tombés ou déplacés, vraiment rien de rien. Pourtant, nous sommes ici à peu près au-dessus des chambres des filles.

Bruce porta son attention sur le plancher, l'air d'espérer y trouver la réponse qu'il cherchait, là, gravée dans les lames de bois.

— Ce qui ne signifie pas que je remette pour autant leur parole en doute, Madame, ajouta-t-il. Non, je les crois. J'ai moi-même entendu certains bruits inusités dernièrement et je n'oublie pas ce que j'ai vu l'autre jour dans la bibliothèque.

— J'aurais quand même voulu éviter que vous viviez ces effrayantes expériences, soupira Lauriane.

Le regard de Bruce se leva vers elle, l'enveloppant de sa bienveillance.

— Sachez, Madame, que je considère à présent d'une tout autre façon le discours que vous avez tenu le matin où nous vous avons découverte dans le manoir. Tous, autant que nous sommes, avons été témoins dernièrement de phénomènes étranges et aucun n'a pourtant reçu de choc à la tête, conclut-il en étirant un sourire en coin.

— Vous n'aviez aucune raison de me croire à ce moment-là. Moi non plus, je ne me serais pas crue à votre place. Même que je me serais sûrement traitée de fouineuse ou de voleuse ! Ce que vous, vous n'avez pas fait. Vous avez été plein de sollicitude et de gentillesse, et je l'ai vraiment beaucoup apprécié.

— Vous nous inspiriez confiance, Madame. Nous avons cru en la sincérité qui émanait de vous et nous découvrons aujourd'hui que non seulement cela s'est avéré judicieux, mais que les délires dont nous vous pensions la victime étaient en vérité bien réels. Cela vaut mieux que de porter le regret d'injustes accusations à votre égard, n'est-ce pas ?

Sur quoi, le majordome se mit à observer autour de lui.

— En ce qui concerne ces bruits, je vais malgré tout continuer à inspecter les lieux, ne serait-ce que pour rassurer nos demoiselles en bas.

— Je vais justement aller voir comment elles vont ; elles s'installent au salon pour la nuit.

— C'est bien, cela les calmera et elles pourront peut-être dormir.

Pas mécontente de quitter cet endroit glacial, Lauriane s'empressa de regagner le rez-de-chaussée. Le salon avait commencé à se transformer en dortoir temporaire, on y avait acheminé des couvertures et des oreillers. Ellen tentait de se faire rassurante auprès de sa fille Berthe, recroquevillée sur un canapé. En voyant la mine pâle et anxieuse de la servante, Lauriane se réjouit de pouvoir leur offrir ce brin de réconfort, à elle et à Lindsay, qui n'était pas encore arrivée. Passer la nuit dans une chambre pleine de bruits étranges pouvait s'avérer assez angoissant. Lauriane elle-même redoutait parfois de se retrouver seule dans la sienne le soir venu. Même Norah lui avait confié se sentir inquiète par moment. Sur le ton de la plaisanterie, elles s'étaient dit que le mieux serait de partager la même chambre. L'idée les avait fait rire, bien qu'elle contienne un certain fond de vérité.

S'accrochant dans le visage un sourire engageant, Lauriane s'avança à l'intérieur de la pièce.

— Je bois parfois une tisane avant d'aller me coucher, ça me détend et ça m'aide à dormir. Aimerais-tu en prendre une avec moi ? proposa-t-elle à la jeune servante.

— Oui, j'aimerais bien, s'il vous plaît, Madame.

Berthe avait dix-neuf ans, soit deux de plus que Lindsay. Ellen et Bruce avaient également un garçon de vingt et un ans qui était employé à l'écurie. Leurs deux autres fils, plus âgés et mariés, étaient quant à eux restés en Angleterre.

— Je vais tout de suite préparer vos tisanes, annonça Ellen.

Mais Lauriane la freina d'un geste.

— Laissez, je m'en occupe. J'allais m'en préparer une de toute façon, alors ce n'est rien d'en infuser deux.

Elle n'avait pas encore esquissé un pas qu'un brusque courant d'air traversa la pièce, faisant mourir une à une les flammes des bougies et des lampes, jusqu'au feu dans l'âtre qui s'éteignit. La tombée d'un rideau obscur fut accueillie par le cri d'épouvante de Berthe, suivi de la voix tremblante d'Ellen, qui tentait de l'apaiser. Tâchant de maîtriser sa propre tension qui menaçait de grimper en flèche, Lauriane se dirigea à tâtons vers la console où elle avait posé son bougeoir. Elle ouvrit le tiroir et y pêcha un briquet à amadou. Ce fut toutefois sans grande surprise qu'elle échoua à embraser l'étoupe.

Un cri aigu, assez éloigné, la fit soudain tressaillir.

— *Oh God!* Leslie... C'est Leslie! devina Ellen. Elle est à la cuisine, je suis certaine que c'est elle!

— Je vais la voir, restez ici avec Berthe.

— Non! s'écria aussitôt celle-ci. Je ne veux pas rester ici, j'ai trop peur!

De nouveau, la voix de sa mère se fit entendre, cherchant à la rassurer, mais elle portait elle-même des accents d'angoisse, si bien que la jeune fille continua à protester.

— Berthe, intervint Lauriane. Je sais que tu as peur, mais je ne vois pas de lumière venir du hall, c'est plus prudent de rester ici.

— Mais on n'a qu'à rallumer les lampes!

Lauriane fit une nouvelle tentative avec le briquet, en vain.

— C'est impossible pour l'instant...

Elle se déplaça. Ses yeux cherchaient à percer les ténèbres qui se faisaient denses. Ses mains, de même que le bruit des respirations fortes et irrégulières de Berthe et Ellen, lui servaient de guides. Elle finit par atteindre le canapé.

— Tendez la main, Ellen, s'il vous plaît.

De la sienne, elle fouilla le vide, rencontra celle, tremblante, de la femme de charge et y déposa le briquet.

— Tenez, continuez à essayer de l'allumer, je suis sûre que vous finirez par y arriver. Moi, je vais à la cuisine voir Leslie.

À l'aveuglette, Lauriane quitta le salon et chemina à travers le hall, cherchant à se guider sur la mémoire qu'elle avait de l'emplacement des objets. La nuit avait en fin de compte réussi à se glisser à l'intérieur du manoir…

À l'approche de la cuisine, la jeune femme capta le son de plaintes étouffées.

— Leslie ? Est-ce que ça va ?

La pièce baignait également dans le noir, mais la vue de Lauriane, qui avait eu le temps de s'ajuster, lui permit de déceler la blancheur d'un tablier.

— Oui… je suis désolée…, geignit la cuisinière. Quand tout s'est éteint, je ne voyais plus rien ; j'ai voulu avancer à tâtons, idiote que je suis, et j'ai posé la main sur le poêle.

— Vous vous êtes brûlée ?

— Un peu… Je ne pense pas que ce soit grave, mais c'est douloureux. Où êtes-vous ? Je ne vous vois pas et je ne trouve pas de quoi rallumer ma lampe.

Lauriane s'avança, la main tendue.

— Je me dirige vers vous.

Dès qu'elle la toucha, Leslie s'accrocha solidement à son bras.

— Venez, je vous emmène au salon. Ellen y est avec Berthe.

— Voulez-vous bien me dire ce qui s'est passé ? Tout est devenu noir, même le feu dans le poêle s'est éteint. Juste après que je m'y sois brûlée, il s'est refroidi en le temps de le dire. Il ne dégage plus aucune chaleur !

— Il s'est passé la même chose au salon, le foyer s'est éteint lui aussi. Je crois que c'est pareil dans toute la maison.

Progressivement, elles atteignirent le hall, pour finalement rejoindre les autres. La lumière brillait toujours par son absence et sans la chaleur du foyer, la pièce commençait déjà à se rafraîchir.

La voix inquiète d'Ellen s'éleva du canapé où se voyaient deux silhouettes.

— Qu'est-il arrivé, Leslie ? Est-ce que ça va ?

— Je me suis juste brûlée sur le poêle.

— J'ai un onguent fait avec de la graisse de lard qui vous soulagera, je vais aller vous le chercher, lui dit Lauriane en la conduisant prudemment jusqu'à un fauteuil.

— Y pensez-vous, Madame ! protesta Ellen, dont la jeune femme imagina assez bien l'air désapprobateur. Monter à l'étage dans ces conditions, vous pourriez faire une chute !

— Où est Lindsay ? demanda Berthe. Si elle est toute seule, elle doit être terrifiée... Et madame Norah, je l'ai laissée dans sa chambre tout à l'heure, elle était sur le point de se coucher ! Et papa, lui, ou peut-il être ?

La peur modulait sa voix, elle semblait complètement affolée.

— Écoutez, voici ce que je vais faire, commença Lauriane avec un calme affecté. Je vais monter chercher l'onguent pour Leslie ; je me débrouille bien dans le noir, je ferai très attention. En même temps, je tâcherai de retrouver Lindsay et je passerai ensuite voir Norah. Pour ce qui est de

Bruce, je l'ai vu au grenier tout à l'heure et je suis sûre qu'il va bien. Il vous rejoindra probablement sous peu, je lui ai dit que vous étiez ici.

Leur faisant promettre à toutes de demeurer au salon par mesure de sécurité, elle quitta ensuite la pièce et s'engagea dans l'escalier. Appuyée à la rampe, elle gravit les degrés en prenant son temps, ne souhaitant nullement perdre pied et refaire un plongeon jusqu'en bas.

Au premier étage, Lauriane eut l'impression de s'enfoncer dans le néant. Son pouls s'emballa quand des claquements commencèrent à se faire entendre de part et d'autre d'elle. Des objets s'affaissaient sur le sol. Se rappelant les nombreuses peintures qui ornaient les murs, elle subodora que ce devait être elles qui se décrochaient les unes après les autres. Elle jugea plus prudent de rester au centre du corridor, du moins dans la mesure du possible puisqu'elle n'y voyait pas grand-chose.

À l'approche de sa chambre, des pleurs mêlés à des cris apeurés la mirent en alerte. Elle franchit les derniers mètres d'un pas aussi rapide que possible, grommelant contre cette obscurité qui lui faisait obstacle. Dès qu'elle eût franchi le seuil de sa chambre, elle s'arrêta pour tendre l'oreille. Forts et soutenus, les pleurs s'élevaient de quelque part au fond de la pièce.

— Lindsay ? C'est moi. Est-ce que tout va bien ?

Probablement trop engloutie dans sa terreur, la servante ne répondit pas. Se laissant diriger par les sons, Lauriane progressa dans la chambre et finit par repérer Lindsay, tapie derrière le paravent. Au passage, sa jambe heurta une chaise tombée juste à côté. Voilà sans doute ce qui avait effrayé la jeune fille. Par chance, elle n'était pas blessée, put apprendre Lauriane lorsqu'elle la pressa de lui parler. La malheureuse tremblait comme une feuille et ce ne fut pas facile de la convaincre de bouger, mais elle finit par déplier son corps crispé et se laissa entraîner.

Elles atteignaient la sortie quand la porte se referma dans un infernal claquement qui les fit violemment sursauter. Elle refusa par la suite de céder à leurs efforts pour la rouvrir. Lindsay y abattit ses poings en poussant des cris hystériques. À ce moment, de l'autre côté de la pièce, les battants de la fenêtre cédèrent et s'ouvrirent en grand, allant donner durement contre le mur. Dépourvue de cette protection, la chambre subit l'assaut du vent glacé qui sifflait dehors et la température ambiante chuta de plusieurs degrés en quelques secondes à peine.

Lauriane arracha une couverture du lit pour la donner à Lindsay puis s'enroula à son tour dans une autre. Elle se précipita ensuite sur la fenêtre, où les rideaux voletaient en tous sens, mais lorsqu'elle se saisit des battants, ils opposèrent une résistance qui l'empêcha de les refermer. Une force invisible, bien plus puissante qu'elle, semblait les retenir. Les doigts gourds, le visage mordu par le froid, elle abandonna et s'emmitoufla dans sa couverture.

Une brusque rafale souffla, l'incitant à s'éloigner de la fenêtre. Un fracas de porcelaine à ses pieds la fit presque tomber en syncope. Le souffle court, elle songea avec regret à son broc à eau. Les dégâts se poursuivirent avec la chute d'autres objets ailleurs dans la chambre. Lauriane arrondit les yeux de stupeur lorsque quelque chose d'assez grande dimension lui frôla la tête, suivi d'un bruit d'impact brutal contre un mur. Bien qu'elle ne voyait presque rien, elle avait vaguement cru apercevoir le contour de quatre pattes et d'un dossier. Elle déglutit. Une chaise… une chaise avait failli l'assommer ! Mieux valait sortir de cette chambre sans tarder avant qu'un accident se produise.

La tête rentrée dans les épaules, craignant à tout moment d'être heurtée par un objet, elle se dirigea vers Lindsay, mais son parcours fut interrompu par son coffre d'espérance, qui quitta le bout de son lit dans une glissade pour venir lui barrer le chemin. La jeune femme buta dessus de plein fouet et dut prendre appui sur le couvercle rebondi afin de ne pas carrément l'enjamber de son corps en perdant l'équilibre. Alertée par le cri qui lui avait échappé, Lindsay se mit à paniquer.

— Madame ! Madame !

— Ça va Lindsay, je n'ai rien.

La servante s'agitait, ses pieds martelaient nerveusement le sol devant la porte.

— Ce n'est pas le vent qui fait ça ! Ce n'est pas le vent ! Cette chose est ici avec nous, celle qui faisait du bruit au plafond de nos chambres est ici avec nous… Je veux sortir, je veux sortir ! hurla-t-elle en recommençant à marteler le battant de ses poings.

Lauriane sonda l'obscurité autour. Effectivement, « John » se trouvait dans la pièce : elle sentait sa présence sombre et hostile. C'était lui qui avait laissé le vent entrer, qui les gardait enfermées en retenant la porte, qui avait éteint tous les feux, décidant au fil de son caprice et de son humeur de les priver de chaleur et de lumière. Et ce, tout en faisant voler dangereusement des objets, ne se souciant en aucune façon des dommages qu'il causait. Cet esprit ne cherchait qu'à faire le mal, où et quand cela lui chantait. Il éteignait les feux, semait le désordre dans la bibliothèque, faisait du vacarme en pleine nuit. Il ne leur laissait plus de répit, il était passé de quelques épisodes isolés au déchaînement violent de sa fureur, faisant du manoir son exutoire. Et eux, qu'étaient-ils ? Quelques pions à manipuler à sa guise.

— Tu saccages ma chambre, tu mets le manoir sens dessus dessous. Jour après jour, tu terrorises tous ceux qui vivent sous ce toit. Pourquoi fais-tu tout ça ? Qu'est-ce que tu veux ?

Elle pivotait sur son axe tout en parlant, ne pouvant cibler la présence qui se faisait imprécise.

— Pourquoi ne t'en vas-tu pas ? Qu'est-ce qui te retient ici ? Toute cette colère que tu manifestes, d'où vient-elle ? Qu'est-ce qui a bien pu t'arriver, pour l'amour du ciel ? Tu sais que je ne demande qu'à t'écouter et à t'aider du mieux que je le peux.

À titre de réponse, le vent émit un long rugissement sépulcral à travers lequel on aurait cru reconnaître les inflexions d'une voix humaine. Un mouvement d'air se fit autour de la jeune femme, la plaçant au centre d'un tourbillon énergétique lugubre et écrasant. Entraînée par lui, sa couverture s'enroula sur son corps en le serrant si fort que Lauriane eut l'impression d'être momifiée vivante. Ainsi prisonnière, elle sentit une bouffée de colère lui chauffer le visage. Il cherchait à l'intimider, à prouver et à imposer sa force, mais elle ne le laisserait pas y parvenir ! Elle était résolue à lui faire comprendre que c'était lui qui n'avait plus sa place dans cette maison !

— Si tu ne veux pas de mon aide, dans ce cas, je considère que tu n'en as pas besoin et qu'en vérité, c'est toi qui ne veux pas partir. Tu as investi ce manoir, tu t'imagines qu'il t'appartient et tu voudrais tous nous chasser, c'est ça, n'est-ce pas ? Tu essaies de nous effrayer pour nous pousser à partir comme tu l'as fait dans le passé. Eh bien, je suis désolée de te l'apprendre, mais l'histoire ne se répétera pas, tu ne nous chasseras pas ! Si personne ne te l'a dit, moi, je te le dis : c'est à toi de t'en aller. Ce n'est pas nous qui sommes de trop ici, mais toi. Tu n'appartiens plus au monde des vivants, ta vie sur Terre est terminée. Il faut que tu le comprennes.

Elle s'exprimait d'une voix ferme et claire, puisait sa force dans les cris de terreur de Lindsay, dans le regard épouvanté de Berthe, dans l'inquiétude et l'incompréhension de Bruce et d'Ellen, dans la souffrance de Leslie. Lauriane pensait également à Norah, qui partageait ses appréhensions et ses interrogations, aux enfants, à toutes les personnes qu'elle tenait éloignées du manoir par la faute de cette entité qui leur faisait payer le prix de ses propres tourments.

Parvenant à sortir ses bras de la couverture, elle les croisa sur sa poitrine en une attitude sévère.

— Il n'y a plus rien pour toi ici, va-t'en ! Laisse-nous tranquilles, tu as compris ? Je parle au nom de tous les gens qui vivent dans cette maison. Nous t'ordonnons tous de t'en aller, tout de suite ! Fais que tout s'arrête et que la paix et la tranquillité reviennent. Maintenant !

Un puissant bruit de fracas se fit du côté du lit, puis un nouveau déplacement d'air se produisit. Il happa la jeune femme avec brutalité, au point de la faire vaciller, et lui gifla le visage. Les bras bien serrés contre sa poitrine, Lauriane encaissa sans ciller, en dépit de la cuisante douleur à sa joue, bien déterminée à lui tenir tête.

— Va-t'en, j'ai dit! Tout de suite! ordonna-t-elle de sa voix la plus impérieuse.

Un ultime rugissement s'éleva, puis «John» lâcha enfin prise. Sa fureur se résorba et un calme plat tomba sur la chambre, à l'exception du vent qui continuait de s'y infiltrer allègrement. Se défaisant de la couverture, Lauriane s'empressa d'aller refermer les battants, qui n'offrirent cette fois aucune résistance. Elle hurla presque de joie quand la mèche du briquet s'embrasa, lui permettant d'allumer une lampe. Tel un rideau se levant sur un mauvais spectacle, meubles et objets renversés et pêle-mêle se profilèrent dans la lumière. Prenant garde à où elle mettait les pieds, Lauriane se faufila jusqu'à son armoire, renversée de côté, pour y pêcher l'onguent destiné à soigner la brûlure de Leslie.

Lindsay, pétrifiée, était restée collée à la porte. Lauriane alla entourer ses épaules d'un bras sécurisant.

— C'est fini, il est parti.

Le crépitement du bois qui flambait dans l'âtre avait quelque chose d'apaisant et de réconfortant. Les lampes rallumées avaient relégué la nuit là où elle devait être, c'est-à-dire hors des murs du manoir, et rendu au salon son atmosphère paisible. Celle, oppressante, des passages secrets avait capitulé et battu en retraite. C'était bon de pouvoir respirer de nouveau à pleins poumons.

La fatigue et le contrecoup des émotions vécues étaient venus à bout de Berthe et de Lindsay. Elles dormaient profondément sur un canapé, collées l'une à l'autre. Leslie avait aussi succombé à l'appel du sommeil, calée dans un fauteuil. Assis en retrait, Ellen et Bruce devisaient à voix basse, l'air plus détendus, malgré que la tasse de tisane que la femme de charge portait de temps à autre à ses lèvres tremblait légèrement.

Quant à Norah, elle avait pris place au coin du feu, fidèle à son habitude depuis la venue des froides températures, et arborait un air dégagé. En quittant sa chambre un peu plus tôt avec Lindsay, Lauriane s'était rendue aux appartements de la vieille dame afin de vérifier que tout allait bien, mais cette dernière avait déjà déserté les lieux. En fin de compte, la jeune femme l'avait retrouvée au rez-de-chaussée en compagnie des autres. Norah venait de se mettre au lit lorsque son feu de cheminée s'était subitement éteint. Incapable de faire de la lumière, elle en avait conclu que c'était l'œuvre de l'entité. Elle avait préféré partir plutôt que de sonner sa servante et avait ainsi abouti au salon.

— Regardez notre chère Leslie, s'attendrit la vieille dame. Le dos droit comme un piquet, elle dort comme un loir.

Lauriane observa la cuisinière, sa main recouverte d'un cataplasme reposant à l'envers sur l'appui-bras de son fauteuil.

— Je suis tellement désolée qu'ils aient tous à vivre ça…
— Et moi donc !

Appuyée au haut dossier du fauteuil à oreilles, la tête de Norah pivota vers la jeune femme.

— Mais je vous en prie, Lauriane, ne vous embarrassez pas de culpabilité. Vous ne maîtrisez pas cette entité, elle se manifeste à son gré.

— Pourtant, avant le mariage, il ne se passait rien, sauf quand je venais vous visiter, et depuis que je vis ici, les phénomènes ont augmenté. Est-ce que c'est moi ? Est-ce que ce ne serait pas ma présence qui l'aurait dérangée ?

— Voyons, cela n'a aucun sens, mon enfant ! Rappelez-vous que « John » erre dans cette demeure depuis longtemps et qu'il possédait déjà autrefois suffisamment de force pour en chasser les Fedmore. Cela ne dépend donc pas de vous. Tout au plus, grâce à votre sixième sens, vous pouviez percevoir sa présence et il le savait, ce qui a pu l'inciter à se manifester à vous. Mais ne vous y trompez pas, ce sont nos séances d'écriture qui semblent avoir sur lui le plus grand effet et même encore, j'ai bien peur que nous étions vouées à le voir tôt ou tard se manifester avec davantage d'intensité.

La jeune femme eut un lent hochement de tête.

— C'est vrai, vous avez sûrement raison. Nos séances d'écriture ont peut-être juste accéléré le processus.

Elle lâcha un soupir, promena un regard néanmoins navré sur les endormis.

— Je me demande si les parents de William et leurs gens ont pu tous se retrouver aussi dans ce salon, apeurés et impuissants.

— Ce n'est pas exclu. Sur la foi des propos de William père et des confidences de Fanélie dans son journal, nous pouvons supposer qu'à un moment donné, certainement, ils ont pu se sentir dépassés par les événements.

— Et quand je pense à tous ces tableaux tombés au premier... Certains se sont brisés, sans compter tous les autres objets abîmés un peu partout. William n'en sera pas content et nous n'aurons aucune explication à lui donner.

— Aucune, à tout le moins, qui soit valable à ses yeux.

— Pourtant, il n'aura pas le choix d'y croire, puisque ça ne peut pas être nous qui avons fait tout ça.

Mais l'expression qui modela les traits de Norah se fit des plus dubitatives.

— Je n'y compterais pas trop, à votre place, chère enfant. Son esprit cartésien a le don d'élaborer des explications on ne peut plus plausibles. Je crains que nos gens ne puissent, hélas, compter que sur votre soutien, ainsi que le mien.

Les yeux rivés sur les flammes dans l'âtre, Lauriane s'absorba dans ses pensées. Le mieux qu'elles puissent faire pour eux serait de chasser «John» de cette maison pour de bon. Car, bien que la jeune femme ait aujourd'hui remporté la bataille contre lui, le caractère définitif de cet exploit demeurait plus qu'incertain. Or, une cohabitation n'était guère envisageable, pas avec une âme aussi malfaisante. Les événements des dernières semaines, combinés à ceux de la soirée, avaient convaincu Lauriane en ce sens.

Croisant les bras, elle logea son menton dans sa main. Si seulement elle disposait de plus d'indices! Le peu qu'elle avait pu apprendre sur le passé de la famille Fedmore à Côte-Blanche ne suffisait pas, il s'agissait surtout d'informations complémentaires, de répercussions découlant d'un événement clé dont elle ignorait tout. Il fallait qu'elle en apprenne plus à ce propos. En remontant à la source du problème, la solution s'imposerait peut-être ensuite plus facilement. On pouvait éponger le front en sueur d'un fiévreux, mais cet acte n'avait aucun effet sur le mal lui-même. De même, une porte qui s'ouvrait toute seule n'était qu'un symptôme qui ne disparaîtrait que lorsque l'entité qui le provoquait s'en serait allée.

Mais comment obtenir cette information ? Telle était la question. Quelque temps après leur dernière séance d'écriture automatique, Norah s'était proposé d'aller consulter les registres de la paroisse afin de savoir si un événement tragique impliquant un certain John avait pu se produire à Côte-Blanche. Une avenue des plus intéressantes, mais qui n'avait malheureusement abouti à rien. Cette impasse n'avait pas pour autant convaincu les deux femmes que le passé des Fedmore au manoir était blanc comme neige. On s'était donné la peine de faire disparaître une pièce derrière un faux mur, on pouvait très bien avoir fait de même avec les secrets qu'elle renfermait. Il leur fallait simplement trouver une autre façon de les mettre en lumière. Mis à part les séances d'écriture automatique, existerait-il une façon plus simple, plus concrète de procéder ?

Avide de réponses, Lauriane entreprit de se creuser les méninges intensément. Tel un essaim de moustiques, les derniers mots de Norah commencèrent à bourdonner dans ses oreilles : « … compter que sur votre soutien, ainsi que le mien. » Le prénom « John » s'y ajouta, ainsi que d'autres paroles prononcées par Norah : « … dû se produire un événement épouvantable pour que l'on ferme cet endroit de la sorte. » Le bourdonnement s'intensifia, jusqu'à ce que tout converge enfin vers une seule et même idée.

Son sang s'activa dans ses veines alors que du brouillard, la jeune femme passait à la clarté. Un moyen simple et concret, elle venait peut-être de trouver ce que c'était ! Ses chances de réussite pouvaient tout aussi bien être bonnes que nulles, mais cela valait la peine de le tenter. Une solution qui avait cependant son ironie, puisqu'elle impliquait de penser que ces réponses, que Norah et elle recherchaient tant, puissent venir d'une personne qui refusait catégoriquement de croire que le manoir était hanté.

Fouettée par cette possibilité toute neuve qui s'offrait, Lauriane tourna sur sa compagne un regard reflétant le nouvel optimisme venu se blottir en elle.

— Dès demain, j'irai voir Neil pour savoir quand se fera son prochain départ pour le chantier. J'aurai une lettre à lui confier.

— Une lettre ? Pour votre tante ?

— Non, pour William. J'ai l'intention de lui demander de revenir ici d'urgence.

15

Le choc des points de vue

L e *sleigh* filait à bonne allure sur la couche de neige molle et lourde. Mâchoire crispée, le conducteur claqua les rênes pour prendre encore de la vitesse. Il était presque arrivé à destination et son humeur massacrante n'en était que plus échauffée.

Il quitta la grande route pour enfiler une voie secondaire où le tapis immaculé, intact, prenait de l'épaisseur. C'était plus court par ici que de continuer par le village. À l'entrée d'une courbe, un autre chemin menait au site de la future usine de papier. La voiture poursuivit sa route en longeant le lac. Au loin s'élevaient les murs de pierres grises du manoir, lesquels renfermaient des esprits troublés ayant grand besoin de se faire secouer de la belle manière.

Le conducteur siffla entre ses dents serrées et alla finalement immobiliser le *sleigh* à l'écurie. Il mit prestement pied à terre, imité par Dawson, qui avait dormi à ses pieds tout au long du trajet. Le chien en profita d'ailleurs pour s'étirer longuement et s'ébrouer.

— *Stay* ! lui ordonna son maître.

Il salua Neil, qui émergeait de la bâtisse, puis fila en direction du manoir à grandes enjambées. Bruce apparut alors qu'il piétinait le tapis dans l'entrée pour déloger la neige collée à ses bottes.

— Nous sommes heureux de votre retour, Monsieur.

Le teint pâle et l'air épuisé du majordome le frappèrent, mais moins que le spectre d'inquiétude qui hantait son regard. Celui d'Ellen, qui s'amenait sur ses talons, était pire encore, se peuplant des ombres de l'angoisse. Le feu de contrariété couvant à l'intérieur de William se mua en colère.

— Je veux voir ma femme. Tout de suite. Où est-elle?

Il s'avança dans le hall, jeta un coup d'œil à la porte grande ouverte de l'atelier. Il allait s'y diriger lorsque Bruce annonça :

— Madame se trouve à la cuisine, Monsieur.

Dans l'intention de le débarrasser de son manteau, le majordome s'était approché de lui, mais William l'ignora et s'éloigna d'un pas impatient. S'étant attendu à ce que sa femme soit en train de transmettre de quelconques directives à la cuisinière, il la trouva plutôt jouant le rôle de marmiton avec une aisance ne trahissant que trop ses modestes origines. Ceinte d'un tablier enfariné déformé par son ventre qui s'était encore arrondi, manches retroussées, ses deux mains étaient plongées dans un grand bol où elles pétrissaient de la pâte. Elles s'immobilisèrent lorsque la jeune femme s'avisa de la présence de William.

— Bonjour, Monsieur Fedmore! s'exclama Leslie, manifestement heureuse de le voir.

Le regard incendiaire de William passa de sa femme à la cuisinière.

— Laissez-nous, je vous prie.

Les traits de Leslie se décomposèrent. Elle déposa son pilon à pommes de terre sur la table et s'en alla, la tête rentrée dans les épaules. Retirant ses gants et se dénudant la tête, William s'approcha de sa femme, qui s'était remise à la tâche, lèvres pincées.

— *What the hell is wrong with you*[20] ! tonna-t-il. J'avais osé espérer, bien que sans grande conviction, qu'à mon arrivée, votre première explication serait de me dire que j'ai mal interprété vos mots. Mais je constate que la situation dans cette maison semble encore pire que ce que votre lettre laissait présager. Je débarque ici et ce que je vois me sidère. Mes domestiques semblent tous complètement terrorisés !

Lauriane tressaillit sous la virulence de cette tirade. Elle s'était néanmoins attendue à voir son mari se gendarmer, de sorte qu'elle se ressaisit aussitôt. Ses yeux se levèrent pour affronter l'orage sévissant dans ceux qui pesaient sur elle.

— Ils le sont, je vous le confirme. Dans ma lettre, j'espérais ne pas trop vous alarmer, tout en vous en disant assez pour vous convaincre de revenir. Maintenant que vous êtes là, je peux vous dire que les dernières semaines ont été éprouvantes. Ça n'a pas été facile pour Norah et moi de contenir le climat de panique qui menaçait de s'installer. Nous avons besoin de votre aide, c'est pourquoi je vous remercie d'être revenu.

— Ne vous méprenez pas sur mes motivations. Votre lettre a failli se retrouver au feu ! Vous connaissez fort bien ma position en ce qui concerne ces ouï-dire dont le manoir fait l'objet depuis trop longtemps.

— Oui, je sais ce que vous pensez, mais la situation s'est aggravée et pour nous tous, je devais vous demander de revenir.

---

20. De quel mal êtes-vous tous atteints, que diable !

William eut un rire dur.

— Aggravée, vous pouvez le dire ! J'avais cru ne plus avoir à entendre parler de ces histoires de fantômes, et voici que j'apprends qu'elles se sont propagées dans cette maison comme la peste et sont parvenues à tous vous faire perdre la notion du bon sens !

La jeune femme, qui s'était remise à la tâche, s'arrêta de nouveau.

— Vous saurez qu'il y a eu plus que de simples histoires qui se seraient propagées ! J'avoue que je n'ai peut-être pas été assez explicite dans ma lettre pour vous convaincre. Je voulais attendre de vous voir pour vous donner plus de détails à propos de ce que nous avons vécu.

— Je me moque de vos détails, gronda son mari en appuyant sur chaque syllabe. À lire votre lettre et à voir la tête que font mes domestiques, je suis en mesure de me faire une idée de l'urgence de la situation et de l'empressement dont je dois faire preuve pour mettre une limite à vos fictions délirantes. Aussi ne vous surprenez pas de me voir débarquer pour remettre de l'ordre dans le chaos qui règne en ces lieux.

Mettre une limite à ses fictions délirantes ! Lauriane se sentit bouillir d'indignation. Ajoutant un peu de farine dans le bol, elle recommença à pétrir sa pâte énergiquement, ce qu'elle aurait volontiers fait avec le cerveau de son mari.

— Même avec le peu de détails que vous avez, j'espérerais que vous seriez plus ouvert à croire ce que plusieurs personnes disent avoir vécu plutôt qu'une seule. Une entité erre dans le manoir et tous ceux qui vivent ici en ont été témoins. Ils peuvent maintenant ajouter leur parole à la mienne pour vous prouver que les rumeurs ont un fondement.

— Tout le monde peut en témoigner parce que vos croyances absurdes ont fini par les contaminer, que diable ! Vous avez dès le début semé le doute dans leur esprit en prétendant avoir fait l'expérience de phénomènes surnaturels, et vous n'en avez jamais démordu. Pour comble, vous aviez Norah pour vous y encourager !

La bouche de la jeune femme bâilla d'ébahissement.

— Je n'y crois pas... Vous pensez que je suis responsable de ce qui s'est passé ? Vous pensez qu'ils ont eu de simples hallucinations, tout ça parce que je leur aurais mis des idées dans la tête ?

— Vous et ma tante en êtes assurément responsables. Mes absences cet hiver ont apparemment été néfastes pour l'équilibre de mes employés en permettant aux originalités de votre autorité d'influencer tout un chacun. Voyez où vous les avez menés : ils en sont réduits à vivre dans un climat de crainte qui fausse leur perception et les enfonce dans le cercle de leurs croyances erronées. Vous avez semé le trouble entre ces murs ! Mais me voilà de retour et je veillerai à ce que vous cessiez de propager ces histoires à dormir debout.

— Ce n'est pas moi qui les terrorise, c'est cette maison, ou plutôt l'âme tourmentée qui la hante ! s'emporta Lauriane en donnant du talon sur le sol. Je n'ai pas eu besoin de propager quoi que ce soit : ils ont des yeux et des oreilles, ils ont vu et entendu, et je peux vous assurer que ce n'est pas vous qui empêcherez des phénomènes de se produire. Et c'est bien tant mieux, d'ailleurs, parce qu'ils vous inciteront peut-être à nous prendre enfin un peu plus au sérieux ! Mais ce n'est pas pour cette raison que j'ai voulu que vous reveniez. Norah et moi avons des raisons de penser que la présence de cette entité dans la maison est liée à un événement tragique qui se serait passé autrefois. Ça pourrait remonter au temps de votre grand-père et même de votre arrière-grand-père. Ce que nous aimerions que vous fassiez, ce sont des recherches dans votre vieille paperasse pour essayer d'en retrouver la trace. Si un drame a bel et bien eu lieu au manoir, il y a de bonnes chances pour qu'il ait été consigné quelque part et alors, peut-être que ça nous aiderait à mieux comprendre ce qui se passe ici.

Ses mains maculées de farine et de pâte appuyées au rebord du bol, elle étudia le visage de son mari dans l'espoir d'y déceler quelque trace d'inflexion, mais elle n'y trouva qu'une implacable et frustrante obstination.

— À supposer qu'un tel fait se soit déroulé ici, ce dont je doute fortement, cela ne constituerait aucunement une preuve de la présence de fantômes, rétorqua William, plein de morgue. Ainsi, si vous comptiez sur ce piètre argument pour me rallier à vos inepties, sachez que vous vous êtes lourdement trompée.

Sur un ton acerbe n'augurant rien qui vaille, il appela ensuite Bruce, Ellen et Leslie. Étaient-ils restés à proximité pour tenter de capter des bribes de leurs propos ? Toujours est-il qu'ils apparurent presque aussitôt, l'œil incertain.

— Autant vous avertir tout de suite, mon retour ne servira pas à entretenir vos fabulations, déclara William, glacial, en se campant devant eux comme un général d'armée. Parce que ce n'est que cela, fabulations, et je ne saurai les tolérer plus longtemps. J'exige de vous tous que vous vous ressaisissiez sur-le-champ! *Damn it!* Vous avez vous-mêmes toute l'apparence de ce fantôme que vous imaginez!

Pris de court par cet éclat, les domestiques demeurèrent un instant interdits, le temps de prendre à leur tour la mesure de ce que de tels propos signifiaient. Lorsqu'elle se retrouva la cible de leur regard déconfit, Lauriane sut qu'ils en étaient venus au même constat qu'elle.

— Ma femme n'est pas exempte de cette sommation, précisa William, qui n'avait pas manqué de remarquer l'appel silencieux que les domestiques avaient lancé à la jeune femme. Elle vaut d'ailleurs pour elle tout particulièrement. Je vous ordonne donc de l'encourager à revenir à la raison en ne prêtant plus attention à ses ridicules délires. *Am I making myself clear*[21] ?

— Oui, Monsieur, répondirent-ils d'une même voix terne.

La réponse n'avait rien d'assurée. William parut néanmoins s'en contenter. Cinglant Lauriane d'un ultime regard noir, il franchit la sortie dans le claquement furieux de ses bottes sur le plancher.

— Je suis désolée…, murmura la jeune femme à l'intention des domestiques.

Le majordome secoua la tête en signe de solidarité tandis qu'Ellen affirmait qu'il n'y avait pas faute. Ils se retirèrent ensuite, résignés. Étirant un sourire conciliant, Leslie vint récupérer son pilon sans mot dire.

Lauriane commença à rouler sa pâte en contenant son indignation. Son mari n'avait pas écouté un seul mot de ce qu'elle lui avait dit, pas un seul! Il était revenu pour des raisons bien contraires à celles qu'elle avait espérées, refusant

---

21. Suis-je bien clair?

de faire preuve ne serait-ce que d'un minimum d'ouverture et de compassion à l'égard de ce qu'ils avaient vécu. Ce serait même à eux tous de se ressaisir! La majorité devait se rallier à l'opinion d'un seul, étouffer ses propres convictions au profit de celles d'un homme qui débarquait au manoir fort de sa froide logique et n'ayant pas la moindre idée de ce qui s'était réellement passé. Il y avait de quoi s'exaspérer d'une telle attitude et rouler sa pâte à tarte avec tant de brusquerie que le rouleau passa à travers.

Bougonnant *in petto*, Lauriane regroupa le désastre et reprit sa tâche sans relâcher sa vigueur.

❋ ❋ ❋

À l'heure du souper, William semblait toujours aussi furieux et à en juger par la mine maussade de Norah, elle devait avoir été la suivante, après qu'il eut quitté la cuisine, à faire l'objet de ses remontrances. Lauriane patienta jusqu'en fin de soirée pour revenir à la charge auprès de son mari, guettant le moment où il monterait à sa chambre. Loin d'abandonner, elle espérait encore pouvoir le faire changer d'avis en lui fournissant des détails plus précis sur ce qui s'était passé et en lui parlant des bribes d'informations que Norah et elle avaient obtenues par l'écriture automatique.

Alors qu'elle passait devant l'ancienne chambre principale, un courant d'air glacé lui happa les pieds. Il s'échappait de sous la porte, avec assez de force pour faire onduler l'ourlet de sa jupe, semblant même chercher à s'accrocher à celle-ci, comme pour la retenir. Il s'enroula autour de ses chevilles et Lauriane eut la très nette impression qu'il essayait de l'attirer, qu'il l'invitait à le suivre. Dépourvue de toute résistance, son mari mis en oubli, elle céda à la tentation. Dans la chambre, l'armoire s'était écartée du mur, laissant béante l'entrée du passage. Il lui fallait y aller, répondre à l'appel...

Serrée dans son châle, la jeune femme attrapa une lampe et entreprit la descente. D'instinct, elle chemina jusqu'au couloir où elle avait trouvé la toupie. Le courant d'air paraissait prendre sa source tout au fond. Quand enfin un mur émergea des ténèbres et dressa devant elle ses pierres luisantes d'humidité, Lauriane comprit qu'il ne s'agissait pas d'un cul-de-sac tel qu'elle l'avait d'abord cru. Une ouverture fendait la paroi de droite, ce qu'elle n'avait pas pu voir la dernière fois, ayant été interrompue avant d'atteindre l'extrémité du passage.

Sa lampe tendue en avant, elle s'y faufila. Une petite pièce circulaire se trouvait de l'autre côté. Un escalier étroit épousait la forme arrondie du mur et disparaissait dans le plafond. Cette architecture singulière provoqua des remous dans l'esprit de Lauriane. Se pourrait-il qu'elle se trouve sous la tourelle ? Venait-elle d'en découvrir enfin l'accès ? La question était à peine lancée qu'elle s'engageait déjà dans l'escalier, mue par un vent de curiosité fébrile.

L'étage supérieur était aussi rond, nu et frisquet que le premier, sans autres issues que celles qui s'offraient : rebrousser chemin ou continuer à monter en empruntant une autre série de marches, seconde option que Lauriane choisit. L'air devenait plus glacial au fil de son ascension et elle resserra son châle autour de son corps. L'escalier aboutissait à un ultime niveau, où le froid atteignait son apogée. Agitée de frissons, elle balaya l'endroit avec le halo de sa lampe. Toujours pas de fenêtre, mais une fente verticale perçait la paroi, comme une sorte de meurtrière. Au-dessus de sa tête se montrait la charpente grise d'un pignon en forme de cône. L'un des travers soutenait les restes de ce qui avait dû être un nid d'oiseau, fort achalandé à un certain moment à en juger les fientes séchées accumulées sur le plancher.

En apercevant un panneau de bois encastré dans le mur, Lauriane se mit à réfléchir. Il s'agissait vraisemblablement d'une porte, bien qu'elle soit dépourvue de poignée. Tout à l'heure, à l'étage inférieur, la jeune femme avait présumé se situer au niveau du rez-de-chaussée du manoir. Si sa déduction s'avérait exacte, ce dont elle était convaincue, cela signifiait qu'elle se trouvait à présent au niveau du premier étage. La tourelle s'élevait au coin sud-ouest, là où se trouvait le salon au rez-de-chaussée et juste au-dessus, la pièce condamnée. Dans ce cas, ce panneau serait…

Le cœur au grand galop, les yeux ronds comme des boutons, Lauriane s'en approcha pour l'examiner et voir s'il n'y aurait pas un loquet à actionner pour l'ouvrir, mais elle ne trouva rien de la sorte. Déposant sa lampe, elle entreprit d'essayer de le pousser. La manœuvre ne remportant pas de succès, elle inséra le bout de ses doigts dans une fente entre les planches et tenta de le tirer de côté. Vers la gauche, d'abord, ce qui ne s'avéra guère plus fructueux, puis vers la droite, et alors ce fut beaucoup plus encourageant. Le panneau bougea. Très peu, toutefois. Il se déplaça de quelques centimètres avant de se bloquer. Lauriane n'arriva plus à rien ensuite, même en bénéficiant d'une meilleure prise offerte par l'espace qui s'était créé.

En désespoir de cause, elle approcha sa lampe pour jeter un peu d'éclairage sur l'intérieur obscur. Mais aussitôt, elle fut forcée de se jeter en arrière, avec une telle promptitude qu'elle manqua de tomber à la renverse. Directement dans la bouche de l'escalier, constata-t-elle avec horreur après avoir rétabli son équilibre. Un râlement guttural s'était élevé juste devant elle, à travers l'ouverture, l'emplissant d'épouvante. Un avertissement d'outre-tombe, destiné à la chasser.

Elle porta une main à sa gorge, aux prises avec une soudaine sensation de serrement. Ses voies respiratoires se contractèrent, si bien qu'elle commença à respirer avec difficulté. Une émotion imprécise, à teneur fortement négative, la cernait, cherchait à la pénétrer en violant la barrière de son esprit et suivant le chemin de son cœur, comme un venin voyageant dans son sang jusqu'à sa poitrine. Tout son corps se mit à trembler. Son estomac se convulsa et, prise d'une violente envie de vomir, Lauriane se précipita dans l'escalier en titubant. Elle s'appuya au mur pour ne pas tomber, manqua tout de même de basculer en avant à plusieurs reprises, en proie à des étourdissements que contribuait à aggraver l'architecture ronde de la tourelle.

Elle atteignit tant bien que mal la petite pièce tout en bas. N'en pouvant plus, elle s'effondra sur ses genoux, les mains plaquées sur le sol, les oreilles bourdonnantes, trempée de sueurs froides. Son estomac s'insurgea et se vida de tout son contenu dans un bruit de clapotis amplifié par les murs de pierres. Quand enfin les spasmes se calmèrent, Lauriane se laissa choir sur son fessier, à bout de force et de souffle. Avec un coin de son châle, elle épongea son visage moite et grimaça à ce goût de bile subsistant dans sa bouche. Sa respiration était plus libre, mais ses étourdissements persistaient.

Elle rassembla ses forces, se leva. Lentement mais sûrement, elle progressa dans les souterrains jusqu'à la sortie. Dans sa chambre, elle se rinça la bouche avec un peu d'eau et se nettoya les dents, pour finir par s'écrouler sur son lit, épuisée par les maux éprouvés. La pièce autour tournoyait. Lauriane ferma les yeux, happée par une nouvelle vague de nausée. Ce n'était pas ce soir qu'elle parlerait à William, en fin de compte.

❄ ❄ ❄

Tout était rentré dans l'ordre le lendemain matin. Profondément engloutie par un sommeil réparateur, Lauriane ne s'était pas rendu compte que Lindsay lui avait enlevé ses chaussures et l'avait recouverte de multiples couvertures. Les malaises physiques que lui causaient ses visites dans les souterrains n'avaient jamais atteint une telle intensité. Un désagrément cependant vite éclipsé par la satisfaction d'avoir enfin trouvé l'accès à la tourelle et surtout, à la pièce condamnée. Il ne faisait aucun doute que celle-ci constituait le centre névralgique des phénomènes surnaturels. Elle revêtait une telle importance aux yeux de Lauriane qu'il était absolument hors de question pour elle de renoncer à l'explorer, en dépit des déplaisantes conséquences auxquelles elle s'exposait.

Par mesure de prévention, elle déjeûna léger et s'attarda un peu à table, le temps que sa digestion s'active. Quand elle se sentit finalement prête, elle s'arma d'un seau d'eau savonneuse et de chiffons afin d'aller nettoyer son dégât dans la pièce circulaire. Peu habituée à la présence de son mari au manoir, Lauriane l'avait mis en oubli et ainsi ne songea pas un seul instant qu'elle risquait de tomber sur lui en s'aventurant dans la portion du couloir qu'elle n'était pas censée fréquenter. Et pourtant...

William quittait ses appartements quand il entendit la porte de l'ancienne chambre principale se refermer. Intrigué, il s'en approcha et crut capter un bruit métallique suivi d'un raclement sur le plancher. Il colla son oreille au battant et attendit. Mais seul le silence se fit entendre, si bien qu'il se décida à entrer. Parcourant succinctement la pièce du regard, il eut tôt fait d'apercevoir l'armoire déplacée, contre laquelle on avait appuyé un fauteuil, ainsi que le trou dans le mur. Fort surpris par cette découverte, William alla y voir de plus près et avisa l'escalier abrupt qui plongeait dans l'obscurité. Bon sang ! Lui qui croyait connaître cette maison de fond en comble, l'ayant passée au peigne fin à son arrivée l'an dernier, jamais il n'avait soupçonné l'existence de quelque passage secret camouflé derrière le mobilier !

Il semblerait toutefois que quelqu'un ne partage pas son ignorance et William se demandait avec une curiosité croissante qui pouvait connaître le manoir mieux que lui. Il n'y avait qu'une façon de le savoir, se dit-il en se dirigeant vers un chandelier pour y prendre une bougie qu'il alluma avant de s'introduire dans l'ouverture. Ce faisant, il remarqua le coffre encastré dans la paroi et dut résister à l'envie d'essayer de l'ouvrir, sous peine de perdre la trace du mystérieux promeneur.

Deux étages plus bas, il franchit une porte béante et se retrouva dans une petite pièce basse. Il la traversa pour atteindre une sortie tout au fond. De l'autre côté, une lueur se montra, léchant les murs de pierres à l'extrémité d'un long passage. Elle disparut aussitôt, le promeneur venant de prendre une autre direction. William se hâta, désireux de le rattraper.

Alertée par un bruit de pas progressant derrière elle, Lauriane sentit son échine se raidir brusquement. Elle interrompit sa marche, l'angoisse au ventre, puis, s'armant de courage, elle se retourna. Une lumière vacillante apparaissait dans le couloir qu'elle venait de quitter. Les pas claquaient sur le sol à rythme rapide et régulier : ils étaient maintenant tout près. Une silhouette nimbée de jaune se matérialisa et, reconnaissant son mari, la jeune femme expira un long soupir de soulagement.

— C'est donc vous qui furetez dans les recoins cachés du manoir, dit William, étonné, en s'approchant d'elle.

— Vous venez de me faire une peur bleue ! lui reprocha Lauriane, encore sous l'emprise de l'émotion.

— *Sorry.* J'ai entendu la porte de la chambre se refermer et je n'ai pu réprimer mon envie de savoir qui y pénétrait et pourquoi. La découverte que j'y ai faite est des plus... inattendue.

William s'arrêta et promena un regard curieux sur les murs de pierres moussues et les dentelles de toiles d'araignées qui s'offraient pour décor.

— Si je comprends bien, vous ne connaissiez pas l'existence de ces passages ? s'enquit Lauriane.

— Pas du tout, non. Aussi, je me demande comment il se fait que vous, vous les connaissiez.

Il avait ramené son attention sur elle, qui remua une épaule.

— C'est Norah qui me les a fait découvrir. Elle en a trouvé un dans sa chambre, derrière son armoire. J'en ai ensuite trouvé un dans la vôtre. Il semble n'y en avoir que dans les chambres principales. En tout cas, je n'en ai pas trouvé dans la mienne.

— Dans ma chambre, dites-vous ? Je n'en avais pas le moindre soupçon.

L'air surpris, il resta à analyser cette information avant de se mettre à détailler la jeune femme.

— Et vous, que faites-vous en ces lieux, munie d'un seau d'eau et de chiffons ?

— Je... j'ai... quelque chose à nettoyer...

Son embarras aurait difficilement pu échapper à William. Ses jolis yeux le fuyaient, semblant chercher à lui faire comprendre qu'il ne devait pas insister sur ce sujet. Bien entendu, cela produisit sur lui l'effet inverse et le poussa à vouloir en savoir plus. Il tendit la main vers le seau qu'elle portait.

— Il est bien plein, il doit être lourd. Pourquoi ne pas me le confier ?

— Nnnn... non... ce n'est pas...

Trop tard, Lauriane sentit l'anse lui glisser des doigts, dérobée par son mari. Elle le piqua d'un regard mécontent, qu'il ignora, se concentrant de nouveau sur ce qui les entourait.

— Ce n'est sûrement pas la première fois que vous descendez ici.

— Non.

— Dans ce cas, faites-moi visiter, guidez-moi, à présent que je vous ai libérée de votre fardeau. Vous alliez dans cette direction, si je ne m'abuse, dit William en regardant par-dessus l'épaule de sa femme. Poursuivons donc.

Il éteignit sa bougie, la glissa dans sa poche de pantalon et lui subtilisa la lampe. Lauriane suivit d'un œil découragé la flamme qui s'éloignait en l'abandonnant dans le noir. Pourquoi avait-il fallu que son mari surgisse à un aussi mauvais moment, alors que le contenu de son estomac gisait là-bas, sous la tourelle ? Normalement, elle se serait réjouie de lui annoncer qu'elle en avait découvert l'entrée, mais sur l'heure, elle aurait plutôt souhaité le voir disparaître, au moins le temps qu'elle puisse s'acquitter de son nettoyage ! Elle tordit les chiffons entre ses mains, puis se mit en marche, n'ayant d'autre choix que de le suivre.

Ils atteignirent l'endroit où deux séries de marches se faisaient face. Indiquant du doigt la brèche pratiquée dans le mur de fondation tout en bas, la jeune femme expliqua :

— De l'autre côté, il y a un court passage qui se divise en deux embranchements, dont un qui semble descendre en pente régulière sur plusieurs mètres. Je n'y suis pas allée. L'autre, par contre, reste au même niveau. Au bout, il y a une trappe dans le plafond que je n'ai pas réussi à soulever.

— Allons y jeter un coup d'œil.

Ils se faufilèrent, nuque recourbée, dans le passage étroit et bas. Lorsque l'escalier fut en vue, William s'en approcha et déposa le seau sur le sol.

— Tiens, qu'est-ce que c'est ?

Il braqua la lampe sur les marches pour mieux les examiner. Intriguée, Lauriane le rejoignit et constata que la pierre était mouillée.

— Cela m'a tout l'air d'être de l'eau, avança son mari.

— C'est étrange, ce n'était pas là quand je suis venue l'autre jour.

William y trempa le bout de son doigt et le porta à son nez.

— C'est bien de l'eau.

Éclairant la trappe, il repéra rapidement des traces d'humidité entre les lames de bois.

— Il y a eu une fuite, apparemment.

Se libérant les mains, il gravit quelques degrés et essaya de la soulever. Elle remua, mais offrait beaucoup de résistance. Il changea de position afin de maximiser ses efforts. Un vacarme se fit entendre de l'autre côté et enfin, elle capitula. Quelque chose de lourd devait se trouver dessus. William se ressaisit de la lampe et gravit encore une marche.

— Qu'est-ce que vous voyez? demanda Lauriane, qu'une vive curiosité dévorait.

Le torse de son mari pivota, indiquant qu'il poussait son exploration.

— Pelles, râteaux, cisailles… Je suis dans la resserre à outils.

— La resserre à outils?

La jeune femme prit un instant pour réfléchir, les yeux orientés vers le plafond.

— Autrement dit, nous venons de passer en dessous du jardin?

William consacra encore quelques secondes à examiner l'endroit. Il referma finalement la trappe et descendit l'escalier.

— C'est ce qu'il semble bien. Cela dit, je trouve plutôt inusité que l'on ait fait aboutir ce passage dans la resserre à outils. L'autre doit, quant à lui, déboucher quelque part en bas de la côte. La sortie est probablement dissimulée par la végétation en été, car je me suis promené dans ce coin à quelques occasions et je n'ai rien vu. En ce moment, elle doit être recouverte par la neige.

— Moi aussi, j'ai pensé qu'il devait mener en bas de la côte. Je me demande… Pourquoi avoir fait ces sorties et ces passages secrets ?

— D'après ce que j'en sais, mon arrière-grand-mère était une femme très craintive de nature. Semble-t-il qu'elle redoutait plus que tout de voir surgir une horde de brigands en pleine nuit. Je suppose que mon arrière-grand-père a dû faire construire ces passages pour la sécuriser. Ils constituaient une voie de fuite en cas de besoin.

Ils revinrent sur leurs pas, retrouvant le duo d'escaliers. Lauriane désespéra lorsque son mari s'engagea dans celui qui remontait vers le couloir conduisant à la tourelle.

— Il y a par-là le passage qui monte aux appartements de votre tante, l'informa-t-elle en espérant refroidir son intérêt.

— Mais encore, quoi d'autre ? Je n'ai jusqu'ici rien vu qui requiert le nettoyage auquel vous vous apprêtiez à vous livrer.

La jeune femme garda le silence, se contentant de le suivre cependant que ses méninges fonctionnaient à plein régime afin de trouver un argument qui le convaincrait de rebrousser chemin. Mais rien ne lui vint. Ainsi, l'entrée de la pièce, sous la tourelle, finit-elle par pénétrer le cercle lumineux de la lampe, sous les yeux affolés de Lauriane, qui tira vivement la manche de son mari.

— S'il vous plaît, arrêtez-vous, n'allez pas plus loin.

S'immobilisant, William se tourna vers elle et dressa un sourcil interrogateur.

— Pourquoi cela ? Qu'est-ce que je ne dois pas voir ?

En panne de justification adéquate, la jeune femme perdit patience.

— Oh! Zut de zut! J'ai été malade hier. C'est ce que je m'en allais nettoyer... bon... voilà tout!

— Malade? Je croyais qu'au stade où vous en êtes, les nausées...

— Ce n'était pas des nausées, du moins pas ce genre de nausées... Je vous ferai quand même remarquer qu'il y a des femmes qui sont malades durant les neuf mois.

— Mais ce n'est pas votre cas.

— Non. Comme je vous l'ai dit, c'est... Quelque chose m'a rendue malade.

— Et cela vous embarrasse que je voie votre « petit dégât »? C'est pour cette raison que vous êtes mal à l'aise depuis le début?

— Que oui, ça m'embarrasse! Je ne suis quand même pas obligée de tout vous montrer de moi.

La remarque fit se retrousser les coins de la bouche de William. Il abaissa son regard sur les courbes de sa femme, bien enrobées d'un épais châle. Il en avait beaucoup vu et tout restait imprimé dans sa mémoire avec netteté. Il n'avait ainsi aucun mal à se la figurer en tenue d'Ève devant lui, dans ses moindres détails. D'ailleurs, il le faisait peut-être avec trop de facilité et de précision. Son sang commençait déjà à battre sous le niveau de sa ceinture...

— Je veux bien croire qu'il y ait une chose ou deux de moins agréables à voir de vous, mais cela n'est jamais rien d'autre que naturel, vous n'avez pas à vous sentir gênée et je n'ai pas le cœur sensible.

— Ça m'est égal, donnez-moi ça... et ça aussi...

D'un geste décidé, Lauriane lui déroba seau et lampe, qu'il lui céda en haussant les épaules. Dans son dos, elle l'entendit rallumer sa bougie, mais il ne la suivit pas.

La conséquence de ses malaises de la veille n'avait pas bel aspect ni bonne odeur. Cela lui occasionna des haut-le-cœur qui rendirent son nettoyage d'autant plus déplaisant. À la fin, elle était baignée de sueur et l'escalier lui parut tout indiqué pour une pause. Caressant son ventre d'une main affectueuse, elle lorgna la sortie. La lueur de la bougie ne se voyait plus de l'autre côté.

— Vous êtes encore là ?

De lointains bruits de pas se rapprochèrent, puis un feuil lumineux épousa les reliefs sur le mur du passage.

— Terminé ? s'enquit William en se montrant dans l'ouverture.

— Oui, oui, vous pouvez venir.

Tel qu'elle l'avait fait la première fois, son mari se livra à un examen attentif de l'endroit, bien qu'il n'y ait rien d'extraordinaire à voir : une simple pièce ronde et nue. L'escalier courbé présentait toutefois un attrait certain pour qui devinait son utilité.

— Je savais qu'il devait y avoir quelque part une entrée pour cette tourelle, formula William sur un ton qui exprimait sa satisfaction. Vous y êtes montée ?

Lauriane opina du chef.

— Il y a un accès en haut complètement. Vous savez sur quelle pièce il donne ? Sur la seule qui n'est pas accessible de l'intérieur du manoir, c'est-à-dire celle qui avoisine la bibliothèque des invités, dans le coin. Je sais que Norah vous a déjà parlé de cette pièce cachée et que ça vous avait laissé froid.

Ses yeux s'amincirent, alors qu'elle ajoutait :

— Ça ne vous sonne pas une cloche, vous, qu'on ait condamné et camouflé une pièce de cette façon ?

— C'est peu orthodoxe, j'en conviens, ce qui ne m'indique pas pour autant que le manoir est hanté, gronda William en braquant sur elle un regard appuyé.

Il lui tendit la main pour l'aider à se remettre debout. La chaleur de sa large paume se propagea à celle, frigorifiée, de Lauriane. En secret, elle aurait volontiers souhaité que ce contact se prolonge afin que la chaleur irradie son corps transi. Et quand la main lâcha la sienne, elle fut parcourue d'un long frisson.

Voyant son mari entreprendre de monter vers l'étage supérieur, Lauriane hésita à faire de même, refroidie par sa mauvaise expérience de la veille. Elle eut une pensée pour ce qui se trouvait tout en haut de la tourelle, soit une entrée inespérée pour la pièce condamnée. Advenant que William réussisse à décoincer le panneau comme il l'avait fait avec la trappe, se pardonnerait-elle d'avoir raté l'occasion de découvrir ce qui se cachait derrière ?

— Je sais que ce n'est pas une raison pour s'imaginer que le manoir est hanté, répliqua-t-elle en se hâtant derrière lui. Mais... si je vous disais que Norah et moi avons entendu beaucoup de bruit dans cette pièce et qu'elle est pourtant condamnée ?

— Vous avez bien dit qu'il y a un accès là-haut ?

— Il y en a un, mais il est bloqué. J'ai essayé de l'ouvrir et la porte se coince après quelques centimètres.

— Elle s'est peut-être coincée après que quelqu'un l'a empruntée, cela ne veut rien dire.

— Il faudrait que ce quelqu'un connaisse l'existence des souterrains et à part Norah et moi, et maintenant vous, personne n'est au courant.

— Comment le savez-vous ? Auriez-vous mené votre enquête à ce sujet auprès de la domesticité ? Songez, également, que si je vous ai prise sur le fait, il peut en être allé de même auparavant pour quelqu'un d'autre.

— Ce serait insinuer qu'on s'est faufilé dans la pièce pour frapper sur les murs à grands coups, y pensez-vous ?

— Et si justement un plaisantin s'était amusé à vous mener en bateau pour vous terroriser ? Face à une telle hypothèse, je serais disposé à envisager que vous n'ayez pas été victime que de votre imagination.

Sentant son mari prêt à récuser chaque argument qu'elle avançait, Lauriane se contenta de dire :

— Aucun être humain n'aurait pu être à l'origine de certains phénomènes que nous avons vécus. Si vous voulez, parlez à chacun et vous verrez ce qu'ils vous diront.

Elle grimpa les derniers degrés le souffle anormalement court, comme si elle était montée en courant. Captant le rythme irrégulier de sa respiration, William orienta sa bougie dans sa direction.

— Ça va ?

— Oui…

— Vous auriez peut-être dû monter plus lentement.

— Je ne l'ai pas fait… avec plus d'empressement… que la normale…

Les iris d'un gris vibrant demeurèrent sur elle un instant, puis la bougie se dirigea autre part, au gré de l'exploration de son porteur. Ce dernier s'approcha de la meurtrière, qui laissait filtrer un rayon de soleil, et jeta un coup d'œil au-dehors. Il se dirigea ensuite vers la porte restée entrouverte. Collant un œil sur la fente, il se livra à un bref examen de ce qui se trouvait de l'autre côté, qu'il conclut par un sifflement.

— Quoi ? Qu'est-ce qu'il y a ? interrogea Lauriane.

— Du tapage, pour en avoir eu, il y en a eu.

William testa la mobilité du panneau en le faisant revenir vers l'encadrement. Il le tira ensuite en sens inverse et constata qu'en effet, il se bloquait après quelques centimètres. L'agrippant à deux mains, il y exerça une ferme traction. Le bois enflé d'humidité grinça, sans pour autant concéder un millimètre d'espace. Néanmoins encouragé par le bruit, William s'acharna. Mais, contrairement à la trappe, elle refusa de céder à la force déployée à ses dépens. Il la referma brusquement, pour la rouvrir aussitôt d'un coup sec. L'ouverture ainsi créée n'alla malgré tout pas au-delà des quelques centimètres habituels. Frustré, William jura à voix basse.

Contenant sa déception, Lauriane voulut au moins satisfaire sa curiosité en partie.

— Je peux voir ?

Campé devant la porte qu'il regardait avec sans doute une poignante envie de la démolir, son mari fit un pas de côté pour la laisser s'approcher. La lumière du jour éclairait ce qui s'apparentait à une chambrette, effectivement sens dessus dessous. Pas une seule pièce du peu de mobilier qu'elle renfermait ne se trouvait dans sa position légitime. Le plâtre sur les murs était tantôt perforé, tantôt arraché par plaques. Le sol était jonché de débris. La porte d'entrée, fermée, comportait pour sa part une particularité des plus insolites : le trou de la serrure était rempli de mortier.

Lauriane se tourna vivement vers son mari.

— Vous avez vu ? On a coulé du mortier dans la serrure, en plus d'avoir caché la porte derrière un faux mur. Qu'est-ce qui a bien pu se passer ici pour qu'on se donne tout ce mal ?

Mais William, préoccupé de toute évidence par ce panneau qui refusait de lui céder, ne semblait pas l'écouter. Il ralluma sa bougie et entreprit d'inspecter le pourtour du cadre, probablement à la recherche d'un loquet. Lauriane l'informa qu'elle n'en avait pas trouvé, ce qui ne le découragea pas outre mesure. Elle se recula donc pour lui laisser la place.

Il marmonna quelques mots et, incertaine qu'ils s'adressaient à elle, la jeune femme s'abstint de lui demander de répéter. Quelques instants plus tard, il marmonna de nouveau. Encore une fois, elle ne comprit rien de ce qu'il disait. Sans doute soliloquait-il au sujet de la porte. Toutefois, ce qu'elle vit par la suite la confondit. Le visage de son mari lui apparut alors qu'il effectuait un déplacement. Ses lèvres ne remuaient pas, et pourtant, Lauriane continuait d'entendre un murmure indistinct…

Sur cette constatation, elle eut la désagréable impression que sa trachée rétrécissait, amoindrissant le volume d'oxygène qui y circulait. C'était de cette façon que ses malaises avaient commencé la veille et elle s'affola à l'idée de revivre ce pénible épisode, ce qui ne fit qu'aggraver son problème. Sa respiration sibilante finit par attirer sur elle l'attention de William.

— Que vous arrive-t-il ?

— J'ai… du mal à respirer… l'air me manque…

Ayant l'impression qu'il l'étouffait, Lauriane tira sur le col de sa robe. Dans ses oreilles, le marmonnement allait en s'amplifiant. Il bourdonnait autour d'elle, se répercutait sur la paroi circulaire de la tourelle, de telle sorte qu'il se dédoublait et se répondait à lui-même.

— Vous… entendez?

L'espace entre les sourcils de son mari rétrécit.

— Non. Que devrais-je donc entendre?

— Rien…

C'était à présent assourdissant. L'oxygène continuait de se raréfier dans ses poumons et les laborieux efforts qu'elle faisait pour en aspirer ne parvenaient pas à la délivrer de sa suffocation. Des milliers de barrages minuscules semblaient s'être érigés dans ses voies respiratoires.

Constatant qu'elle se trouvait sérieusement en difficulté, William réagit sans plus attendre.

— Redescendons, décréta-t-il en l'entraînant dans l'escalier.

Le fait de se déplacer compromit l'équilibre de la jeune femme, que de brutaux vertiges ébranlèrent. Fermement cramponnée au bras secourable de son mari pendant la descente, elle s'en remit à sa stabilité rassurante.

— Je crois que… je vais être… malade…

— Nous y sommes presque.

Le cœur au bord des lèvres, Lauriane crut bien qu'elle allait offrir à son mari un dégradant spectacle en bas, dans la pièce circulaire. Par miracle, son estomac lui accorda grâce et ils traversèrent dans le couloir sans encombre.

— Arrêtons-nous deux minutes… je n'en peux plus…

Les membres alourdis, elle s'abandonna contre un mur, luttant toujours pour remplir ses poumons d'air. William tira un mouchoir de sa poche et, à gestes délicats, épongea le visage à la peau moite et aux traits altérés. Des cheveux roux adhéraient à ses tempes. Il en décolla quelques-uns. On aurait dit des fils de soie tant leur contact sur ses doigts était doux.

— Vous êtes en sueur, constata-t-il d'une voix aux inflexions rauques, les yeux rivés sur ses lèvres entrouvertes. Ce n'est pas une bonne combinaison avec le froid qui règne ici.

— C'est… ça… hier… qui m'a rendue… malade… je… je suis… montée et… je me suis… sentie mal… mais pire… encore… que maintenant…

— Vous souffrez peut-être du mal des hauteurs.

Lauriane lui décocha un regard excédé.

— Pas… la première… fois… que je ressens… ça… dans ces… souterrains…

— L'aération y est insuffisante, l'air est de mauvaise qualité. L'humidité entretient, de plus, une flore de moisissures abondamment répandue. Peut-être que votre état vous y rend plus sensible, ce qui cause vos malaises.

D'un geste brusque, la jeune femme écarta la main qui s'affairait sur son visage.

— Vous êtes… vraiment désespérant…

Elle abandonna le mur et mit à l'épreuve sa capacité de marcher sans l'assaut de vertiges, lesquels avaient cessé. Le marmonnement avait quant à lui connu une extinction complète dès que son mari et elle avaient amorcé la descente.

— Je ne fais que vous soumettre un point de vue logique, vous montrer que tout s'explique quand on se donne la peine de creuser, se défendit William en lui emboîtant le pas.

— Je vais vous redire ce que… je vous ai dit tout à l'heure… allez parler à chacun de vos employés… écoutez attentivement ce qu'ils vous diront… même si vous n'y croyez pas… même si ça vous semble complètement far-felu… écoutez-les… Je vous mets au défi de trouver une explication logique à tout ce qu'ils vont vous dire… je vous garantis que vous n'y arriverez pas…

Il était temps qu'elle reprenne haleine. Elle s'accorda une pause bienvenue, par ailleurs contente de son argu-mentation. Si seulement son mari consentait à suivre son conseil, il verrait, il comprendrait.

De pas en pas, elle reprenait le dessus sur ses malaises. Son estomac ne se convulsait plus et malgré qu'elle anhélait encore un peu, le blocus de ses poumons était en voie de se lever. Lauriane se félicitait d'avoir su endurer l'épreuve mieux que la dernière fois. Fort heureusement, d'ailleurs. Il aurait été des plus dégradant de se vomir les tripes devant William…

Une pensée fusa dans son esprit.

— Le seau ! Je l'ai oublié !

— Laissez-le donc, intima William en la retenant de faire demi-tour d'une main autoritaire logée dans son dos. Je reviendrai le chercher tout à l'heure. Pour le moment, nous sortons d'ici.

Quelques instants plus tard, ils réintégraient la chambre. Après que l'armoire eut repris sa place contre le mur, Lauriane l'ouvrit et inséra sa main à l'intérieur, au niveau de la tablette du haut.

— Le loquet est ici, pour le faire pivoter.

Elle s'écarta pour laisser son mari regarder de plus près.

— C'est une astuce bien pensée.

— Je me demande si vos parents savaient pour ces passages.

— Je suppose que oui, mais je ne les ai jamais entendus y faire référence.

William referma l'armoire, se tourna vers sa femme, qui se serrait dans son châle en grelottant. Ses yeux bleus, frangés de cils noirs, semblaient immenses dans son visage hâve.

— Vous devriez vous hâter d'aller vous chauffer devant un bon feu, lui recommanda-t-il.

— Je vais aller m'allonger, je pense.

Il la suivit jusque dans le corridor, où elle le déchargea de la nécessité de la raccompagner jusqu'à sa chambre. Mains calées dans ses poches de pantalons, il la regarda s'éloigner, s'attardant à admirer sa démarche dont la grâce n'avait pas été altérée par son ventre proéminent.

Lorsqu'elle fut hors de vue, les pensées de William confluèrent vers le coffre à l'entrée du passage secret. Il possédait une clé orpheline qui l'intriguait passablement depuis son arrivée au manoir. De petite taille, en bronze doré, elle ouvrait à l'évidence quelque coffre ou coffre-fort qui était demeuré introuvable, du moins jusqu'à maintenant. Du coup, il décida de tenter sa chance et fila dans sa chambre y chercher la clé en question.

Un moment plus tard, William était de retour devant l'armoire que sa femme et lui venaient de quitter. Tandis que sa main se faufilait à l'intérieur pour y actionner le loquet, il avisa un objet qui dépassait de sous une pile de caleçons sur la tablette du haut. Un carnet relié de cuir et une liasse de paperasse, constata-t-il en les extrayant de leur cachette. Il renonça à s'y attarder pour l'instant et les abandonna sur une chaise à proximité. Écartant l'armoire du mur, il s'approcha du coffre et en éclaira la serrure. L'humidité l'avait habillée de vert-de-gris, mais elle ne semblait pas obstruée. Y introduisant la clé, il s'étonna de la voir tourner facilement. Quel coup de chance ! Par pur hasard, il venait enfin d'éclaircir le mystère qui l'entourait.

Plus grand que ce qu'il y paraissait, le compartiment contenait quatre coffrets en bois de rose savamment ouvragés et agrémentés de ferrures en laiton poli : un gros, deux de taille moyenne et un petit. William les prit et regagna ses appartements en emportant également le carnet et les papiers trouvés dans l'armoire. Il s'intéressa d'abord aux coffrets, croyant deviner ce qu'ils renfermaient.

Son intuition fut bonne. Le plus gros recelait un collier en or, orné d'éléments à motifs floraux incrustés de rubis, séparés par des pendentifs sertis de rubis et de diamants. Les deux autres de taille moyenne contenaient respectivement une paire de boucles d'oreille et un bracelet assortis. Quant au plus petit, il s'y trouvait une bague en or agrémentée d'un rubis de taille en ovale cerclé de diamants.

Sa précieuse trouvaille étalée sous ses yeux, William se frotta le menton pensivement. Il s'agissait sans aucun doute possible des bijoux familiaux, dont il avait entendu parler sans les avoir vus. Son grand-père Colin les aurait jadis offerts à son épouse, Cassandra, après la naissance de leur premier enfant. De les découvrir aujourd'hui fournissait une réponse claire à la question que sa femme venait à l'instant de lui poser : ses parents ne connaissaient pas l'existence des passages secrets. Son père avait parfois fait référence à ces joyaux sur le ton de la convoitise et exprimé ses regrets de n'avoir jamais pu savoir ce qu'il en était advenu. William avait toujours soupçonné son grand-père Colin de les lui avoir cachés sciemment. Après tout, il n'y avait pas mieux placé qu'un père pour lire dans le cœur de son fils. Il devait avoir lui-même rangé les bijoux dans le coffre secret, mettant à l'abri cet héritage familial que son aîné n'aurait pas manqué de dilapider.

Le carnet de cuir, quant à lui, s'avéra être un livre de comptes. En le feuilletant, William remarqua un détail plutôt curieux. Certains des montants inscrits dans la colonne des dépenses ne portaient aucune mention quant à la nature de leur utilisation, particularité surtout concentrée dans les dernières pages et appliquée à des sommes plus ou moins importantes. Cela le laissa perplexe, mais comme il ne risquait guère d'y trouver d'explication, il ne s'y attarda pas outre mesure et délaissa le carnet pour faire un parcours succinct de la paperasse.

Tout datait de plus de trente ans et ne présentait pas un grand intérêt pour lui. Il ne sombra toutefois pas dans l'ennui bien longtemps. Ce qu'il découvrit le laissa abasourdi. Ses pensées se bousculèrent. Il mesura ce qu'en moins de rien, cela changerait, le poids, l'impact qu'aurait la mise au jour du contenu des papiers logés entre ses mains. Des vies pourraient bien s'en trouver bouleversées…

— Principalement la vôtre, Eustache Bélisle, murmura-t-il.

16

Une distraction bienvenue

*P*endant que sa femme se remettait de ses malaises, William avait emmené Dawson se dégourdir les pattes en faisant avec lui une longue promenade jusqu'au site de la future usine de papier. Déserté par les bûcherons, dont la saison de travail venait de se terminer, l'endroit reposait dans un calme plat. Il en serait ainsi jusqu'à la fonte complète des neiges, où un regain d'animation prendrait le relais avec la poursuite des travaux pour toute la durée de la belle saison.

De retour au manoir, il trouva sa femme à l'atelier en compagnie de Norah. Lui transmettant son désir de s'entretenir avec elle seul à seule, William l'invita à passer dans son bureau. Elle prit place dans le siège qu'il lui offrit et leva vers lui ses yeux piquetés de curiosité. Appuyé au bureau face à elle, William resta à étudier son visage, qui avait repris des couleurs.

— Vous vous sentez mieux ?

— Beaucoup mieux, merci. C'est toujours la même chose, je me sens mal en bas et dès que je remonte, tout disparaît. Sauf qu'hier et ce matin, c'était plus fort que d'habitude, j'ai mis plus de temps à m'en remettre. Mais un peu de repos a fini par faire son effet.

— Cela se voit. Vous avez certes meilleure mine.

Lauriane sentit son sang affluer à ses joues sous l'insistance du regard qui la scrutait. Elle n'avait pas l'impression qu'il constatait uniquement les signes de son rétablissement, pas avec cette flamme d'intérêt soutenu qui l'animait.

— En passant, avant que j'oublie, commença-t-elle, gênée. J'ai une invitation à vous transmettre de la part de mon oncle Urgel. Il m'a dit que si vous étiez à Côte-Blanche à la fin du carême, il aimerait vous recevoir à sa cabane à sucre pour souper. Chaque année, le samedi saint, ma famille se réunit là-bas pour se régaler des douceurs de l'érable.

— Votre oncle m'avait brièvement entretenu de ses activités de sucrier[22] à Noël. C'est un domaine qui ne m'est pas familier. Je suis donc tout disposé à aller voir cela de plus près et à faire l'expérience de quelques nouveautés gustatives.

Un sourire s'imprima sur les lèvres de Lauriane.

— Mon oncle sera plus que content de vous faire découvrir cette tradition de chez nous. L'invitation s'adressait aussi à Norah, mais je n'ai pas réussi à la convaincre. Elle dit que son organisme capricieux ne pourrait pas tolérer autant de sucre.

— Il est vrai que ma tante n'est pas friande de sucreries. Je ne l'ai jamais vue manger autre chose que des scones avec de la confiture et de la *cottled cream*[23].

Sur ce, William se tourna pour cueillir une pile de documents sur le bureau. Le voyant endosser un air sérieux, la

---

22. Personne qui fabrique les produits de l'érable à sucre.

23. Crème caillée (lait de vache non pasteurisé que l'on a chauffé puis laissé longtemps refroidir).

jeune femme se dit qu'il ne l'avait évidemment pas fait venir que pour prendre des nouvelles de sa santé.

— J'ai découvert ceci tout à l'heure. Ils se trouvaient dans l'armoire qui dissimule le passage dans l'ancienne chambre principale. Je croyais avoir passé en revue l'intégralité de la paperasse de mon père lors de mon arrivée, l'an dernier, mais j'avais semble-t-il omis d'explorer certains recoins. En réalité, je pouvais difficilement deviner que de précieux papiers se cachaient dans son armoire à vêtements. Le contraire aurait pourtant évité quelques soucis, précisa William, dont le front se creusa de quelques sillons. Des soucis pour vous et votre famille, essentiellement.

— Ma famille ?

Devant la confusion manifeste de sa femme, William ajouta :

— Si l'un de ces documents, en particulier, s'était trouvé entre mes mains quelques mois plus tôt, il aurait épargné à votre père un désagrément d'importance. Devinez-vous ce dont il s'agit ?

Se mordillant pensivement la lèvre, Lauriane centra son attention sur les papiers. Un document qui aurait évité des soucis à son père ? Pourrait-il s'agir de…

Son regard se dilata et rejaillit sur son mari.

— L'acte de vente introuvable ! C'est ça ? C'est lui ?

En guise de réponse, William prit une feuille de papier vélin sur le dessus de la pile et la lui présenta. La jeune femme redressa le dos et s'en saisit. La seule vue de l'en-tête « Acte de vente » aurait pu lui suffire. Elle parcourut pourtant le document jusqu'à voir figurer le nom de son arrière-arrière-grand-père : Alphonse Bélisle.

— Ça alors…

Incrédulité et frustration la partageaient. Tant de désagréments à cause de ce bout de papier! Il avait manqué d'anéantir son père, lui avait fait accomplir à elle une folie et aujourd'hui, il se trouvait juste là sous ses yeux, aussi inespéré qu'inutile. Car, en effet, quelle importance avait-il désormais? Aucune, si ce n'était de légitimer un passé dont la véracité n'avait en réalité jamais été remise en doute.

— En fin de compte, il n'a plus de valeur, puisque mon père et vous en avez fait faire un nouveau, conclut-elle en le rendant à son mari.

— *That's true.* Je tenais simplement à vous le montrer.

Le menton de Lauriane oscilla de droite à gauche cependant que sur ses lèvres expirait un bref soupir. Elle s'abandonna de nouveau contre le dossier de sa chaise, réunissant ses mains sur ses cuisses.

— C'est quand même incroyable qu'il réapparaisse tout à coup, des mois plus tard, alors que tout est réglé.

— Presque. Pour cet aspect, du moins.

Mettant de côté l'acte de vente, William garda en main le reste des documents.

— J'ai découvert autre chose concernant votre ferme. Vous souvenez-vous de cette histoire voulant que mon père y ait autrefois porté un intérêt soudain, et ce, sans raison apparente?

— Oui, c'est d'ailleurs ce qui a tant inquiété mon père quand il a compris qu'il avait, lui aussi, perdu l'acte de vente. Il savait que votre père avait beaucoup insisté pour que mon grand-père lui revende la terre, au point que c'était devenu une source de conflits entre nos familles. Mais en fin de compte, personne n'a jamais pu savoir pourquoi votre père voulait tellement racheter la terre.

— Eh bien, j'ai des nouvelles fraîches à ce sujet.

Machinalement, William frappait la liasse de papiers sur sa cuisse. Ils avaient, de toute évidence, quelque chose à voir avec les nouvelles fraîches en question et Lauriane sentit un nouvel afflux de curiosité sourdre en elle.

— Qu'est-ce que vous avez découvert ?

— Des informations qui valent leur pesant d'or, si j'ose dire, répondit William, souriant de sa comparaison.

Il agita les papiers devant lui.

— Ceci indique que sur les terres de votre père se trouve du minerai de fer en très grande quantité.

— Du minerai de quoi ? s'enquit Lauriane, étonnée.

— D'après ce que j'ai lu, il s'agirait de minerai de surface. Mon père n'aurait rien laissé au hasard : prospection du secteur, repérage précis des zones de mine, puis des veines dans lesquelles des puits exploratoires auraient été creusés afin d'en évaluer l'épaisseur. Il aurait même fait réaliser des analyses d'échantillons en laboratoire. Tout est écrit ici noir sur blanc.

Abasourdie, la jeune femme s'alourdit dans son siège. Du fer... sur leur ferme... apparemment en quantité et de qualité suffisantes pour qu'un richissime personnage s'y intéresse... Cela tenait tout simplement de la fiction !

Dans le but d'annihiler chez elle toute trace de doute, William lui remit les documents pour qu'elle les examine.

— Une prospection... Comment s'y est-il pris ? questionna Lauriane en posant les feuilles sur ses genoux après les avoir parcourues. Je suis sûre que mon père n'est pas au courant.

— Selon la carte, des minières sont aussi localisées sur les terres de Côte-Blanche. De prime abord, mon père a dû faire prospecter ici et ce faisant, il aurait découvert que cela débordait sur vos terres largement et en forte concentration. Il a dû agir à l'insu de votre famille. Sans doute souhaitait-il acquérir votre ferme afin de procéder à une extraction de grande envergure. Soyez assurée que ce qui dort sous votre sol vaut quelque chose pour qu'il s'y soit autant intéressé.

Et Lauriane n'en doutait pas un instant, étant donné ce qu'elle savait sur le compte de cet homme connu pour son insatiable gourmandise financière.

— Mon père et mon frère vont en faire une tête quand ils l'apprendront…

Elle déclina l'offre de son mari, qui se proposa de le leur annoncer lui-même, mais accepta de conserver les documents. Une telle nouvelle imposait d'avoir une preuve sous le nez…

La chaise qu'occupait Eustache à proximité de la fenêtre était heureusement équipée de berceaux, ce qui lui avait certainement valu de ne pas tomber à la renverse quelques instants plus tôt. Muet, la pipe vissée au coin de la bouche, il fixait Isaac, assis à la table, en train de relire pour au moins la dixième fois les documents que Lauriane avait apportés. Quant à Catherine, postée près du poêle, elle avait interrompu son tricot, ayant même oublié la broche tombée sur le sol, et observait, elle aussi, Isaac d'un œil fixe. La nouvelle concernant le minerai de fer était tombée comme la foudre sur leur tête : le choc d'abord, suivi d'un effet paralysant généralisé. Même Lauriane, assise près de son frère, ne remuait pas un cil.

— D'après les analyses, le minerai serait de très bonne qualité, finit par dire Isaac d'une voix exprimant toute son incrédulité.

— Est-ce que vous l'auriez soupçonné, papa, quand vous disiez que la terre de notre boisé était ferreuse, que le lit de notre ruisseau était rouillé et que vous vous plaigniez du goût métallique de l'eau ? demanda Lauriane pour tenter d'arracher son père à sa torpeur.

Il cligna des yeux. Ses doigts se portèrent à son épaisse moustache, qu'ils lissèrent distraitement. Ils plongèrent ensuite dans sa poche de chemise pour y cueillir une allumette avec laquelle il ralluma sa pipe, qui avait fini par s'éteindre entre ses lèvres figées. Puis, il délaissa sa chaise, fendant le nuage de fumée blanche avec son corps, et alla jeter son allumette dans le poêle.

— Du fer, sur ma terre, j'ai toujours su que j'en avais, mais pas assez pour remplir une boîte à clous. Je suis un habitant, je n'ai pas le flair pour ces choses-là, contrairement à un qui traînait dans les parages à l'époque.

Il eut un hoquet de mécontentement, puis sa bouche prit un pli amer.

— Je le reconnais bien, ce requin de William Fedmore père. Ça lui ressemble de faire sa petite affaire par en dessous, sans avoir de scrupules à flouer les gens, quitte à leur usurper une terre complète. Quand j'y repense aujourd'hui, il n'offrait même pas un prix raisonnable. C'était une belle preuve de son mépris, de penser que, parce que mon père n'était qu'un habitant insignifiant, il se croirait riche devant une pièce. Fedmore nous aurait délogés avec des miettes si nous l'avions laissé faire, parce qu'il n'aurait pas acheté seulement le bout de terre qui l'intéressait, non, ça aurait trop éveillé les soupçons. Il la voulait au complet et nous aurait jetés dans le chemin sans vergogne. Le père ne valait décidément pas le fils. Si ce gratteux vivait encore, ma fille, je n'aurais jamais donné ta main à William, décréta-t-il en pointant Lauriane de sa pipe fumante. Jamais dans cent ans ! Malgré l'affection et le respect que j'ai pour ce jeune homme, je n'aurais pas permis que son père me prenne ma fille et qu'elle aille vivre sous son toit !

Son teint commençait à se marbrer de rouge. Ses yeux furieux regardaient droit dans ses souvenirs, fusillant l'homme dont il avait l'image devant lui, presque aussi réelle que s'il était de chair et d'os.

— Mais il n'est plus de ce monde et comme vous l'avez dit, papa, son fils ne lui ressemble pas sur ce plan, commenta Lauriane dans l'espoir de faire diminuer un peu la pression. Pourquoi ne pas voir la cupidité du père du bon côté en nous réjouissant de ce qu'elle nous apporte aujourd'hui ? Si, comme vous, il n'avait pas eu de flair, vous ne sauriez pas quel trésor dort sous vos pieds, je n'ai pas raison, Isaac ? Catherine ?

— Comme toujours, ma sœur, comme toujours ! approuva son frère, qui feignait l'exaspération alors que sa femme y allait de vigoureux hochements de tête. Ce Fedmore a voulu s'enrichir sur notre dos et je le félicite, parce qu'avec ce qu'il a trouvé, on pourrait sûrement remplir plus qu'une boîte à clous, on pourrait peut-être même avoir des fers pour les chevaux, à perpétuité…

Eustache dévisagea tour à tour son fils et sa fille. La commissure de ses lèvres vibra. Il inséra un pouce derrière l'une de ses bretelles, porta sa pipe à sa bouche et aspira de longues bouffées en silence. Isaac se remit à feuilleter les documents tout en se grattant la nuque.

— Je vois sur la carte que la minière déborde sur les terres de ton mari, Lauriane. Qu'est-ce qu'il en pense ? Qu'est-ce qu'il veut faire ?

— Je ne sais pas. Il m'a seulement demandé de vous dire qu'il est prêt à passer ce soir si vous avez besoin de conseils ou si vous avez des questions à lui poser. Il voulait aussi que je vous dise que si jamais vous décidiez de faire prélever le minerai, il tient en être averti, parce qu'il aurait alors une proposition à vous faire.

Isaac consulta leur père du regard. Ce dernier secoua sa tignasse grisonnante, la fumée de sa pipe serpentant dans le mouvement.

— Ne me regarde pas en espérant que je vais choisir à ta place, Isaac, le prévint-il, catégorique. Je suis devenu trop vieux et cette terre n'est plus la mienne, c'est toi qui tiens les rênes et ce genre de décision te revient.

— Voyons papa… Vous vivez encore ici, vous travaillez encore sur la terre. À mes yeux, elle continue de vous appartenir et ne sera à moi que quand je vous la rachèterai. Je ne peux pas prendre une aussi grosse décision sans vous consulter.

— Isaac, les années à venir seront les tiennes. Bientôt, je ne serai plus là pour la labourer et la cultiver. Dans dix ans, vingt ans, trente ans, toi, tu y seras encore. Cette terre, c'est ton avenir. Alors… c'est à toi de décider ce que tu veux pour elle. Tu y élèveras ta famille et un beau jour, ce sera à ton tour de la passer aux mains de ton fils. Sur papier, elle m'appartient encore, mais dans les faits, c'est la tienne.

Eustache s'approcha de son fils et posa sa main cre-
vassée sur son épaule en le regardant le plus sérieusement
du monde.

— Qu'est-ce que tu voudrais, mon gars, pour ta terre ?
Qu'est-ce que tu attends d'elle ?

La ligne des sourcils d'Isaac se haussa. Il inspira, gonfla
brièvement les joues avant de relâcher un soupir contenant
tout le poids que représentait l'étourdissante perspective de
voir, soudainement, ses projets, ses rêves, se mettre à sa
portée.

— Je veux qu'elle nous fasse vivre, Catherine et moi,
que nos enfants y grandissent comme nous et comme vous
avant nous, qu'elle soit assez généreuse pour répondre à
nos besoins. Je veux qu'elle soit bonne et fertile, longtemps.

— Qu'est-ce que tu ferais avec l'argent du minerai si tu
l'avais ?

— Ce que je ferais…, commença Isaac, pensif. Je crois
bien que je gâterais d'abord un peu ma belle Catherine.

Il enveloppa sa femme d'un regard brûlant d'amour et
de tendresse.

— C'est bien sûr que je mettrais un peu d'argent de côté
pour nos enfants : envoyer un de nos gars au séminaire,
payer les noces de nos filles. Je m'en garderais aussi pour le
rachat de la terre et de tout le reste. Ça m'éviterait d'avoir à
emprunter pour que mes frères et ma petite sœur aient leur
part d'héritage, ajouta-t-il avec un sourire en coin pour
Lauriane. Mais, en tout cas, le gros de l'argent serait pour la
ferme, pour faire quelques réparations, comme changer le
bardeau du toit de la grange, qui en a vraiment besoin.
J'aurais aussi dans l'idée d'acheter une nouvelle terre pour
pouvoir grossir le cheptel. Il faudrait alors agrandir nos

bâtiments. C'est un projet qui me tenterait bien. Alors, bref, l'argent venu de la terre retournerait à la terre.

Ses yeux miroitaient de la joie que ces formidables perspectives lui insufflaient. Lauriane savait depuis toujours que son frère était un paysan dans l'âme. Pour lui, il n'existait pas de mélodie plus enchanteresse que celle d'un vent d'été faisant chuchoter les champs de maïs et pas plus solennelle promesse que celle d'un sillon fraîchement tracé à la charrue. Son cœur et sa sueur servaient d'engrais à cette terre qui ne pourrait compter sur plus digne successeur pour y enraciner les valeurs et les traditions de la famille Bélisle.

— Tu vois, tu l'as, ta réponse. Tu n'avais pas besoin de me consulter, dit Eustache.

Il gratifia son fils d'une tape affectueuse dans le dos, ses traits trahissant un certain émoi. Elle était là, dans l'onde de son regard, dans la vibration de sa voix, dans le contact de sa main, cette fierté, celle d'un père qui rencontrait chez son fils une communion d'idéaux et une sagesse dont il aurait lui-même fait preuve à sa place.

L'émotion sembla gagner aussi Isaac, même s'il tentait de conserver un masque impassible. Il se racla la gorge, déposa les documents sur la table.

— C'est bon, ma sœur, tu peux dire à ton mari de venir ce soir.

Ainsi, ce ne fut que beaucoup plus tard que Lauriane put connaître la nature de la proposition de William et par le fait même, la décision d'Isaac. Elle accompagna son mari à la ferme et assista à l'entretien auquel son père prit une part peu active. William éclaircit en un premier temps certains points à propos desquels Isaac se questionnait, principalement axés sur l'extraction du minerai : la méthode utilisée, les aménagements à faire pour les transports, les effectifs à embaucher, ainsi de suite.

Sa proposition ne vint qu'en second lieu. Il affirma ne pas être à priori très intéressé à exploiter ses propres minerais, en quantité trop insuffisante sur ses terres pour rentabiliser son investissement. Par contre, dans la mesure où Isaac décidait d'extraire, il lui emboîterait peut-être le pas et serait prêt à le soutenir financièrement au besoin, vu les coûts encourus. Isaac pourrait ensuite le rembourser avec les gains obtenus. Il faudrait qu'il accepte cependant d'attendre à l'an prochain, car cette année était trop chargée en terme de projets pour William.

L'offre était sur la table et demandait réflexion. Isaac n'était pas tenu de répondre sur-le-champ. Il refusa pourtant de s'accorder un délai plus long que les quelques minutes qu'il s'octroya pour réfléchir à la question. Au cours de cette attente, Lauriane se permit de faire une prédiction silencieuse, se souvenant clairement de ce que lui avaient montré les cartes à jouer de sa tante Adéline, l'été précédent, quand elle avait pris son frère comme cobaye. N'avait-elle pas vu des bouleversements pour la ferme ? C'était cela, elle le savait, tout comme elle savait que ces changements seraient positifs. Aussi lorsque son frère annonça, d'une voix teintée de fébrilité contenue, qu'il acceptait la proposition, Lauriane arborait déjà une mine réjouie et confiante.

❋ ❋ ❋

L'hiver québécois se distinguait par sa longueur et ses rigueurs excessives. Par bonheur, la nature était en constant changement, la roue des saisons poursuivait sa ronde éternelle et ainsi, le temps froid finissait inexorablement par tirer sa révérence. Les orteils, les doigts et les bouts de nez commençaient enfin à dégeler.

Grâce à la vigueur croissante du soleil avait lieu ce qu'on appelait le « dégel des sucres », moment clé où les érables se gorgeaient de sève. Annoncé par les premiers cris des corneilles, c'était la saison de production de sirop, de tire et de sucre qui se mettait en branle dans les sucreries[24].

Cette année, Lauriane était particulièrement impatiente d'aller souper à la cabane de l'oncle Urgel. Cette réunion familiale appelait en elle un besoin, tant au plan moral que physique. Le recul que cela lui permettrait de prendre avec le manoir, la dose de détente que cela injecterait dans les tensions qu'elle avait accumulées au cours des dernières semaines, ne pourraient que lui faire le plus grand bien.

Coiffé d'une tuque à pompon qui laissait ses oreilles à l'air tant il la portait sur le bout de la tête, l'oncle Urgel vint accueillir Lauriane et son mari à leur arrivée. Le sourire généreux et le torse bombé par la fierté d'avoir un si important invité, il voulut d'emblée lui faire visiter les installations.

— Pour nous autres, sucriers, la première étape, c'est de battre les chemins dans le bois. Ça, c'est de la grosse ouvrage, parce qu'à l'épaisseur de neige qu'on a... Après, quand les tournées[25] sont faites, on est rendus à entailler les érables.

William balaya d'un regard intéressé la forêt dénudée révélant ses troncs auxquels étaient accrochés les seaux en

---

24. Plantation d'érables à sucre exploitée pour la fabrication des produits de l'érable.

25. Chemins en forme de boucles tracés dans la neige de façon à pouvoir faire la cueillette de l'eau d'érable et revenir ensuite au point de départ avec un plein tonneau.

fer-blanc qui recueillaient l'eau d'érable. Certains, de diamètre plus imposant, en comptaient jusqu'à quatre.

Dans le dessein de bien informer son invité, l'oncle Urgel incita le couple à s'approcher de l'un d'eux. Il montra à William le contenu d'un seau consistant en un liquide translucide très semblable à de l'eau.

— Ça, c'est la base de tout. C'est avec ça qu'on fait tout le reste. On commence par percer un trou dans le tronc avec une mèche, orienté au sud. Après, on insère un chalumeau[26] de métal dans le trou et on y accroche un seau. L'eau est ensuite transvidée dans un tonneau amené sur un traîneau. Quand c'est rendu à la cabane, la prochaine étape, c'est le bouillage[27].

Il plongea un gobelet dans le seau, le tendit à William.

— Tenez, goûtez-moi donc ça, William !

Ce dernier prit le gobelet dégoulinant et le porta à ses lèvres.

— Un léger goût sucré, très subtil, commenta-t-il.

— Vous goûtez le meilleur, on est dans de bonnes conditions en ce moment pour la coulée[28]. Beau le jour, nuits fraîches, c'est ça que ça prend, mais on a aussi besoin de temps en temps d'une bordée de sucre : il faut qu'il neige, autrement dit. Après, on est bons pour une autre bonne coulée.

Lauriane fut prise d'un accès d'hilarité.

— Plus jeune, je pensais qu'une bordée de sucre, c'était une façon de dire que du sucre tombait des nuages. Alors, au printemps, dès qu'il tombait un peu de neige, je sortais pour aller y goûter !

---

26. Tube permettant à la sève de s'égoutter.

27. Faire bouillir la sève pour que l'eau s'évapore.

28. Écoulement de la sève d'érable de l'entaille.

— Oui, oui, je me rappelle que tu faisais ça, Lauriane, s'esclaffa son oncle en agitant un doigt boudiné dans sa direction. Ta mère m'avait même raconté que tu avais rempli une pleine poche pour faire une provision de sucre pour sa popote, saudite affaire!

Riant de plus belle, la jeune femme confirma d'un hochement de tête.

— Je peux vous dire que j'ai été très déçue quand vous m'avez expliqué la vraie signification d'une bordée de sucre. Moi qui pensais que c'était le petit Jésus qui faisait des trous dans ses grosses poches de sucre célestes...

Elle saisit le gobelet que son mari lui tendait avec un sourire et but à son tour la bonne eau sucrée. Elle se souvenait également avoir autrefois parcouru les seaux plus ou moins en cachette avec ses frères. Parfois, elle y trouvait une araignée noyée et passait à un autre. Il lui arrivait d'en vérifier plusieurs avant de pouvoir y boire, dégoûtée par la moindre saleté en suspension dans l'eau.

Elle rendit le gobelet à son oncle et ils revinrent sur leurs pas. La croûte de neige amollie par le temps doux cédait sous leurs pieds. L'oncle Urgel continuait d'abreuver William d'informations. Lauriane craignait que son mari ne comprenne pas tout, la pratique des sucres ayant son dialecte propre, mêlé au jargon québécois. Mais il sembla relativement bien composer avec cette petite difficulté, n'hésitant pas à demander des précisions au besoin.

La jeune femme salua à grands signes son cousin Charles, qui les attendait avec une épuisette fumante près d'une longue boîte de bois remplie de neige.

— La tire qui est justement prête! se réjouit l'oncle Urgel, dont le pompon sautilla au bout de sa tuque. Venez, William, on va vous faire goûter à ça.

— Humm… de la bonne tire sur la neige! Je l'attends toujours avec impatience, dit Lauriane en salivant déjà.

Son oncle leur distribua une petite spatule de bois puis versa des serpents de tire chaude et dorée sur la neige qui se creusa légèrement. La jeune femme fut invitée à se servir la première. Elle enroula la tire collante autour de sa spatule, la porta à sa bouche en grognant de contentement. Un peu de neige était restée collée, c'était à la fois tiède et froid, mais surtout sucré et tellement bon.

Elle en ferma les yeux tellement elle se régalait. En les rouvrant, elle se rendit compte que son mari fixait sa bouche qui suçait la tire avec gourmandise. Tout de suite, Lauriane fut saisie par la lueur de lubricité qui animait ses prunelles. Ne souhaitant pas se retrouver prise d'embarras en présence de son oncle et de son cousin, elle retira la spatule de sa bouche. Un filet de tire lui colla sur le menton. Elle ôta son gant et l'essuya du bout de son doigt, qu'elle lécha ensuite sans réfléchir. Le regard de William flamboya et, bien contre son gré, elle sentit ses joues s'échauffer.

Enfin, il se détourna pour se servir à son tour de la tire. En attente de sa réaction, l'oncle Urgel le regarda enfourner dans sa bouche le bout de sa spatule comme si c'était une question de vie ou de mort. Il s'illumina comme une lanterne en le voyant hausser les sourcils de satisfaction.

— *That's delicious.* Très bon, complimenta William. On en arrive à ce résultat simplement en faisant bouillir l'eau d'érable?

— Eh oui! Tout repose sur le bouillage. Vous viendrez, tantôt, je m'en vais vous montrer ça. C'est l'évaporation de l'eau, le secret, à mesure qu'elle bout, la teneur en sucre augmente, et voilà tout!

Tandis que le couple s'adonnait à sa dégustation en silence, l'oncle Urgel laissa son fils se servir puis le renvoya s'occuper du bouillage. Son visage fendu par une rangée de dents jaunies se tourna vers William.

— C'est dommage que madame Norah ne soit pas venue se sucrer le bec avec nous autres!

— Si vous permettez que je vous en achète un peu, j'en rapporterai au manoir et je tâcherai de la convaincre d'y goûter.

Oncle Urgel tiqua, ce qui fit de nouveau remuer son pompon.

— Je ne vous vendrai rien, arrêtez-moi ça! On partage le fruit de notre production avec tout le monde dans la famille. Vous vous ferez une provision et vous direz à votre tante que l'oncle Urgel a pensé à elle.

— De mon côté, je m'occuperai personnellement de faire goûter vos sucreries à tout le monde à Côte-Blanche, affirma Lauriane. Surtout aux enfants du cocher, ils vont se régaler!

William retira la spatule de sa bouche, examina la boule ambrée que formait la tire.

— Il est étonnant d'imaginer qu'à un moment donné, quelqu'un ait pensé à recueillir la sève de l'érable et à la faire bouillir pour obtenir ceci.

— C'est sûr que ce n'est pas nous autres qui avons inventé ça, c'est les Sauvages, précisa Urgel. Bien avant que les Blancs arrivent, eux autres, ils savaient faire ça. Apparemment qu'ils entaillaient avec une hache, un éclat de bois servait de chalumeau et l'eau dégouttait dans un contenant fait en écorce de bouleau placé directement à terre. Le sirop leur servait d'assaisonnement.

Il restait sur la neige encore quelques serpents de tire. La langue frémissante d'impatience, Lauriane en captura un autre, le laissa ramollir dans sa bouche et fondre en y répandant sa saveur divine. Cette fois encore, elle se sentit devenir l'objet d'intérêt du regard de son mari. Elle alla à sa rencontre et se brûla à l'intensité du désir explicite qu'il renfermait. Jamais elle n'aurait cru que déguster de la tire puisse prendre une couleur si érotique. Un geste banal qui, vu à travers les yeux avides d'un homme, devenait un outil de séduction.

Son père, Isaac et Catherine arrivèrent peu après. Son oncle resta dehors en compagnie des messieurs, et Lauriane se dirigea vers la cabane avec sa belle-sœur pour aller aider sa tante à la préparation du repas. Avant d'y entrer, elle regarda en direction des hommes qui discutaient et se laissa aller à reluquer la haute silhouette de son mari : la carrure de ses épaules soulignée par le caban ajusté et impeccable, son maintien noble, assuré, et à la fois décontracté. Des habits élégants pour un corps à l'apogée de la masculinité, une étiquette de gentleman anglais pour un homme qui frayait aisément avec la rusticité du bûcheron. Un contraste qui avait dès le début sonné le réveil des fibres féminines de Lauriane et auquel elle était plus que jamais sensible.

Il tourna la tête vers elle, et l'ardeur de son regard alluma un incendie dans sa poitrine. Il lui dédia un sourire à faire fondre même la femme la plus rétive, auquel elle répondit spontanément. Elle s'engouffra ensuite dans la cabane, le cœur léger.

❄ ❄ ❄

Tout ce qu'on mangeait à la cabane à sucre était succulent : fèves au lard, omelettes arrosées de sirop d'érable, pommes de terre, lard salé rôti, oreilles de crisse[29]. Pour dessert, il y avait du pain trempé dans le réduit[30] et de succulents grands-pères[31]. Le tout était arrosé de thé de sève, c'est-à-dire du thé infusé dans l'eau d'érable.

Comme au réveillon de Noël, William se fit un point d'honneur de prendre un peu de tout. Pour sa part, Lauriane ne se fit pas non plus prier pour garnir généreusement son écuelle, même qu'elle mangea plus que de raison. Elle avait toujours les yeux plus grands que la panse à la cabane à sucre...

Lorsque vint le moment de remonter dans le landau pour regagner le manoir, elle avait encore l'estomac lourdement chargé. Contrairement à son habitude, alors qu'il s'assoyait en face d'elle, William prit place à ses côtés. Calé dans l'angle de la banquette, positionné de façon à être tourné vers elle, il s'abîma dans une longue observation qui finit par mettre Lauriane mal à l'aise. Le feu aux joues, elle se décida à affronter le regard gris.

— Dormez-vous les yeux ouverts ou êtes-vous en train de me fixer ? demanda-t-elle sur un ton léger.

— Je contemple.

— Ah...

— On fixe pour de multiples raisons, mais on contemple lorsque la vue est plaisante et j'estime qu'en ce moment, elle l'est.

— Attention, ou vous allez vous ruiner !

---

29. Mince tranche de porc grillée avec la couenne.

30. Eau d'érable qui a cessé de bouillir avant d'atteindre le point de consistance du sirop.

31. Boule de pâte à crêpe cuite dans du sirop d'érable.

— Me ruiner ?

— Ce compliment doit sûrement vous coûter très cher…

Le rire grave de son mari sonna dans l'habitacle, ô combien rarissime mélodie jouée par l'humeur légère qui semblait le porter ce soir.

— Un compliment qui coûte cher vaut mieux que plusieurs ne valant pas un sou, répliqua-t-il, un reste de rire dans la voix.

Abandonnant son coin, William se déplaça sur la banquette de façon à se rapprocher de sa femme, assez pour que leurs vêtements se frôlent et qu'il respire la subtile odeur de sucre qu'elle dégageait. Ses yeux tombèrent sur sa bouche, il revit sa petite langue rose léchant la tire sur son doigt. Dire que ce geste l'avait hautement émoustillé était un euphémisme, lui que ses envies inassouvies torturaient parfois jusqu'à lui vriller le bas-ventre de crampes insoutenables.

— Il est vrai que je ne vous ai jamais dit combien je vous trouve belle et désirable, susurra-t-il en logeant son bras sur le dessus du dossier, derrière la tête de la jeune femme.

Troublée tant par cet aveu que par sa trop grande proximité avec son mari, Lauriane bougea ses fesses de manière à recréer un espace sinon raisonnable, du moins acceptable dans la mesure où elle se retrouvait pratiquement collée à la paroi capitonnée du véhicule.

— Le caribou de cabane[32] de mon oncle semble bon pour vous délier la langue, on dirait…

— Plutôt fameux, ce caribou…, commenta William à travers un sourire qui confirmait son appréciation.

---

32. Boisson composée de whisky et de vin rouge, mélangée avec du réduit.

— Oui, c'est ce que j'ai cru comprendre quand je vous ai entendu dire que vous vouliez en acheter quelques bouteilles.

Le glissement sourd et continu qui résonnait sous leurs pieds s'interrompit. La voiture venait de s'immobiliser. Dehors, un grincement métallique déchira le silence, suivi par une petite secousse lorsque le véhicule s'ébranla, pour s'arrêter de nouveau presque aussitôt. Le grincement se fit réentendre, indiquant que le cocher refermait le portail. Un moment plus tard, Lauriane sentait son dos s'appesantir contre le dossier de la banquette, la voiture s'étant engagée dans la côte montant au manoir.

Ses yeux toujours rivés sur sa femme, William annula l'espace qui les séparait et se pencha sur son oreille.

— Vous vous souvenez du jour où je vous ai embrassée sur ce chemin ?

«Quelle question !» eut envie de lui répondre Lauriane, sentant courir des frissons de sa nuque jusqu'à son épaule. Pour elle, l'assaut cavalier de Jean Cloutier, le soir de la veillée chez Clara, n'avait pas la valeur d'un baiser, surtout pas après l'avoir soupesé à la lumière de cette expérience vécue avec William. Et donc, les jeunes filles n'oubliaient pas leur premier véritable baiser, même si ce dernier se faisait dans la ruse et la moquerie.

— Je me souviens surtout que vous avez joué avec moi, le récrimina-t-elle.

Le gant froid de son mari toucha sa joue. D'une légère pression, William l'incita à tourner son visage vers lui pour emmêler son regard au sien.

— Ce sont vos yeux... Ils me disaient combien vous étiez pure et chaste, et à la fois sensible à l'homme qui se tenait devant vous. J'ai pris plaisir à faire rougir votre innocence tout en satisfaisant l'envie dévorante que j'avais de goûter au nectar interdit de cette bouche appétissante.

Sa voix n'était plus qu'un faible murmure, léger comme le chant d'une brise, et, tels les pétales d'une marguerite, Lauriane se sentit frémir. Un souffle tiède effleura sa joue, puis des lèvres veloutées y papillotèrent, exquise caresse à laquelle elle se déroba en repoussant doucement son mari.

— Je vais profiter du fait que vous êtes de bonne humeur pour vous dire merci. Je suis sans mots devant la précieuse livraison que vous m'avez fait porter.

Des vapeurs d'alcool embrumant son esprit, par ailleurs absorbé par des idées lubriques, quelques secondes furent nécessaires à William avant de comprendre à quoi elle faisait allusion.

— La livraison... bien sûr... Le choix de patrons et de tissus était-il assez vaste ?

— Je ne sais pas ce que vous entendez par le mot « vaste », mais en ce qui me concerne, j'ai de quoi me refaire une garde-robe complète, et ce, pour plusieurs années d'affilée.

— Ce ne sera pas un luxe étant donné le piètre aspect de la vôtre.

Son ton quasi dédaigneux eut le don de rappeler à la jeune femme la triste fin qu'avait connue sa confortable chemise de nuit en flanelle.

— Vous me l'avez fait comprendre d'une façon on ne peut plus claire, grinça-t-elle, toujours aussi révoltée par la bassesse de ce geste.

— J'admets avoir trouvé quelque aspect agréable à certaines pièces, nuança William sans paraître avoir entendu la remarque. Mais de façon générale, vos vêtements font pâle figure et ils sentent la ferme.

En réaction à la mine outrée que lui présenta sa femme, William étira un sourire mielleux. Il se pencha de nouveau sur elle et inspira longuement, le nez tout près de son cou.

— Si vous étiez nue, votre peau vous ferait un vêtement dont l'odeur n'a rien de la ferme, mais qui exhale au contraire un parfum autrement plus agréable et délicat, aux pouvoirs dévastateurs...

Lauriane n'osait plus bouger, menant une chaude lutte contre ses sens en éveil.

— Vous allez quand même devoir endurer l'odeur «de ferme» de mes vêtements un petit moment, le temps que je m'en couse d'autres, dit-elle d'une voix anormalement enrouée.

— J'ose espérer que le choix des modèles vous plaît?

— Je vous assure que je n'ai rien à redire là-dessus, comme sur tout le reste d'ailleurs. J'ai été éblouie. Avec autant de goût, je ne pourrai pas faire autrement que de me coudre des robes de princesse.

— J'ai pensé m'en remettre au flair de madame Fisher, qui a fait preuve d'un jugement irréprochable lors du choix de votre robe de mariée.

La jeune femme sourcilla.

— Irréprochable? Je portais une robe de reine!

— Et croyez-moi, vous auriez assujetti même les plus coriaces démons de l'enfer..., lui chuchota William, ses lèvres tout contre son oreille.

Cette fois, Lauriane en oublia de respirer. Elle détourna la tête, en proie à un vertige.

— Est-ce que c'est ma passion pour la couture qui vous a donné l'idée de me faire faire ces vêtements ? demanda-t-elle très vite.

— Effectivement. Je comptais faire renouveler votre garde-robe par madame Fisher, mais en faisant le constat de votre passion pour la couture et de votre talent, j'ai présumé que vous aimeriez prendre en main la confection de vos vêtements. Cela va également dans le sens de votre caractère. J'ai eu vent que vous peiniez à vous habituer au fait que l'on vous serve, préférant faire certaines choses par vous-même.

— Je vous en suis très reconnaissante, croyez-moi, dit la jeune femme, agréablement surprise qu'il ait su pour une fois être attentif à ses besoins et si bien capter l'essence de sa personnalité.

La voiture venait de s'immobiliser devant le manoir, pour le plus grand soulagement de Lauriane, qui bondit sur ses pieds comme un ressort. Pressée d'échapper à la présence dévastatrice de son mari, elle se hâta de descendre sans attendre que le cocher vienne ouvrir la portière. L'air frais apaisa son visage cuisant. Elle souhaita bonsoir à un Cliff quelque peu surpris et profita du fait que William échangeait quelques mots avec lui pour s'engouffrer dans la maison, espérant se réfugier au plus vite dans la quiétude de sa chambre. Mais bientôt, les pas de son mari claquèrent derrière elle, juste alors où elle atteignait son but.

— Lauriane... *Wait !*

La jeune femme sursauta en même temps qu'une vibration caressante traversait ses tympans. Jamais encore il n'avait prononcé son prénom, lui imposant cette barrière psychologique comme pour mieux la maintenir à distance.

Décidément, le caribou de cabane de son oncle faisait perdre à William toute retenue…

Elle se retourna pour lui faire face. Dans ses yeux assombris, aucune ambiguïté. Il voulait rétablir le lien de chair qui les avait unis au chantier et lui faire l'amour, ce soir, maintenant. Et à cet aveu muet, Lauriane réagissait malgré elle : par les pores de sa peau qui exsudaient, par les pulsations effrénées du sang dans chacune de ses veines, par ce besoin farouche qui la lancinait au creux des reins. William s'arrêta à quelques centimètres d'elle et dans le son rapide et hachuré de sa respiration, elle trouva la manifestation du tumulte qui sévissait également en lui.

— Allons-nous retourner sagement chacun dans notre chambre, vraiment ? demanda-t-il en la dévorant du regard.

— Vous êtes le responsable de cette situation.

— Ce qui ne nous empêche en rien de nous retrouver dans le même lit, cela dit.

Mais Lauriane, encore heurtée par la déception essuyée au chantier, ne se sentait pas disposée à partager son intimité avec lui, quand bien même toutes les fibres de son corps le lui réclamaient avec véhémence.

— Je n'en ai pas envie, mentit-elle en cherchant à se détourner.

William la retint en encadrant son visage de ses mains.

— Je lis le désir dans vos yeux, comme autrefois sur le chemin. Vous vouliez ardemment ce baiser tout en vous sentant effrayée par lui. Votre inexpérience vous freinait. Aujourd'hui, quelque chose vous effraie encore, pourtant vous n'avez plus cette innocence.

— Non, ça, c'est une chose que j'ai à jamais perdue.

— La contrepartie de ce sacrifice ne le vaut-elle pas ?

Prisonnière, Lauriane ne put que souffrir la brûlure de son regard chargé d'intensité. Bien sûr, qu'y avait-il à comprendre dans son comportement ? Il réclamait un droit légitime d'époux, qu'elle lui avait déjà accordé dans une communion de passion sulfureuse. Mais là n'était pas la question. Ses principes, ses valeurs, rejetaient la conception que son mari avait de leur mariage. En contrepartie de son nom et de sa paternité, il réclamait son corps. Mais comment pourrait-elle le laisser en user comme d'un simple outil du plaisir, accepter que sa sexualité soit l'unique aspect de sa personne qui l'intéressait ? Car oui, lui céder reviendrait à une acceptation, celle de n'être pour lui qu'une enveloppe charnelle sans aucune substance. Comment pourrait-elle jamais s'y résoudre ? Cette pensée ne faisait au contraire que renforcer sa détermination à maintenir sa position.

Volonté que William mit à l'épreuve en plaquant sur ses lèvres un baiser d'une telle fougue qu'elle en ressentit la secousse jusqu'au cœur de chacune de ses cellules. Et le ressac vint, puissant, l'éclaboussant de toute sa passion dans un flot d'écume bouillonnant. Ce fut pour elle un brutal réveil. La faim mutuelle qui les avait consumés au chantier était intemporelle et ne suivait pas les lois du cœur ni de la raison. Elle n'était qu'instinct, chair et feu, qu'attirance et fusion.

Étourdie par la houle de son désir qui menaçait de la faire chavirer, Lauriane gémit quand, de son corps, son mari la repoussa contre la porte de sa chambre. Tandis que l'une de ses mains jouait avec les boutons de son corsage, l'autre fureta sur ses courbes, palpa sa cuisse, modela sa hanche avec hardiesse. Sentant sa volonté s'effriter, la jeune femme n'eut d'autre choix que de réagir. Dans son dos, elle tâta subrepticement, à la recherche de la poignée, puis elle fit un bref décompte mental : trois, deux, un...

Avec une promptitude qui la surprit elle-même, elle ouvrit la porte et s'arracha à l'étreinte de son mari en se jetant en arrière. Pris au dépourvu, ce dernier n'eut pas le temps d'esquisser un geste pour la retenir.

— Bonne nuit, William...

Lauriane referma le battant sur le regard fiévreux, presque douloureux, de son mari, sur sa propre soif qui la lancinait cruellement, et relâcha son souffle en l'entendant s'éloigner au bout d'un interminable moment.

17

Un revenant

L'air se parfumait d'une fraîche odeur printanière. Malgré que les fenêtres de sa chambre fussent fermées, Lauriane pouvait tout de même la sentir et la laisser lui égayer l'humeur. En fredonnant, elle prit une pile de petits pantalons sur le coffre au pied de son lit et alla ouvrir un tiroir de son chiffonnier pour les y déposer. Elle fit de même pour une pile de chemises, ainsi que de mignonnes robes qui auraient pu seoir à une poupée.

En une sorte de manifestation d'enthousiasme, un coup se fit contre la paroi interne de son ventre, la surprenant. Lauriane éclata de rire et s'arrêta pour poser sa main à l'endroit en question.

— Oui, ce sont de jolis vêtements que j'ai cousus pour vous. Vous allez être beaux ou belles comme des cœurs là-dedans. Puisque je ne sais pas si vous êtes des garçons ou des filles, j'en ai fait pour les deux et je donnerai ceux qui ne serviront pas.

Ils bougeaient de plus en plus. Chaque jour, elle s'émerveillait de ces sensations nouvelles et uniques que cette grossesse lui permettait de vivre. Trois vies en une seule, trois cœurs en cadence, déjà liés par la force d'un amour inaltérable. Lauriane ne pouvait plus se passer des sempiternelles réflexions qu'elle leur partageait, se plaisant à en faire de privilégiés témoins des aléas de son quotidien. Elle leur parlait aussi de leur père, toujours en des termes favorables, préférant leur épargner ses opinions allant parfois dans l'opposé. Il lui arrivait de se demander si ses enfants percevaient les effets physiques engendrés par ses émotions. Si tel était le cas, sans doute avaient-ils senti les remous qui l'avaient secouée dernièrement et dont leur père était la cause...

Tout en continuant de placer les vêtements dans le tiroir, Lauriane s'évoqua le samedi soir précédent, après le souper à la cabane à sucre. En se refusant à son mari, elle s'était condamnée au tourment de l'esprit et des sens. Des pensées grivoises s'étaient ralliées pour la supplicier et le feu que William avait allumé dans chaque parcelle de son corps avait mis une éternité à s'apaiser.

Le lendemain, ils s'étaient rendus à la ferme Bélisle en compagnie de Norah pour le traditionnel souper de Pâques. Le langage non verbal de son mari n'avait eu rien pour aider Lauriane à garder la tête froide. Son regard de prédateur l'avait sans arrêt déshabillée, là, au milieu de sa famille. Ce quand il ne faisait pas exprès d'entrer en contact physique avec elle, la frôlant subtilement de sa main, de son bras, lorsqu'ils se trouvaient tout près l'un de l'autre. À croire qu'en l'éconduisant, la veille, elle avait déclenché sans le vouloir une guerre érotique qu'il s'était résolu à remporter.

Lauriane referma le tiroir, parcourue malgré elle d'un délicieux frisson, qu'elle s'efforça aussitôt de réprimer, tâchant par le fait même de réorienter ses pensées ailleurs. Tiens, elle n'avait qu'à se centrer sur des éléments bien moins agréables de son mari, tel son manque total d'ouverture à l'égard des phénomènes surnaturels.

Bien illusoire avait été d'espérer qu'il prenne la situation au sérieux et qu'il consente à fouiller sa vieille paperasse! Peut-être la jeune femme devrait-elle lui proposer de mener elle-même les recherches? Oui, elle pourrait tenter de le convaincre. À moins qu'elle se décide à refaire une séance d'écriture automatique. Une option qu'elle envisageait avec réticence, cependant. Les manifestations avaient connu une extinction complète depuis la fatidique nuit qui les avait tous cloués au salon, et Lauriane craignait de rompre l'harmonie établie.

Elle retourna à son coffre d'un pas songeur, arracha un petit bout de laine resté accroché dans une éclisse de bois sur le couvercle. Des mots noir sur blanc, un cahier défraîchi, se suspendirent à la corde de ses réflexions.

— Si seulement je pouvais retrouver ce satané journal! soupira-t-elle en agitant la tête de contrariété. Je n'aurais pas besoin de me battre contre un mari borné pour espérer trouver des bribes d'information.

Son regard se braqua sur le vide devant elle, inquisiteur.

— Pourquoi avoir attiré mon attention sur ce journal, le jour où je nettoyais l'ancienne chambre de Fanélie, si c'était pour ensuite le faire disparaître, hein? Pourquoi?

Le hasard avait fait en sorte qu'elle le trouve sous l'oreiller de la servante, mais Lauriane avait toujours été persuadée qu'une présence invisible avait fait tomber le cahier du bureau, où elle l'avait négligemment posé, à dessein d'éveiller son intérêt.

Le son de la porte de la chambre qui s'entrouvrait la fit violemment tiquer. S'attendant à voir apparaître Lindsay, Lauriane fut prise de court en ne rencontrant que le vide du couloir. Le sentiment d'une présence ne s'empara pas moins d'elle, tant et si bien qu'elle eut bientôt la certitude de ne plus être seule. En outre, si son sens visuel ne capta rien, il en alla autrement de son capteur émotionnel, qui fut brutalement assailli. Ce fut comme si des trombes de larmes se mettaient à pleuvoir sur elle, la mouillant d'affliction et de désespoir. À l'instar de ce qu'elle avait vécu lors de la dernière séance d'écriture automatique, Lauriane eut l'impression qu'une grisaille, lourde et infinie, allait noyer la pièce et l'engloutir, elle aussi, par la même occasion.

La présence commença à s'affaiblir. En fait, elle ne disparaissait pas, mais semblait plutôt s'éloigner tout en imprimant dans l'esprit de la jeune femme une irrépressible envie de la suivre. À pas rapides, Lauriane traversa la pièce et franchit la sortie. Un bruit étouffé l'attira au bout du couloir. La porte de l'ancienne chambre principale s'était ouverte, telle une invitation à y pénétrer, que la jeune femme ne songea même pas à refuser. L'armoire dissimulant le passage secret avait été écartée du mur, exactement comme l'autre jour, lorsque Lauriane avait senti qu'on cherchait à l'attirer dans les souterrains. On l'appelait encore cette fois. La présence perçue plus tôt s'était muée en une volonté puissante qui l'exhortait à lui obéir.

Dépourvue de résistance, Lauriane s'empressa d'attraper une lampe avant de pénétrer dans le passage. Elle chemina jusqu'à l'intersection en T et opta pour la branche de gauche sans aucune hésitation. En vue de la porte qui, selon ses estimations, devait mener à la chambre de William, la volonté extérieure l'incita à ralentir le pas. Lauriane s'exécuta cette fois avec un brin de réticence, ayant encore en mémoire les maux de tête que cet accès bloqué lui avait causés.

À sa plus grande stupéfaction, le battant s'ouvrit dans un sinistre grincement. Interdite, elle considéra d'un œil rond ce pied de nez à ses efforts. Le halo de sa lampe pénétra les ténèbres de l'autre côté et de l'étonnement, elle passa à la confusion. En toute logique, elle aurait dû apercevoir l'escalier que Norah et elle avaient emprunté, mais ce n'était pas le cas. Intriguée, Lauriane s'approcha du seuil et se retrouva plutôt devant une minuscule pièce basse et vide, très semblable à celle qu'elle traversait après avoir descendu l'escalier du passage dans l'ancienne chambre principale. À la lumière de cette constatation, elle présuma que la porte située tout au fond devait être celle qui était véritablement bloquée.

Sentant une inexplicable fébrilité s'insinuer en elle, Lauriane s'adonna à une exploration de l'endroit en éclairant chaque recoin. Des toiles d'araignée, du mortier effrité et des fientes de souris s'offraient pour tout ornement, comme partout ailleurs dans ces souterrains vieux et oubliés. Elle avait presque atteint la porte du fond quand quelque chose retint soudain son attention : un objet gisait sur le sol. Plat et de forme rectangulaire, il parut à la jeune femme étrangement familier.

Son cœur rata un battement. Sa lampe lui échappa presque lorsque, d'un bond, elle s'avança pour éclairer sa trouvaille. Ce qu'elle vit l'assomma aussi sûrement qu'un coup de massue, la laissant pantoise, la bouche béante, les membres en chiffons. Sous ses yeux dilatés d'ébahissement se trouvait... le journal de Fanélie Murray.

❄ ❄ ❄

Frappée d'hébétude, Lauriane fixait comme un trésor miraculeux le cahier humide, mais toujours en bon état logé entre ses doigts tremblants. Même le contact lisse du papier avec sa peau avait quelque chose d'irréel. Et pourtant, c'était au contraire on ne peut plus réel. Elle avait retrouvé le journal de Fanélie ! Après tant de vaines recherches, dire qu'il était là, si près, juste de l'autre côté de cette porte récalcitrante ! Mais peu importait, désormais. Aussi incroyable que cela puisse être, Lauriane l'avait de nouveau en sa possession et elle avait la ferme intention de ne plus le laisser lui échapper. Frémissante de joie et d'excitation, elle n'avait maintenant plus qu'une idée en tête, qu'un désir : se replonger dans sa lecture au plus vite.

Elle quitta la pièce en coup de vent, le journal serré contre sa poitrine. Son impatience la brûlait tant que ce fut tout juste si elle prit le temps de retourner dans sa chambre et de se réfugier près de l'âtre pour réchauffer son corps frigorifié. Faisant défiler les pages jaunies à toute vitesse, elle repéra la date du 2 novembre et s'y arrêta. Elle terminait de lire ce passage au moment où le journal avait disparu.

Passé le jour des Morts, les confidences de Fanélie augmentaient en fréquence et allaient en se concentrant sur le manoir, aussi était-ce le plus souvent l'écriture saccadée qui noircissait les pages. Il apparaissait que Fanélie était une personne nerveuse qui peinait à se contenir quand son thermomètre émotionnel s'en allait à la hausse. Elle n'était jamais à court de mots pour déployer l'éventail des bouleversements intérieurs que lui occasionnaient les étrangetés auxquelles elle commençait à être confrontée.

Elle racontait entre autres qu'une fois, alors qu'elle venait de finir de nettoyer les vitres de la salle à manger, elle avait aperçu, dans l'un des carreaux, un rond de buée où apparaissait une empreinte de main. Cette manifestation avait fortement troublé Fanélie, d'autant que personne ne se trouvait avec elle dans la pièce. Elle précisait que la main était de grande taille, et que la largeur des doigts et de la paume laissait supposer qu'il s'agissait de celle d'un homme. À une autre occasion, alors qu'elle était seule au salon, des notes de piano s'étaient mises à résonner, désordonnées, brutales, comme si on martelait les touches à coups de poing. La servante, effrayée, avait fui à toutes jambes.

Au bout d'un certain temps, Fanélie avait décidé de se confier à une servante avec qui elle avait tissé un lien d'amitié. Elle avait ainsi pu apprendre qu'ils étaient plusieurs parmi la domesticité à avoir observé certains faits étranges. Semblerait-il qu'ils avaient commencé bien avant l'embauche de Fanélie, qui ne datait que de quelques mois. Pour elle, comme pour la majorité des employés, il devenait clair que le manoir était hanté.

La jeune servante mentionnait par ailleurs un changement d'attitude chez ses maîtres, soulignant en particulier l'état de nervosité dans lequel stagnait sa maîtresse. Un matin, Fanélie disait avoir vu les mains de la femme trembler à un point tel qu'elle était incapable de faire de la lecture. La servante en était venue à la conclusion que les maîtres n'étaient pas épargnés par les singuliers phénomènes se produisant en leur demeure. Elle en avait d'ailleurs eu la confirmation quelque temps plus tard. En effet, au cours de l'hiver 1858, la servante rapportait de nombreuses querelles au sein du couple. La femme de charge en poste à l'époque aurait surpris l'une d'entre elles. Apparemment, la maîtresse aurait fondu en larmes en déclarant d'une voix oppressée qu'elle était terrifiée. Elle en avait assez et implorait le maître de quitter Côte-Blanche, ce à quoi ce dernier s'opposait catégoriquement.

Quelques jours plus tard, un curé se présentait au manoir. Afin de restaurer le calme et d'annihiler les angoisses de son épouse, le maître aurait décidé de faire bénir la demeure. L'intervention de l'ecclésiastique n'aurait malheureusement pas amélioré la situation. Il serait même revenu une deuxième fois, sans plus de résultat. Devant l'inefficacité de cette mesure, le maître, déterminé à chasser cette entité qui leur empoisonnait la vie, aurait fait appel à de soi-disant spécialistes des forces occultes dont la compétence et l'intégrité auraient été par la suite remises en doute. Leur don pour alourdir leur bourse semblait en effet passablement plus aiguisé que leur sixième sens.

Puis, un jour, une femme serait venue, possédant possiblement de réelles capacités. Elle avait commencé par faire le tour de la maison et Fanélie, qui l'avait croisée par hasard, affirmait l'avoir vue porter une main à sa gorge comme si quelque chose l'étouffait. La femme s'était ensuite enfermée au salon avec les maîtres. Quelques instants plus tard, elle en était ressortie en geignant, visiblement indisposée. Le visage exsangue, la respiration sifflante, elle vacillait, semblant sur le point de tourner de l'œil. Tout ce que les employés avaient pu apprendre par la suite était qu'une séance de spiritisme aurait été tentée et qu'elle aurait mal tourné pour la femme, qui se serait sentie persécutée physiquement. Elle était partie pour ne jamais plus revenir. Après cette séance, les manifestations auraient connu un essor constant et fulgurant. Non contente de tous ces efforts déployés pour la chasser, l'entité avait déchaîné sur eux toute l'ampleur de sa colère, semant l'agitation et l'angoisse dans la maisonnée jusqu'à rendre la vie au manoir infernale. Le maître imposait bien sûr le silence à quiconque vivait sous son toit, sous peine d'un congédiement immédiat.

Ces informations étaient suivies, dans le journal, du dessin sur lequel il s'était ouvert par hasard le jour où Lauriane l'avait découvert. Il s'agissait d'une représentation de la chambre de la servante. On y voyait une jeune fille allongée sur le lit et sur une minuscule table juste à côté, une chandelle jetait un faible éclairage sur la pièce. Une portion plus sombre montrait les contours très nets d'une silhouette humaine, noire et sans visage. Un texte accompagnait le dessin sur la page voisine. L'encre était diluée à certains endroits et, en prenant connaissance de son contenu, Lauriane comprit que c'était l'œuvre de larmes. Fanélie avait eu la peur de sa vie en apercevant, dans un coin de sa chambre, une masse sombre qui était par la suite entrée dans le mur.

Lauriane interrompit sa lecture, distraite par un bruit de pas dans le couloir. Peut-être s'agissait-il de Lindsay, qui revenait de la chambre de William, ce qui signifiait qu'il était debout. À cette pensée, ses yeux tombèrent sur le journal, qu'elle referma et garda en main. Un moment plus tard, la jeune femme frappait à la porte de son mari. Elle crut entendre, assez lointaine, sa voix grave lui indiquant d'entrer.

À première vue, la chambre apparaissait déserte, mais Lauriane ne tarda pas à repérer William dans le cabinet de toilette, occupé à se faire la barbe. Il ne portait pour seul vêtement qu'un pantalon turquin et la vue de ce corps, si sublimement masculin, fut pour la jeune femme des plus alléchantes.

— Euh... je... ne suis pas sûre d'être vraiment invitée à entrer puisque ce n'est pas à moi que vous deviez penser en m'invitant à le faire, plaisanta-t-elle, hésitant sur le pas de la porte.

Le visage que William tourna dans sa direction montrait qu'il ne s'attendait effectivement pas à la voir.

— Il est vrai que la dernière fois où vous vous trouviez ici, j'étais en train de vous flanquer dehors, se rappela-t-il en déposant son blaireau sur le meuble de toilette. Mais pour cette fois, je veux bien me montrer conciliant et vous autoriser à entrer.

La jeune femme s'avança de quelques pas. Bien qu'elle y soit déjà revenue avec Norah, elle se sentait malgré tout intimidée de se trouver dans cette chambre où elle avait eu un bref vécu qui, maintenant, semblait ne plus lui appartenir.

Son mari sortit du cabinet de toilette. Avec sa tenue légère et sa mâchoire ombrée de barbe, il lui fit l'effet d'un ribaud s'approchant de sa prochaine conquête et l'air ambiant, tout à coup, parut se réchauffer.

— Je tombe peut-être... au mauvais moment? balbutia Lauriane en indiquant la joue sur laquelle il avait commencé à appliquer du savon à barbe.

— Aucunement. Comme vous le voyez, je ne faisais que commencer. Qu'est-ce que c'est ?

Tandis qu'il s'essuyait la joue avec la serviette perchée sur son épaule, son regard observait le cahier qu'elle avait en main.

— C'est un journal intime, je l'ai trouvé en faisant du ménage dans les pièces inoccupées à l'étage des domestiques. Il était tenu par une prénommée Fanélie. Elle travaillait comme servante ici du temps de vos parents.

— Vous devriez le jeter. Vêtements et objets peuvent être réutilisés, mais je crains que ce journal ne connaisse d'autre vie que celle qu'il a eue jadis.

— Il est trop intéressant pour que je le mette à la poubelle.

— Intéressantes, les vieilles confidences d'une servante ? Éclairez-moi.

— Avec plaisir, je suis venue pour ça, d'ailleurs.

Lui agitant le cahier sous les yeux, Lauriane se lança :

— Les premières pages datent d'un an avant le départ de vos parents. Évidemment, comme tout journal de ce genre, il renferme des confidences parfois très intimes, parfois banales. Là où ça devient intéressant, c'est quand Fanélie se met à noter ses impressions à propos du manoir et à rapporter des faits inexpliqués de même nature que ceux dont je vous ai souvent parlé. Vous avez osé m'accuser d'avoir influencé tout le monde et vous vous imaginez que la peur et les rumeurs nous ont fait avoir des hallucinations. Seulement, comment ferez-vous pour démentir un témoignage écrit noir sur blanc par quelqu'un qui travaillait au manoir alors que je n'étais même pas née ? J'étais bien mal placée pour l'influencer, il me semble !

Certaine de tenir un bon point, elle l'observait, le nez relevé en un air de défi.

— Je tiens à souligner, en passant, que je me suis entretenu avec chacun des domestiques, tel que vous me l'aviez suggéré, annonça William à brûle-pourpoint.

Il se passa la serviette derrière la nuque et referma les mains sur chaque extrémité. Devant lui, le visage de sa femme avait changé d'expression. Il l'avait prise de court. Il préféra cependant nuancer ses propos avant qu'elle ne s'emballe.

— Sachez toutefois que je ne l'ai pas fait dans le but de me convaincre de l'existence de ces prétendus fantômes, mais bien parce que je souhaitais me tenir au fait de ce qui se passe dans ma propre maison.

— Vous ne les avez pas confrontés, j'espère ? Ils n'ont pas besoin de ça.

— Je me suis contenté de les entendre, point.

Agréablement surprise, Lauriane abaissa le menton en signe d'approbation.

— Tant mieux que vous connaissiez les détails, parce que comme je vous l'ai déjà dit, Fanélie, dans ce journal, rapporte le même genre de phénomènes.

— Les confidences de cette demoiselle n'ont pas plus de poids puisque, même à l'époque, son jugement et celui de ses pairs pouvaient fort bien avoir été contaminés par des rumeurs. Car il y avait déjà de nombreuses années que des histoires de fantôme circulaient dans les couloirs. Cela remonterait au temps de mon grand-père, Colin. Vous êtes donc en mesure de constater que Côte-Blanche est affublé de cette absurde étiquette depuis très longtemps.

— Je sais, Norah m'a tout raconté. Votre père aurait fait certaines confidences alors qu'il était malade et vous, vous refusez même de croire les dernières paroles d'un mourant.

Un muscle tressauta à l'angle de la mâchoire de William.

— Vous semblez ignorer que mon père n'avait plus toutes ses facultés lorsqu'il a quitté ce monde.

— C'est loin d'être l'avis de Norah. Elle m'a dit ne jamais l'avoir connu aussi lucide. Mais quand bien même... Croyez-vous que votre père n'était pas sain d'esprit quand il vivait ici ? Écoutez ceci.

Lauriane ouvrit le journal, le feuilleta jusqu'à la page voulue et commença à lire à voix haute :

— « Jeudi 11 février. Cher journal, aujourd'hui, le curé est revenu bénir la maison. Encore une fois, tout est resté calme durant sa visite et je pense que ça l'a rendu plus que jamais sceptique. Il est reparti en semblant tous nous prendre pour des fous... Le maître en était très contrarié, la maîtresse pleurait. J'ai peur, journal. On dirait que cet esprit se joue de nous... »

Elle interrompit sa lecture, puis dit :

— Votre père a demandé l'aide d'un curé, mais comme ça n'a rien changé, il s'est tourné vers des gens spécialisés dans les phénomènes de ce genre. Ils ont déambulé ici pendant des semaines en échange de rondelettes sommes d'argent. Quand on sait à quel point votre père était chiche, on peut se questionner, non ?

William paraissait tout à coup préoccupé.

— Pourriez-vous répéter la date, je vous prie ?

— Le jeudi 11 février 1858.

— Y en a-t-il d'autres où sont mentionnées les visites de ces gens ?

— Plusieurs. Fanélie détaille tout.

Pensif, William avait les yeux rivés sur le journal.

— J'aimerais procéder à une petite vérification. Vous serait-il possible de retrouver toutes les dates ?

— Oui, facilement. Vous voulez que je le fasse tout de suite ?

— S'il vous plaît.

Abandonnant la serviette sur le lit, il alla sortir un carnet de cuir d'un tiroir du secrétaire pendant que Lauriane s'affairait à retrouver les dates et à plier le coin de chaque page concernée. Quand elle en eut terminé, elle remit le journal à son mari, qui patientait, bras croisés sur sa poitrine, l'œil braqué sur elle.

Le carnet ouvert sur le secrétaire, le journal dans une main, William s'absorba dans la comparaison des dates jumelées à des sommes d'argent dépensées sans justification avec celles que venait de cibler sa femme : toutes concordaient. Il en secoua la tête d'incrédulité, laquelle se mua rapidement en irritation alors qu'il se ralliait aux preuves sous ses yeux. Son père aurait bel et bien délié les cordons de sa bourse pour une bande d'illuminés de bas étage !

— Est-ce que je pourrais savoir ce que vous vérifiez ? questionna Lauriane, intriguée par sa réaction.

— La concordance entre les dates de dépenses non justifiées et celles du journal où il est mentionné que mon père aurait eu recours aux services de « certaines personnes ».

— Et elles concordent ?

Il opina silencieusement.

— Bon! Vous voyez que Fanélie n'invente rien. Vous en avez même la preuve avec les comptes de votre père, plaida Lauriane, très contente d'avoir enfin du concret à lui fournir.

Mais son mari se chargea vite de faire éclater sa bulle de joie.

— J'ai la preuve qu'il a bien fait ces dépenses inutiles, mais pas celle qui atteste que le manoir est hanté. Voyez-vous, il en faut davantage pour me convaincre. Élevé par mon grand-père, mon père n'a pu faire autrement que de se voir transmettre ses croyances, aussi farfelues fussent-elles. Ne nous étonnons donc pas qu'il ait pu en venir à de telles extravagances. Mais cette belle lignée s'est éteinte avec moi, que les Fedmore à venir m'en sachent gré! En aucun cas je ne peux croire ce dont je n'ai pas été témoin et jusqu'ici, je n'ai constaté aucun fait méritant d'être qualifié de surnaturel ou d'inexplicable.

— Ce n'est pas croyable! Je trouve absolument insensé que même avec tous ces témoignages, du passé comme du présent, vous restiez encore campé sur vos positions! s'éleva Lauriane, oscillant entre découragement et indignation.

— Parlons justement de ces témoignages du présent. Si vraiment le manoir est hanté et que ces derniers temps, cela s'est aggravé, pourquoi ne se passe-t-il rien depuis mon retour?

— Parce qu'il se trouve qu'en ce moment, nous sommes dans une période de tranquillité, je dirais. Les dernières manifestations de l'entité ont été particulièrement fortes. Je lui ai parlé, je lui ai fermement ordonné de partir. Même si je sais qu'il n'en a rien fait, il ne se passe plus rien depuis, chose que je ne pouvais pas prévoir en vous écrivant pour vous demander de revenir.

Son mari se coiffa d'un air sceptique qui exaspéra suprê-mement Lauriane. Avoir su, elle lui aurait écrit plus tôt afin qu'il revienne en pleine tourmente, si c'était ce qu'il lui fallait pour le convaincre ! C'était sans doute la seule façon de procéder avec un esprit si dubitatif et pourvu d'une si froide logique. Elle, qui avait tant voulu voir se rétablir la paix au manoir, regrettait presque l'agitation des dernières semaines et aurait à présent souhaité que « John » continue à se déchaîner.

Et tout cela pourquoi ? Juste pour que son mari daigne enfin la croire ? Elle se sentait tout à coup bêtement ridicule. Sacrifier ainsi le bien-être des gens du manoir dans l'espoir d'influencer l'opinion d'un fieffé borné n'était certainement pas à son honneur et elle était peu fière d'y avoir pensé ne serait-ce qu'un instant.

William avait rangé le livre de comptes et lui rendit le journal. Dressant le menton, la jeune femme le toisa avec hauteur. Il sourit.

— Vous comptez continuer d'éplucher ce journal ?

— Hum hum. Puisque vous ne voulez pas m'aider à découvrir ce qui a pu se passer dans cette maison autrefois pour qu'une entité en colère y reste attachée, j'espère bien que ce journal, lui, m'apportera enfin des réponses.

Mais elle eut la nette impression qu'il ne l'écoutait plus. Son regard avait dévié sur sa bouche, puis sur son corsage, où saillaient les rondeurs de sa poitrine. Lauriane s'em-pressa d'y échapper en se dirigeant vers la sortie. Rester dans cette chambre, quand il la contemplait avec cet air gourmand, était une très mauvaise idée.

Mais c'était sans compter la voracité du prédateur. Elle ouvrait la porte quand une main sortie de nulle part la saisit par le bras et l'obligea à pivoter. La surprise la pétrifia et William en profita pour cerner sa taille de ses bras possessifs, l'enveloppant du même coup d'un parfum de savon.

— Si je vous proposais une activité autre que la lecture ? susurra-t-il, ses prunelles incandescentes fouillant les siennes.

— William, no...

Il captura sa protestation de ses lèvres et l'anéantit sous le feu de sa passion. La tête de Lauriane eut un mouvement de recul, qu'une main freina en se logeant sur sa nuque. Elle était prise au piège, entravée par la force d'un désir furieux qui ébranla ses résistances. Ses doigts allèrent instinctivement à l'encontre de sa volonté à moitié écroulée et se cramponnèrent aux épaules de son mari, qui resserra son étreinte. Ses poils de barbe lui piquaient la peau; en revanche, sa langue avait une douceur veloutée. Lauriane s'embrasait. Le piège n'était plus en dehors d'elle, mais à l'intérieur, et pour s'en libérer, il lui fallait à présent lutter contre ses propres pulsions. Mais elles la terrassaient, prenaient possession de son corps, qui n'obéissait plus qu'à elles seules.

— Oh! Excusez-moi!

La voix chemina jusqu'aux oreilles de Lauriane à travers un brouillard, mais son effet fut aussi saisissant qu'une douche froide. Elle retomba dans la réalité et se raidit brusquement. Les lèvres contre les siennes cessèrent de s'animer et son mari dressa la nuque.

— Toutes mes excuses... je...

Plantée dans le couloir, Lindsay se tordait les doigts, l'air de vouloir rentrer dans le plancher.

— Qu'y a-t-il? aboya William.

— Euh… votre voiture… Elle a été avancée devant l'entrée, Monsieur…

— Bien.

L'œil sévère, il fixait la malheureuse servante, qui inclina la tête avec raideur avant de filer sans demander son reste. Ayant retrouvé la raison, Lauriane en profita pour se soustraire à l'étreinte de son mari, qui s'était quelque peu relâchée, et battit en retraite à son tour, pantelante et étourdie comme si elle venait d'exécuter cent pirouettes.

Dans la chambre, William se passa les mains sur le visage, tâchant de calmer ses pulsions frustrées. Son regard se porta sur la porte restée ouverte.

— Deux femmes, coup sur coup, qui prennent la poudre d'escampette, c'est bien la première fois que je vois ça !

Il échappa un rire sans joie, puis retourna dans le cabinet de toilette se faire la barbe.

❋ ❋ ❋

Après la visite de la femme qui avait mal tourné, Fanélie espaçait ses confidences, répétant constamment qu'elle avait peur et qu'elle détestait à présent cette maison plus que tout au monde. La dernière date inscrite était le 6 juin. Fanélie ne faisait aucune mention d'un éventuel départ, venant confirmer son caractère précipité et improvisé.

Mais ce n'était pas pour autant que Lauriane achevait sa lecture dans la déception. Les dernières confidences de Fanélie renfermaient une information qui, à elle seule, aurait pu suffire à justifier la pertinence du temps consacré à ce journal. Elle était de loin la plus instructive, la plus importante et dramatique de toutes. Elle représentait en quelque sorte la racine majeure de l'arbre, ou du moins l'une d'entre elles, et Lauriane appréciait plus que jamais le fait d'avoir pu bénéficier d'une source de renseignements aussi précieuse que ce journal intime vieux de trente ans.

Impatiente de partager sa découverte avec Norah, la jeune femme fila tout droit à l'atelier. En ce milieu de matinée, la vieille dame devait certainement déjà s'y trouver. Elle était d'ailleurs en plein travail lorsque Lauriane fit son entrée, un peu essoufflée d'avoir trop pressé le pas.

Le visage fripé, penché sur les ciseaux qui découpaient une pièce de tissu, se redressa, lui offrant un sourire accueillant.

— Bonjour, mon enfant! Comment vous portez-vous ce matin?

— Pour tout vous dire, je ne tiens plus en place!

Lauriane louvoya entre les bustes mannequins, contourna la cuve à lessive pour aller rejoindre la vieille dame assise à sa place habituelle. Au-dessus des ciseaux qui s'étaient immobilisés, les yeux noirs la scrutèrent.

— Vous me semblez en effet assez agitée. Mais que vous arrive-t-il donc?

— Figurez-vous que je viens de trouver la réponse que nous cherchons depuis si longtemps! annonça Lauriane d'une voix surexcitée.

— La réponse? À quoi faites-vous référence précisément?

La jeune femme ouvrit la bouche, mais au dernier moment, elle consigna les mots dans sa gorge, se rendant compte qu'elle n'avait même pas encore informé Norah du retour inattendu du journal de Fanélie. L'ayant apporté,

Lauriane le soumit à l'attention de la vieille dame en arborant un air triomphant.

— Regardez ce que j'ai retrouvé.

— Qu'est-ce que c'est?

— Le journal de Fanélie Murray.

La physionomie de Norah se figea d'ébahissement. Elle posa son ouvrage sur ses genoux et allongea le bras pour s'emparer du cahier que Lauriane lui tendait. Elle resta à le fixer comme si elle craignait qu'il ne s'évapore, l'ouvrit enfin pour le feuilleter.

— *My Lord!* C'est tout simplement stupéfiant!

Les pages bruissaient entre ses doigts graciles, ornés d'une alliance et d'une bague sertie d'un solitaire. Son regard étincelait presque autant que le joyau.

— Comment l'avez-vous retrouvé, ma foi? Où donc se cachait-il?

— Juste sous notre nez, ou presque. Mais avant de tout vous expliquer en détail, il faut absolument que je vous dise ce que les dernières confidences de Fanélie m'ont appris.

La hâte et l'agitation teintant ces paroles laissaient présumer d'un fait important, si bien que Norah se laissa harponner par la fébrilité.

— Eh bien soit, très chère, empressez-vous de m'éclairer, ma curiosité est piquée.

Lauriane gagna le fauteuil réservé à madame Nolet et y prit rapidement place, ce qui créa un petit déplacement d'air qui fit soupirer ses jupes.

En premier lieu, elle dressa à Norah un bref portrait des faits étranges auxquels la servante avait assisté. Elle lui fit ensuite part des querelles au sein du couple Fedmore, puis des mesures prises par William père afin de chasser l'entité, ainsi que les répercussions néfastes qu'elles avaient entraînées.

— Même si Fanélie n'en parle pas directement, ces informations laissent facilement deviner que ce sont ces répercussions qui ont obligé les Fedmore à abandonner le manoir, inféra-t-elle en terminant.

— Je suis d'accord avec vous. Les écrits de cette servante confirment ce que nous pensions et concordent avec les confidences fragmentaires de William père à l'aube de son décès. Ils jettent, en outre, un éclairage nouveau sur les événements. Voilà qui est inespéré et incroyable ! Apprendre que des mesures ont déjà été tentées afin de libérer le manoir de la présence de cette entité et que cela n'a fait qu'empirer la situation... William père a dû s'en mordre les doigts.

À peine Norah terminait-elle sa phrase que l'ensemble de son corps opérait un léger changement de posture, comme foudroyé par un éclair minuscule.

— Oh... mais... serait-ce cela..., commença-t-elle, étonnement et confusion se bousculant sur son visage.

Puis, tout s'éclaircit d'un coup.

— Mais oui ! Les dernières paroles qu'il a prononcées avant de trépasser, dont je vous ai parlé déjà... Il a dit : « Nous n'aurions pas dû... » Cela m'avait intriguée et je regrettais de n'avoir pu savoir à quoi il faisait allusion. Mais voilà que le mystère se dissipe. William père faisait certainement référence au fait que ses efforts pour chasser l'entité ont échoué et qu'il a été contraint à abandonner cet endroit qu'il aimait tant. Car Dieu sait à quel point il affectionnait cette maison ! Il a dû beaucoup lui en coûter de devoir la quitter.

— Oui, vous avez sûrement raison, approuva aussitôt Lauriane, ravie que la vieille dame ait fait ce lien qui fournissait une réponse sensée à une de leurs nombreuses interrogations. Il devait penser que s'il n'avait pas provoqué la colère de l'entité, ça lui aurait permis de rester au manoir. Du moins pendant encore un certain temps, parce que sa femme insistait déjà beaucoup pour qu'ils partent.

— Certes, quoique je me demande s'il se serait finalement laissé convaincre. J'ai un doute à ce sujet. Mais bon, cela n'a guère plus d'importance. Dans l'heure, nous voilà devant un mystère éclairci grâce à ce journal, très chère !

La mine réjouie, Norah brandissait le cahier tel un pirate qui viendrait de découvrir la carte d'un trésor fabuleux.

— Mais ce n'est pas tout, j'ai encore mieux pour vous, annonça Lauriane, l'œil pétillant. Je viens juste d'en finir la lecture et les dernières pages ont été sans doute les plus instructives de toutes.

— Ce que vous venez de me raconter est déjà plus qu'instructif. Qu'avez-vous appris qui le soit davantage encore ?

S'avançant dans son siège, la jeune femme pencha le tronc en avant de façon à se rapprocher de sa compagne. C'était le genre de sujet qu'il valait mieux garder hors de portée des oreilles indiscrètes.

— Figurez-vous qu'un jardinier se serait enlevé la vie dans le manoir, et devinez où ? Dans notre fameuse pièce condamnée.

La mâchoire de la vieille dame s'affaissa.

— Que me dites-vous là ? Un jardinier ? Un suicide ?

— Fanélie l'aurait entendu dire par la cuisinière de l'époque. Elle n'a pas donné de nom, disant juste qu'un jardinier aurait tout bonnement décidé de mettre fin à ses jours dans la maison. Ce serait ensuite que les manifestations auraient commencé.

— Ainsi nous serait révélée la clé du mystère…, déclara Norah, estomaquée. S'agissait-il d'un jardinier de l'époque ?

— L'événement remonterait au temps de Colin Fedmore, ce qui fait pour nous plus de soixante ans.

— Mais bien sûr ! À quoi pensais-je ? Cela ne peut être si récent puisque les manifestations se produisaient déjà bien avant. Par ma foi… Nous nous trouvons donc devant la cause de tout cela, l'entité qui hante ces lieux ne serait nul autre que ce jardinier.

Les yeux de la vieille dame s'animaient des mêmes émotions qui avaient envahi Lauriane au moment où elle avait découvert cette information : étonnement et joie entremêlés d'une touche de tristesse suscitée par une aussi dramatique nouvelle. Ce décès, dont elles avaient la certitude déjà, perdait une parcelle de son anonymat avec les quelques détails qui s'y associaient à présent et devenait par la même occasion plus réel, plus touchant.

— D'après la cuisinière, c'est Colin Fedmore qui aurait fait fermer la pièce du coin, révéla la jeune femme. Pas seulement à cause du suicide, mais aussi parce qu'il s'y passait des choses étranges, divers bruits se faisaient entendre, des cris…

— Colin a probablement dû penser régler ainsi le problème, mais, malheur à lui, ce ne fut qu'un vain effort. Ceci expliquant pourquoi il aurait ensuite fait ce long voyage en Angleterre avec ses enfants et exprimé le désir de vendre le manoir.

— Toujours selon la cuisinière, cet homme n'avait aucune famille et l'affaire aurait été étouffée, c'est sans doute pourquoi personne parmi les enfants de Colin ne semblait être au courant.

Déposant le journal sur la table devant elle, Norah hocha la tête d'un air entendu.

— Cela m'apparaît sensé. En tout cas, grâce à ce journal, nous en savons à présent davantage sur celui qui hante ces lieux. Cette pauvre âme est assurément affligée de lourds tourments induits par la violence de sa mort, même si nous n'en connaissons pas les détails, et sans doute aussi par les raisons de son geste. J'ose croire qu'on ne s'enlève pas la vie lorsque l'on nage dans le bonheur. Un profond mal-être le rongeait certainement.

— Pourquoi serait-il resté? Est-ce que ce sont les circonstances de sa mort? La peur de partir, sachant ce qui l'attendait? Le suicide est un péché grave qui mène à la damnation éternelle. Il refuse peut-être de quitter ce monde parce qu'il ne veut pas aller en enfer...

— C'est très possible, mon enfant.

— Mais peu importe la raison, il faut libérer cette maison de son emprise.

L'accent de résolution résonnant dans ces mots n'eut pour effet que d'arracher à Norah un sourire navré.

— Le frère de mon défunt mari s'est dit la même chose il y a trente ans, mais ses efforts ont échoué. Cette âme errante s'accroche farouchement à cette maison pour une raison qui nous est totalement inconnue. J'aimerais tout comme vous que la paix règne au sein de cette demeure, mon enfant, mais eu égard à ces nouvelles informations, je confesse me sentir dépassée..., admit-elle en reprenant ses ciseaux ainsi que de la pièce de coton dans laquelle elle avait commencé à tailler un motif de courtepointe.

Un sentiment que Lauriane partageait. Ainsi que l'avait dit Norah, si William père avait autrefois tenté de chasser l'entité et que cela avait échoué, comment en viendraient-elles à bout ? À peine quelques heures encore auparavant, elles croyaient que de connaître les faits à l'origine du problème pourrait apporter une piste de solution. À présent, elles savaient et la solution continuait pourtant de leur échapper.

— Et maintenant, si vous me racontiez comment vous avez finalement retrouvé ce journal ?

Tombée dans la lune, la jeune femme releva brusquement les yeux sur Norah, qui l'observait d'un air intéressé. S'abandonnant contre le dossier du fauteuil, Lauriane allongea les jambes et croisa les chevilles.

— En fait, c'est arrivé d'une façon assez inusitée…

En détail, elle raconta à la vieille dame toute la scène, de l'instant où elle s'était mise à penser au journal, jusqu'au moment où elle avait abouti dans les souterrains.

— Vous vous souvenez de la porte que nous n'avons pas pu ouvrir dans le passage qui se trouve dans la chambre de William ? Eh bien, il y a une petite pièce de l'autre côté et c'est là que le journal était.

— Vraiment ? Ainsi que l'avez dit, il se trouvait pratiquement sous notre nez ! Ah ! Si nous avions été à même de l'ouvrir, nous aurions mis la main sur ce journal depuis longtemps.

Pensif, le regard de la vieille dame s'égara dans le vague. Sans doute se disait-elle la même chose que Lauriane après coup, à savoir qu'une force extérieure avait pu volontairement bloquer le loquet.

Enfin, Norah revint à la réalité, ses prunelles se dilatant sous la pâle ligne de ses paupières abaissées à demi.

— Et donc, à en juger vos propos, il ne serait pas faux d'affirmer que vous n'avez pas retrouvé le journal par hasard. On vous a ni plus ni moins montré le chemin.

— Tout à fait, c'est là où je voulais en venir. Sur le moment, j'étais trop fébrile, je n'ai pas réfléchi, je me suis précipitée dans ma chambre pour continuer ma lecture. Mais par après, en y repensant, je me suis rendu compte qu'on m'avait carrément conduite jusqu'au journal, ce qui est assez surprenant, et la question qui m'est venue en tête c'est : pourquoi ? Pourquoi m'avoir aidée à le retrouver alors qu'on s'était donné le mal de le faire disparaître ?

— C'est contradictoire, je vous l'accorde, et des plus singulier.

— Ce n'est peut-être pas si étrange, en fait, du moment où on accepte d'envisager une autre explication…

— Ah ? Laquelle, dites-moi ?

La jeune femme s'empara d'une paire de ciseaux qui traînait sur la table, appartenant probablement à madame Nolet. Le patron en carton d'un autre motif de courtepointe attendait sur une pièce de tissu. Elle s'en saisit et entreprit le découpage.

— La tristesse profonde que j'ai ressentie après que la porte de ma chambre s'est ouverte n'avait rien à voir avec la colère et l'hostilité auxquelles je suis habituée, et ça me porte à me questionner. Ce n'est pas la première fois que je perçois cette différence ; il n'y a qu'à penser à notre dernière séance d'écriture automatique et à la tristesse tellement immense et poignante qui remplissait la pièce, par opposition à la colère brutale qui se manifeste habituellement.

Les yeux de Norah s'amincirent davantage, accentuant ainsi les fines pattes d'oies qui en ornaient les coins.

— Où voulez-vous en venir, Lauriane ? Est-ce à dire que vous seriez disposée à croire qu'il puisse se trouver au manoir deux énergies distinctes ?

— Je suis en train de me le demander. Après mon expérience de ce matin, j'ai de sérieux doutes. Ça peut sembler absurde, surtout avec ce que le journal vient de nous apprendre à propos du suicide d'un jardinier. Il est question d'une seule mort, donc d'une seule âme. Malgré tout, mon instinct me dit que ces émotions opposées que j'ai senties appartiennent à deux énergies différentes. C'est comme quand j'ai découvert l'entrée de la tourelle, on m'a carrément attirée dans les passages, j'en suis absolument sûre. En y réfléchissant, je peux même trouver d'autres contradictions dans les phénomènes qui se sont produits ces derniers mois. L'appel que j'ai senti plusieurs fois près du portail avant que vous emménagiez et aussi quand j'étais au chantier, par deux fois j'ai eu l'impression qu'on voulait que je rentre à Côte-Blanche. Pourtant, on m'a chassée de la bibliothèque et j'ai même failli me faire assommer par un chandelier. Et combien de fois ai-je senti que je n'étais pas la bienvenue dans les souterrains, au point d'en être malade ? D'un côté, on m'appelle et de l'autre, on me chasse. Ça n'a aucun sens ! À moins de penser qu'il puisse y avoir au manoir deux énergies bien distinctes, ce qui expliquerait beaucoup de choses.

— Comme vous dites, très chère. Et, au moment où le journal a disparu, qu'avez-vous senti ?

— Une énergie négative, ce qui nous met encore une fois devant une contradiction. Je ne vois pas comment cette entité malveillante aurait pu tout bonnement changer son fusil d'épaule et voulu que je remette la main sur le journal. Ça me paraît absurde.

— À moi aussi, mon enfant. Nous aurions ainsi affaire à deux âmes errantes. John, le jardinier, et…

La phrase de la vieille dame s'éteignit, ses sourcils vibrèrent.

— Mais attendez…, reprit-elle. Il y a un détail qui n'est pas cohérent. Lors de notre dernière séance d'écriture automatique, le prénom John était écrit dans une calligraphie élégante et il me semble que cela ne sied pas à un jardinier.

— Oh… oui, c'est vrai, dit la jeune femme, qui n'avait pas pensé à ce détail.

— L'écriture était très fluide, la formation des lettres dénotait un soin qui ne s'acquiert que par une longue pratique, ce qui ne me semble pas convenir aux activités d'une personne en charge de travaux manuels. Et si l'on ajoute à cela le fait qu'à ce moment-là, l'énergie présente dégageait de la tristesse, non pas de l'hostilité, nous serions donc à même de présumer que John n'est pas le jardinier, en réalité.

Interrompant son découpage, Lauriane fixa sa compagne pendant qu'elle suivait dans sa tête ce raisonnement qui s'avéra on ne peut plus plausible.

— Je suis tout à fait d'accord, surtout qu'à la première séance, l'entité n'a rien écrit et je me souviens que l'énergie était négative. Ce qui signifierait qu'en fin de compte, nous avions raison de penser qu'il n'a rien écrit parce qu'il est illettré et qu'à la deuxième séance, nous avons eu affaire à une entité plus éduquée qui porterait le prénom John.

— Tout à fait, mon enfant. Il y aurait ce jardinier dont nous ignorons le prénom, qui est soit incapable d'écrire ou qui ne le veut tout simplement pas, et ce John, possiblement mieux éduqué, qui semble sorti de nulle part. Je veux bien croire que le suicide d'un jardinier sans aucune famille puisse avoir été passé sous silence, mais pourquoi n'ai-je trouvé aucune trace de ce John dans les registres paroissiaux ? Nous voilà devant une énigme de taille.

— Oui, vous pouvez le dire...

Dans le seul bruit de leurs ciseaux qui mordaient le tissu, elles s'absorbèrent dans un silence méditatif, plein de toutes ces questions. Décidément, cette demeure s'ingéniait à jouer dans leur esprit. Quand des mystères se dévoilaient, d'autres apparaissaient pour mieux les enfoncer dans le néant. Côte-Blanche la magnifique, Côte-Blanche l'intrigante, antre doré aux reflets tantôt plus brillants qu'un soleil de midi, tantôt plus sombres et obscurs qu'une nouvelle lune.

18

La mémoire des lieux

Séduite par la température clémente et l'éclat prometteur du soleil, Lauriane mit l'ample manteau de maternité qu'elle s'était confectionné avec du velours émeraude, et se glissa dehors par la grande porte. Elle gonfla ses poumons d'air pur et offrit son visage à la caresse des rayons lumineux. Abandonnant le perron, elle s'engagea dans l'allée, bercée par le chant joyeux des mésanges et des moineaux. L'ombre des branches nues des peupliers dessinait à la surface de la neige des chemins aux ramifications complexes qui grimpèrent sur la jeune femme au fil de sa marche.

En réalité, le beau temps n'était pas l'unique raison l'ayant attirée dehors. Depuis sa dernière conversation avec Norah, son esprit était si encombré de réflexions et de questions qu'elle n'arrivait à se concentrer sur rien. Elle avait besoin de s'aérer les idées, de faire le vide même, et pour y parvenir, s'extraire d'entre les murs du manoir lui paraissait nécessaire.

Arrivée au bout de l'allée, elle poursuivit sa marche et s'engagea dans la côte. En bas, elle franchit le portail et, chemin faisant, laissa ses pas la guider vers la maison de sa tante. Lauriane attendait son retour avec beaucoup d'impatience. D'ailleurs, elle avait été fort désappointée d'apprendre que ce moment se verrait retardé. Dans sa dernière lettre, Adéline l'avait en effet informée qu'après son départ du chantier, elle devait se rendre à Shawinigan, au chevet d'une amie malade. Elle ne savait donc pas exactement quand elle rentrerait.

Un cabriolet était garé près de la maison. Le cheval racé, la qualité des harnachements et du véhicule en disaient long sur la condition de leur propriétaire. De toute évidence, Gaston recevait une visite importante et, pensant qu'elle risquait de le déranger, Lauriane jugea préférable revenir à un moment plus opportun.

Elle faisait demi-tour quand des éclats de voix captèrent son attention. Ils venaient de derrière la maison. Croyant reconnaître une voix familière mêlée à celle de Gaston, la jeune femme céda à un élan de curiosité. Ainsi découvrit-elle les deux hommes en pleine conversation. Les mains de Gaston s'agitaient, appuyant ses propos, devant nul autre que William, qui, plus flegmatique, l'écoutait, puis commentait, les mains enfoncées dans les poches de son caban.

Ses iris d'un gris argenté se déplacèrent sur Lauriane dès qu'il détecta sa présence. Bien qu'elle n'ait aucun doute sur le désir qu'elle suscitait en lui, la jeune femme se sentit tout de même gênée par la démarche de cane empâtée que son ventre rond lui donnait l'impression d'avoir. De plus, son manteau tombait sur elle sans aucune élégance, et un instant, elle eut en tête l'image d'une amphore recouverte d'une housse.

Constatant qu'il venait de perdre l'attention de son interlocuteur, Gaston s'interrompit et se retourna. Un sourire débonnaire fendit aussitôt son épaisse barbe.

— Tiens ! Salut, Lauriane ! Quel bon vent t'amène ?

— J'avais envie de me promener, il fait tellement beau ! Comme j'avais du temps devant moi, j'ai décidé de venir vous faire un brin de jasette.

— C'est bien gentil de ta part ! La journée est idéale pour sortir prendre l'air, c'est certain. Mais comme je le disais justement à ton mari, j'étais pour m'en aller dans le bois vérifier mes pièges.

Ce disant, il indiqua ses pieds chaussés de raquettes. Les épaules de Lauriane sautillèrent.

— Ce n'est pas grave, je repasserai une prochaine fo...

Le mot mourut sur ses lèvres. Se croyant victime d'une hallucination auditive, elle regarda dans la direction d'où le bêlement s'était élevé. La stupeur la fit hoqueter. Dans le petit enclos adjacent à l'étable se trouvaient deux moutons vêtus d'un épais manteau de laine qui n'attendait que d'être coupé. Une vision surréaliste. La dernière fois que Lauriane s'était tenue à cet endroit, tout était vide, sans vie, silencieux.

Son regard interloqué interrogea Gaston.

— Des moutons ? Qu'est-ce qu'ils font là ? C'est ma tante qui vous a demandé de les acheter ?

— Euh... non... ce n'est pas tout à fait ça.

Cette réponse évasive précipita Lauriane dans le brouillard, tout autant que l'expression ambiguë qui se forma sur les traits de Gaston.

— Je ne comprends pas..., dit-elle en rapprochant ses sourcils.

Le silence que Gaston cultiva eut le don de l'intriguer. Il se tourna vers William, qui reprit le flambeau de la parole :

— Je vous avais assurée que je débusquerais le coupable et qu'il aurait à répondre de son crime. Eh bien, c'est à présent chose faite, annonça-t-il, une étrange lueur dans l'œil. Ainsi, votre tante se voit aujourd'hui dédommagée pour cette lourde perte, et ce, par la main même de celui qui en est responsable.

— Hein ? Vous avez trouvé le coupable ? Comment ? Qui ? C'était Matteau ?

— *Right.* Robert Matteau est effectivement l'auteur du massacre.

Une brusque secousse agita Lauriane, qui recourba les doigts sur ses paumes.

— Je le savais ! Oh que je le savais donc !

— C'était écrit dans le ciel que c'était lui ! lança Gaston avec le plus grand mépris. Il fallait juste trouver un moyen de le faire avouer.

La jeune femme le dévisagea avant de déporter son regard surpris sur son mari.

— C'est comme ça que vous l'avez su ? Il a avoué ?

Et comme il acquiesçait en silence, elle ajouta, abasourdie :

— Je n'en reviens pas... Je n'aurais jamais cru qu'il avouerait avoir commis un crime aussi cruel. Comment avez-vous fait ?

Les lèvres de William s'étirèrent en un sourire énigmatique. Il avait usé d'une tactique simple, mais efficace : la surprise et l'intimidation. Dans son esprit se mit à défiler la scène en question, où il avait rendu une petite visite de courtoisie à Matteau. William l'avait surpris alors qu'il entassait du bois dans un traîneau. Cloué au mur du hangar, Matteau l'avait regardé de ses yeux ébahis en lui demandant ce qu'il lui voulait. William l'avait alors questionné à propos de ce qui s'était passé la veille chez Adéline. Le vocabulaire infamant de l'homme à l'endroit de celle-ci avait provoqué sa colère, si bien que son poing avait jailli avec brutalité pour le faire taire. L'étonnement avait vite été éclipsé par la peur chez Matteau, qui lui avait de nouveau demandé ce qu'il lui voulait. William avait su à ce moment qu'il serait aisé de le faire parler et d'obtenir de lui soumission et obéissance. Son regard incendiaire rivé à celui de l'homme, il était aussitôt entré dans le vif du sujet :

— *Un saligaud s'est permis de massacrer tous les animaux chez Adéline hier après-midi. Comme il s'agit de la tante de ma femme et que tout ce qui touche ma femme de près ou de loin me touche également, j'en suis très contrarié et il se trouve que l'envie de rosser le coupable me démange. En outre, j'ai la très nette impression que tu as quelque chose à me dire à propos de ce qui s'est passé là-bas et je me meurs d'envie de l'entendre.*

La respiration de Matteau accéléra davantage. Il commença à s'agiter, chercha à lui faire lâcher prise en agrippant ses bras. William lui libéra la mâchoire, qu'il continuait de broyer impitoyablement entre ses doigts, et l'empoigna par ses vêtements. D'un geste rapide, il pivota en l'entraînant dans son mouvement et le projeta au sol, où il l'immobilisa, ses genoux appuyés sur ses épaules de façon à l'empêcher de remuer les bras à sa guise.

— Alors, tu me racontes ? le pressa William en brandissant un poing menaçant.

— Merde ! Lâchez-moi, bâtard !

Les traits contorsionnés, Matteau recommença à se démener, battant l'air de ses jambes. Atteint dans le dos d'un coup de genou, William serra les dents et y alla d'une brutale riposte. Un cri de douleur s'éleva, puis un filet de sang se mit à couler de la lèvre fendue de Matteau.

— Raconte-moi comment tu as tué toutes ces bêtes. Par quoi as-tu commencé ? Les poules ? Les moutons ? Quel plaisir sadique as-tu pris à te maculer les mains de leur sang ? À écouter leurs plaintes d'agonie ? Raconte-moi tout, misérable ordure !

Le poing de William s'apprêtait à frapper de nouveau, visant le nez cette fois. Les yeux de Matteau s'écarquillèrent. Sous lui, William crut même le sentir trembler.

— À mort les créatures du diable ! cracha Matteau d'une voix suraiguë. Le Mal pullule dans le bourbier maléfique de la sorcière et il faut le charcuter comme un membre gangrené ! La purification passe par le sang des vermines qui profitent au démon !

— Ah… et je suppose que c'est la main de Dieu qui a guidé la tienne ?

Matteau tourna la tête de côté pour cracher un jet de salive sanguinolente.

— Je suis le dévoué serviteur de notre Seigneur et c'est ma foi qui est mon guide ! Je traque la vermine jusque dans la merde où elle se vautre et je l'éviscère pour la vider de sa charogne ! Je ne me laisse pas enfirouaper par la langue visqueuse des démons qui se déguisent de chair humaine comme cette saleté de sorcière, la putain de Satan… Aïïïïe !

L'os de son nez venait de se fracturer dans un craquement. Les narines, déjà, viraient au rouge écarlate. William y alla d'une nouvelle frappe au niveau de la tempe. Le choc fut si grand que Matteau tourna de l'œil. Se redressant, William le fit rouler de façon à ce qu'il se retrouve face contre terre. Au bout de quelques secondes, l'homme remua mollement en gémissant. William le saisit par la manche et le retourna sur le dos. Matteau cracha de la neige, passa ses mains sur son visage barbouillé du sang qui coulait abondamment de son nez. Quand William se pencha sur lui, il eut un brusque sursaut, semblant craindre d'être encore frappé.

— Arrêtez... Fichez-moi... la paix..., pleurnicha-t-il en faisant écran de ses bras. Apôtre du diable ! Âme en perdition ! C'est le gouffre des ténèbres qui... va s'ouvrir sous vos pieds quand... vous allez crever...

— Ah oui ?

Les ombres d'une terreur folle planaient dans le regard de Matteau, comme s'il croyait avoir devant lui quelque démon affamé de son âme de fervent serviteur de Dieu. Voilà qui était intéressant, pensa William. Il serait certainement profitable de faire jouer cet élément inattendu en sa faveur.

Se penchant sur Matteau, il y alla d'une solide droite à l'estomac, suivie d'une autre dans les côtes.

— Maintenant, écoute attentivement ce que le démon va te dire, pauvre plaie purulente ! Tu vas remplacer chaque vie que tu as fauchée par une autre. À mon retour au printemps, je veux revoir tous les animaux là où ils étaient : vaches, porcs, poules, moutons, tout ! Me suis-je bien fait comprendre ?

Matteau gémissait, les bras rabattus sur son abdomen. Ses yeux embués de larmes de douleur le fixèrent de biais.

— Vous êtes... cinglé...

Il grimaça, ce qui fit saigner de plus belle la plaie sur sa lèvre tuméfiée.

— Si tu ne fais pas ce que je t'ordonne, gronda William, tu supplieras Dieu de venir te chercher quand j'aurai fracassé à coup de masse chaque os de ta misérable carcasse. Tu crois connaître la souffrance ? Détrompe-toi... Lorsque tu sentiras tes os brisés s'entrechoquer et te perforer la peau, que tu avaleras ton propre sang à grande goulée parce toutes tes dents auront volé en éclats et que ta mâchoire désarticulée t'empêchera de prononcer le moindre mot, la douleur que tu endures en ce moment te semblera n'être qu'une douce caresse !

William lui saisit une oreille et, l'œil étincelant, égrena un rire démoniaque.

— Tiens, et si je te faisais subir le même traitement qu'aux animaux ? Après tout, ne suis-je pas un suppôt du diable dont la main est guidée par les ténèbres ? Je pourrais te couper les oreilles, la langue, le nez et les bijoux de famille sans le moindre remords...

Il avait employé un ton volontairement sinistre et vicieux, sachant quel effet cela aurait sur Matteau. D'ailleurs, ce dernier était devenu complètement livide et tremblait de tous ses membres. William eut à cet instant la certitude qu'il croyait réellement avoir affaire au démon.

— Alors, tu vas m'obéir, pourriture ?

Le souffle entrecoupé par des spasmes de douleur, Matteau hocha la tête vigoureusement.

— Et il ne serait guère dans ton intérêt d'aller te plaindre à qui que ce soit, l'avertit William, comminatoire. Le cas échéant, je te réserve un voyage vers l'enfer sur Terre. Je te briserai comme une allumette ; ta vie, ton mariage voleront en éclats. Tu n'as aucune idée de ce qu'un homme tel que moi peut faire pour anéantir l'existence d'un minable cafard dans ton genre et mieux vaudrait que tu ne le saches jamais. Pour cela, tu feras tout ce que je te

*demande à la lettre et sans l'ombre d'une protestation. Suis-je
assez clair ?*

*Encore une fois, Matteau hocha la tête, si fort qu'on l'aurait
cru sur le point de se détacher de son cou.*

Estimant que sa femme n'avait nul besoin de connaître tous
ces détails, William se contenta de dire :

— Je me suis… disons… montré persuasif.

Cela ramena à la mémoire de Lauriane un souvenir
précis. Elle revoyait le visage meurtri de Matteau à la grand-
messe, peu après le carnage chez sa tante Adéline. On
racontait qu'il avait eu un bête accident en grimpant sur le
toit de sa maison pour y casser de la glace. La jeune femme
se souvenait qu'alors, la seule vue de cet homme l'exécrait.
Persuadée qu'il était coupable, dévorée de colère et de rancœur, elle avait pensé que c'était bien fait pour lui. Mais elle
se demandait à présent s'il était réellement tombé de ce toit.

— Quand lui avez-vous parlé ?

— Je suis passé le voir juste avant de repartir pour le
chantier afin d'aller informer Adéline des événements.

Ainsi donc, l'accident de Matteau n'avait jamais eu lieu,
en conclut Lauriane. À en juger les blessures à son visage, il
avait dû passer un sale quart d'heure…

— Est-ce qu'il a cherché à nier ? À se défendre d'avoir
commis cette boucherie ?

— Aucunement. Il s'est contenté d'injurier Adéline, du
moins jusqu'à ce que je le fasse taire, précisa William, dont
l'un des coins de la bouche s'étira brièvement.

— Mais… comment avez-vous fait pour qu'il accepte de
remplacer tous les animaux ?

Après tout, Matteau vivait dans une relative pauvreté. Où avait-il trouvé l'argent pour acheter les animaux ?

— Je n'ai laissé aucun choix à cette ordure, répondit William, ses traits trahissant une implacabilité sans faille. Il avait jusqu'à mon retour au printemps pour s'acquitter de sa dette et il était dans son intérêt d'obéir.

Le ton lourd de menaces arracha un frisson à la jeune femme. Elle ne douta pas un seul instant que son mari puisse s'être montré très convaincant avec ce froussard de Matteau, connaissant son caractère déterminé et bientôt, une sensation étrange l'envahit. Une sorte de soulagement mêlé de satisfaction du fait de savoir que ce sale monstre payait pour ses actes ignominieux.

Son regard se tourna vers les moutons qui se frottaient à la clôture de l'enclos, leur laine saillant entre les planches. Lauriane n'en demeurait pas moins sous le choc de ce revirement.

— Je suis surprise que ma tante ne m'en ait pas parlé.

— Elle n'est pas au courant.

— J'ai demandé à William de ne rien lui dire, intervint Gaston, dont l'une des raquettes s'affairait à piétiner la neige dans laquelle elle imprimait des lignes enchevêtrées. Elle s'attend à trouver des bâtiments vides à son retour. Imagine combien ça va la requinquer en voyant qu'ils sont grouillants de vie, pareils comme avant ! Ça va lui faire une sacrée surprise !

L'ensemble de son visage rayonnait d'un enthousiasme sincère auquel Lauriane ne put demeurer insensible. Elle le sentit même la gagner tout doucement tandis qu'elle visualisait la mine interloquée de sa tante.

— C'est une très bonne idée, Gaston. J'ai déjà hâte de voir sa réaction.

— Matteau est venu porter les derniers hier matin. Il n'avait pas l'air de bonne humeur, il sacrait après la truie. Il ne m'a pas dit un mot, mais il m'a jeté un de ces regards à vous scier en deux.

— Ça doit sûrement le contrarier de devoir acquérir ces animaux pour ma tante qu'il hait autant.

— Ah ben ça, c'est certain que ça ne doit pas trop faire son affaire! Mais on s'en fiche, il n'avait qu'à ne pas trucider ces bêtes, bout de ciarge! C'est rien qu'un malade sadique! Aller s'imaginer qu'elles étaient démoniaques parce qu'elles appartenaient à Adéline, tu parles d'une saudite affaire de fou!

— C'est pour ça qu'il l'a fait?

— Il paraît. Il voulait purifier la place, c'est ce qu'il a dit à William.

La jeune femme dévia son attention sur son mari, qui ajouta :

— Ses propos étaient assez délirants, il semble croire que tout ce qui a un lien avec Adéline est contaminé par le démon et il s'est donné pour mission d'anéantir ces créatures maléfiques. Il se prend pour un soldat de Dieu, en quelque sorte.

— Seigneur... Je n'aurais pas pensé que ses fausses idées à propos de ma tante pouvaient aller aussi loin!

— Il est givré du bonnet, c'est aussi simple que ça, trancha Gaston en se martelant la tempe de l'index. En tout cas, moi, je vous laisse là-dessus. Il faut que j'aille voir à mes pièges. Merci d'être passée, Lauriane.

Il la gratifia d'un sourire chaleureux, puis donna une virile poignée de main à William.

— Le compte est bon, cette sale affaire est enfin réglée, dit-il d'une voix trahissant à la fois la colère que cette histoire avait suscitée en lui et sa satisfaction du dénouement. En tout cas, je vous remercie pour tout, William, vous avez su faire ce qu'il fallait avec ce cinglé. Je vous lève mon chapeau bien haut. Vous pouvez être sûr que ça va soulager un brin Adéline de savoir qui est le coupable.

Il souleva brièvement sa casquette à titre de salutation avant de s'éloigner en direction des bois à grands pas de raquettes.

— Je vous raccompagne ? Je rentrais justement au manoir.

Se rendant compte que son mari s'adressait à elle, Lauriane accrocha son regard au sien. Quelque chose dans sa façon de la fixer la troubla. Dans un tout autre contexte, elle aurait pu croire qu'il tentait de l'envoûter, sans aucune subtilité.

Elle s'éclaircit la voix, mais quand elle parla, son accent alangui eut le don de l'exaspérer :

— Euh… oui, pourquoi pas ?

Les roues du cabriolet peinaient quelque peu avec les inégalités de la rue, rencontrant tantôt une plaque de neige granuleuse, tantôt une terre boueuse. En conducteur expérimenté, William maniait habilement les guides de manière à éviter les cahots, mais Lauriane ne se cramponnait pas moins à la capote de cuir du véhicule pour plus de stabilité.

Perdue dans le paysage en résurrection, où se répercutait le martèlement des sabots du cheval, elle refaisait en pensée le détail de la scène qui venait de se dérouler chez sa tante. Au fil du temps, elle en était venue à douter de savoir un jour qui était responsable du carnage, bien que William l'ait assurée qu'il s'emploierait à le démasquer. Mais il avait tenu parole, allant même jusqu'à obtenir réparation. Honte à elle d'avoir laissé sa conviction se corroder…

— Je n'en reviens pas encore que ce monstre ait massacré les animaux parce qu'il les croyait démoniaques, maugréa Lauriane sous le coup d'un nouvel accès d'indignation. Autrement dit, il pensait bien faire ? Dans sa folie, il pense avoir combattu le mal au nom du bien ?

Elle avait tourné son visage durci vers son mari, qui lui coula un bref regard.

— Apparemment.

Traversée d'un frisson, la jeune femme s'ébroua.

— Je trouve que ce n'est pas très rassurant de penser que quelqu'un puisse faire le mal en croyant faire le bien. C'est à se demander jusqu'où il pourrait aller.

— C'est précisément là où il peut y avoir danger, dit William, qui tira sur les guides à l'approche d'une abrupte dépression faisant la largeur de la rue. Lorsque quelqu'un perd la notion du bien et du mal, où se situe la limite de ses actes ? Nulle part. Mais, pour être franc, je ne crois pas que Matteau soit aussi détraqué qu'il y paraît. À mon avis, il a agi dans le but bien précis de causer du tort à Adéline. Il savait parfaitement où frapper pour l'atteindre et il en a tiré une grande satisfaction. Je l'ai vu dans son regard. Avant que la peur ne l'envahisse, cette vermine exultait d'avoir porté un dur coup à la sorcière.

Les dents de Lauriane grincèrent presque aussi fort que les ressorts de la suspension fortement sollicitée du véhicule.

— C'est ce que je me dis depuis le début, que ce monstre a agi par pure haine, pour faire du mal à ma tante. Mais il faut quand même être sans pitié pour massacrer des animaux sans défense !

— Sans pitié, voire cruel. Je conçois qu'il puisse être plus rassurant de croire que quelqu'un est cinglé que d'imaginer qu'il a agi froidement, mais la réalité s'avère tout autre, parfois. Il existe en ce monde des êtres qui prennent plaisir à martyriser autrui. Je crois que Matteau se moquait éperdument de la souffrance de ces bêtes. Au mieux, il s'est convaincu qu'ils sont diaboliques pour camoufler la noirceur de son geste et se donner meilleure conscience.

— Je ne comprends pas qu'il puisse autant détester ma tante. Elle ne lui a jamais rien fait !

— D'après ce que je sais, cela fait des années que Matteau est intimement convaincu qu'elle est une sorcière. La peur l'a dominé pendant longtemps et sa haine a subi une longue maturation. Mais la peur finit parfois par provoquer une réaction d'attaque. À la limite, il aurait pu craindre des représailles de la sorcière, mais la perspective de lui nuire était si alléchante et si grisante qu'il n'a pu y résister. Il ne pouvait manquer une telle occasion de faire souffrir son ennemie.

— Oui, j'imagine que ça devait le faire jubiler ! cracha la jeune femme avec humeur.

Au moins, l'attaque n'avait pas été portée contre sa tante directement, ne cessait-elle de se répéter. Aussi révoltante que puisse être la mort brutale de ces animaux, Lauriane préférait encore qu'ils aient servi de cible à la place de sa tante. N'empêche que ce drame générait au fond d'elle un filon de crainte.

— S'il a pu faire ça, je me demande de quoi il pourrait être encore capable. J'ai peur qu'il veuille récidiver et je m'inquiète de ce qui pourrait arriver à ma tante quand elle sera de retour.

La dépression passée, William fit reprendre un peu de vitesse à la voiture. Son regard coula ensuite sur sa femme, plein d'assurance.

— Je crois lui avoir fait passer l'envie de s'en prendre à Adéline, aussi je doute sincèrement qu'il passe de nouveau aux actes. Mais n'ayez crainte, je le garde tout de même à l'œil, et s'il se laisse aller à ne serait-ce qu'une parole menaçante, il lui en cuira.

— Je n'en doute pas une minute, concéda la jeune femme en retroussant un coin de sa bouche. En tout cas, c'est bien que vous ayez pensé à lui faire remplacer les animaux. Moi, je crois que je me serais contentée de lui sauter dessus pour l'écorcher vif.

William esquissa une moue amusée, qu'elle ne vit qu'à demi, car il avait ramené son attention sur les inégalités de la rue.

— Un tel acte de violence ne vous ressemble pas, je suppose donc que c'est la femme enceinte qui parle.

— Sûrement, rit Lauriane.

Puis, reprenant son sérieux, elle dit :

— Changement d'à-propos, je voulais vous dire que j'ai fini de lire le journal de Fanélie.

— Et alors ? Cela vous a-t-il éclairée d'une quelconque façon ?

Ne s'étant pas attendue à un réel intérêt de la part de son mari, la jeune femme fut reconnaissante qu'il prenne au moins la peine de la questionner sur la conclusion de sa lecture.

— J'ai fini par découvrir une information importante, annonça-t-elle en entrelaçant les doigts sur son ventre.

En quelques mots, elle lui fit part de ce qu'elle avait appris concernant le suicide d'un jardinier, espérant que cette information le convaincrait enfin qu'ils n'étaient pas tous fous et qu'un lien pouvait être établi entre leurs expériences et un fait réel. Tel qu'elle l'avait anticipé, William n'était pas au courant de cette affaire et le ton sur lequel il s'exprima ressemblait fort à du scepticisme, ce à quoi Lauriane répliqua avec une note de moquerie :

— Je présume que vous allez me dire qu'il ne s'agit que de bavardage de domestiques ?

Mais la réponse qu'il lui donna ensuite effaça sa première impression.

— Je n'en ai jamais entendu parler, mais ce n'est pas impossible. C'est le genre d'incident que l'on aime mieux taire. De là à camoufler la pièce, cela me paraît pour le moins excessif, mais tout de même, cela demeure dans le domaine du possible. La honte a pu mener mon grand-père à ce genre d'extrémité.

Lauriane s'abstint d'ajouter que c'était peut-être aussi à cause des manifestations survenant dans cette pièce, tel que le mentionnait Fanélie dans son journal. Une mesure entreprise davantage par peur que par honte.

— Ce qui m'étonne est le fait qu'un jardinier se soit enlevé la vie dans le manoir ; c'est plutôt insolite, souligna William, qui considérait ce détail comme le seul ayant une réelle importance.

— C'est aussi ce que nous pensons, Norah et moi. Et surtout, pourquoi l'avoir fait dans cette pièce, précisément ?

Sous le rebord du haut-de-forme, les sourcils remuèrent alors que les yeux se plissaient.

— Je serais curieux d'y entrer.

— Comment ferez-vous ? Le panneau est coincé. Vous allez l'enfoncer ?

Le portail clos de Côte-Blanche était à présent en vue, dressant majestueusement ses barreaux en pointes de lance au bout du sentier bordé d'une dentelle d'arbres chauves. William fit de nouveau modérer l'allure au cheval en prévision de l'arrêt imminent, puis il glissa sur sa femme un coup d'œil en biais.

— Nul besoin ; ce panneau protège du froid et je n'ai aucune envie d'en fabriquer un autre. Non, c'est le faux mur qui va disparaître et la véritable porte que je vais ouvrir.

Un peu plus tard ce jour-là, Lauriane était au rendez-vous pour assister à la réouverture de ce que d'autres, par le passé, avaient condamné et considéré comme étant un lieu maudit. Norah, qui n'aurait manqué cet événement pour rien au monde, s'était jointe à elle. William avait pris seul les choses en main. Il commença par mettre le mur à nu en décrochant les deux petites peintures qui l'ornaient et en déplaçant la console qui y était adossée, surmontée d'un vase en cuivre à anses de bronze en forme de sphinges ailées. Puis, il étala une couverture sur le sol pour le protéger des débris qui ne manqueraient pas de s'y accumuler dès qu'il s'activerait avec la masse.

Lorsqu'un premier trou fut pratiqué dans le mur, Lauriane aurait pu ne pas le voir ni l'entendre qu'elle l'aurait senti. Un mélange d'émotions contradictoires la prit d'assaut et la divisa. Deux volontés distinctes qui s'affrontaient. L'une, sombre, puissante, farouchement opposée à la libération de la pièce ; l'autre, claire, faible, empressée et impatiente que le voile se lève.

Toutes deux s'intensifièrent à mesure que le mur s'effondrait. Ce dernier ne fut bientôt plus qu'un amas de plâtre et de bois fracassé que William repoussa dans un coin pour dégager le passage. Lauriane se souvenait que lors de son exploration en compagnie de Norah l'automne précédent, elles avaient présumé que le couloir se prolongeait au-delà de ce faux mur et qu'il puisse même y avoir une fenêtre tout au bout. Apparemment, elles avaient vu juste. Tout comme elles avaient deviné que l'entrée de la pièce condamnée s'y trouvait dissimulée, constata la jeune femme, le regard rivé sur la porte dans la cloison de gauche.

— Mais… mon enfant, vous êtes en sueur, s'inquiéta Norah. Vous sentiriez-vous mal ?

— Ce n'est rien, juste quelques bouffées de chaleur.

Lauriane s'éventa de la main, et le contact de l'air sur son visage et son cou lui fut très agréable. Elle avait senti sa température corporelle grimper tout au long de l'opération, lui donnant l'impression d'avoir des charbons ardents à la place des os et des organes. Un vertige se mit de la partie, la contraignant à s'appuyer au mur.

— C'est peut-être dû à votre état, prenez le temps de respirer à fond, conseilla la vieille dame en lui frottant doucement l'épaule.

Déposant sa masse, William s'approcha de sa femme. Il nota la rougeur de ses joues, le laque recouvrant sa peau, ses iris, dont le bleu habituellement profond et intense apparaissait terne entre les franges de cils noirs.

— N'hésitez pas à aller vous asseoir quelque part en attendant. J'en ai pour un petit moment encore avant de pouvoir ouvrir cette porte.

En plus du mortier coulé dans la serrure, de longues équerres de métal reliaient la porte au cadre ; il y en avait également une au niveau du plancher, comme si on avait cherché à bloquer le moindre interstice. William allait devoir les déclouer.

— Je vais rester, ça passe tranquillement, souffla Lauriane, touchée par sa sollicitude.

Son mari haussa une épaule, prit son pied de biche et se remit au travail. La jeune femme sentait en effet que sa température se stabilisait. Cependant, le monde tanguait toujours légèrement autour d'elle. Le bruit que faisait William commençait, de plus, à se répercuter douloureusement sur les parois internes de sa boîte crânienne. Chaque clou arraché émettait un grincement qui ressemblait à une plainte donnant l'impression qu'on le délogeait d'un corps vivant.

Les équerres retirées, il restait encore le problème de la serrure. William opta pour la solution rapide et enfonça la porte d'un coup de pied qui fit éclater le bois du cadre. Ce fut aussitôt suivi par un cri intense, angoissant, ininterrompu, poussant d'instinct Lauriane à se boucher les oreilles. Mais les élancements cruels qui commencèrent à lui vriller les tempes l'informèrent de l'inefficacité de ce geste. Telle une faux bien affûtée, le cri lui lacérait la tête depuis l'intérieur. Sa conscience chancela. Un drap noir lui obstrua la vue et son corps ploya. Les voix de Norah et de William, le contact de mains sur elle se perdirent dans les affres de la souffrance qui paralysait ses fonctions intellectuelles.

Le cri cessa aussi abruptement qu'il avait commencé. Lauriane mit néanmoins un certain temps à reprendre contact avec la réalité, à comprendre que la douleur s'était évanouie alors qu'elle la lancinait si vivement l'instant d'avant. Elle se trouvait à genoux sur le sol, ses épaules encadrées par les mains chaudes et rassurantes de son mari. Lentement, elle retira les siennes de ses oreilles, méfiante, craignant que le cri s'élève de nouveau. Mais le silence rétabli se prolongea, caressant ses tympans de son incroyable douceur.

— C'est fini ? demanda William, sentant enfin les muscles sous ses paumes se détendre.

Le timbre suave de la voix fit tressaillir Lauriane. Sa tête se redressa, lui faisant rencontrer le regard pénétrant qui lui fit le même effet. Elle entrouvrit la bouche pour aspirer une grande goulée d'air, puis acquiesça silencieusement en réponse à l'interrogation de son mari. La douleur lui avait toutefois tiré de l'énergie et elle se sentait prise d'une certaine lassitude.

— Que vient-il de se produire, pour l'amour du ciel, mon enfant ? s'enquit Norah, visiblement bouleversée par ce qui lui arrivait.

— Un cri... un hurlement... si puissant que j'ai cru qu'il allait me défoncer les tympans... assez aigu, mais masculin... plein de rage et de désespoir...

William jeta un regard oblique à sa tante, convaincu que, bien qu'elle n'ait rien entendu, elle ne remettait aucunement ces paroles en doute. Pour sa part, malgré qu'il lui déplaise fortement d'envisager que sa femme soit atteinte de quelque trouble mental, il ne pouvait nullement considérer, à l'opposé, qu'elle possède des facultés extrasensorielles. Car cela reviendrait à supposer que le manoir soit bel et bien hanté, ce qu'il ne pouvait croire sans en avoir eu la preuve formelle. Au mieux, il admettait avoir senti que l'atmosphère avait soudainement changé : elle s'était en quelque sorte densifiée et refroidie.

Il aida sa femme à se remettre debout et s'écarta d'elle en voyant son regard captivé par la porte entrebâillée. D'un pas presque hésitant, Lauriane s'en approcha et tendit la main, fit une légère pause avant de pousser doucement le battant. Une odeur de renfermé empestait l'endroit, où régnait une telle lourdeur que c'était comme si chaque particule d'air pesait cent tonnes. Cent tonnes de peine incommensurable, de rage destructrice, de mal-être au-delà de l'envisageable, plus grand que tout. Mais surtout, cette pièce respirait la mort à plein mur, tellement que Lauriane en avait le corps tout entier hérissé de chair de poule, même le cuir chevelu. Elle avait la sensation de pénétrer dans quelque caveau lugubre.

La pièce avait encore plus piètre allure vue dans son ensemble. Un lit étroit, dont le matelas avait été arraché et mis en lambeaux, gisait en plein centre, sa charpente de bois cassée en plusieurs endroits. Les carpettes sur le sol étaient déchiquetées, l'ameublement avait volé en éclats, comme en témoignait un berceau de chaise fiché dans un mur. Le plâtre défoncé de celui faisant rempart entre cette pièce et la bibliothèque rappela à Lauriane la première séance d'écriture automatique. Sans doute était-ce le résultat des coups violents entendus alors.

Dans son dos, elle perçut une exclamation étouffée, puis la voix altérée de Norah s'éleva :

— *Good heavens* ! On dirait que Dieu et Diable se sont livré bataille ici !

Déjà à l'intérieur, William inspectait les lieux en affichant une expression indéchiffrable. Il s'arrêta près d'un trou profond percé dans un mur et qui laissait voir la pierre derrière.

— Le saccage de cet endroit ne s'est pas fait en un seul temps. Voyez les débris ici sur le sol, ils sont recouverts d'une très épaisse couche de poussière, alors que d'autres, là, n'en ont que très peu, laissant penser qu'ils sont tombés récemment.

Il indiquait justement le mur du côté de la bibliothèque, sur quoi Norah et Lauriane échangèrent un regard éloquent. William s'approcha du panneau donnant sur la tourelle. Pour l'empêcher de bouger, on y avait fixé une planche de bois transversalement. L'une des extrémités avait lâché et glissé jusque dans le coin inférieur du panneau, faisant en sorte que ce dernier pouvait s'ouvrir de quelques centimètres.

— L'autre jour, vous disiez que quelqu'un avait pu entrer ici pour faire du bruit, mais c'est impossible, dit

Lauriane à l'attention de son mari. La porte était condamnée et ce panneau est bloqué de l'intérieur.

— En effet, l'appuya Norah en lui glissant une œillade. D'une part, nous avons la preuve que personne n'a pu pénétrer ici et, d'autre part, la certitude que ces dommages ont été causés alors que tout était fermé. Tu n'as d'autre choix que d'admettre, William, que la seule explication possible réside en ce dont nous t'avons entretenu.

Son neveu serra la mâchoire sans répondre. Il gagna la fenêtre et vérifia la crémone : elle était fermée. Il continua son examen des lieux, s'attarda sur le plafond, auquel de larges plaques de plâtre avaient été arrachées.

Lauriane se sentait, quant à elle, de plus en plus fortement oppressée par la lourdeur ambiante. Elle menait une lutte de tous les instants pour maintenir la fragile barrière entre son cœur et l'ondée d'émotions violentes qui s'abattait sur elle. Une seconde de relâchement et il lui semblait qu'elle se mettrait à hurler à son tour, qu'elle éclaterait en sanglots, ragerait, tempêterait, supplierait. On aurait dit, de plus, que la pièce se refermait sur elle, la contraignant à se faire toute petite, à courber l'échine et à arrondir les épaules.

— La charge émotive qui imprègne cette chambre… est extrême… Tout ce que j'ai ressenti ces derniers mois est ici… à la puissance dix.

— Je sens aussi quelque chose, mon enfant. Peut-être pas aussi intensément que vous, mais tout de même. J'ai la sensation de n'avoir pas le droit de me trouver ici, confia Norah en croisant les bras comme en un geste de protection.

Et elle n'imaginait pas à quel point son sentiment était juste, pensa Lauriane. La volonté sinistre de tout à l'heure était toujours là et avait encore gagné en force, se muant en une menace latente qui cantonnait la jeune femme dans un état de perpétuel malaise.

— Vous vous souvenez quand vous m'avez parlé de la mémoire des lieux? demanda-t-elle à la vieille dame. Qu'une pièce s'imprègne du vécu de ceux qui l'occupent et retient les événements négatifs en particulier parce qu'ils sont plus lourds? Nous savons qu'il y a eu ici une tragédie et tout résonne encore de son intensité.

— Quand je pense que quelqu'un s'est ôté la vie ici même…, murmura Norah, dont les traits se froissèrent. C'est d'une telle tristesse!

— C'est vrai. Mais je sens aussi autre chose… comment dire… J'ai le sentiment qu'il s'est passé quelque chose d'autre en plus du suicide.

— Vous croyez?

Tout en promenant un regard circulaire autour d'elle, Lauriane expliqua :

— C'est une sorte d'intuition que j'ai, un peu comme si la pièce me parlait dans un langage basé sur la perception plutôt que sur les mots. Elle vibre d'une foule d'émotions qui semblent être reliées entre elles, mais qui appartiennent à des événements différents.

— Serait-ce lié à cette autre entité, celle de John?

— Peut-être bien.

Sans accorder la moindre attention à leurs propos, William s'était mis à fouiller les décombres. Il souleva un bout de patte de lit, faisant par le fait même s'élever un nuage de poussière. Il battit l'air de la main pour le faire se dissiper.

— Tel que je m'y attendais, on ne retrouve aucune trace concrète du suicide de ce jardinier. Aucun indice précis sur la façon dont cela s'est passé. On a dû tout faire disparaître avant de condamner la pièce.

Il rejeta négligemment la patte de lit brisée et un nouveau nuage de poussière s'éleva. Il regagna l'entrée afin d'examiner les dommages causés par les équerres. On les avait fixées à l'aide de longs clous qui avaient transpercé la porte de chêne de part en part. William alla chercher un marteau et un tournevis plat qu'il utilisa pour extraire les gonds des pentures. Il disparut ensuite avec le battant, disant qu'il reviendrait avec de quoi réparer le cadre.

Norah salua son départ d'une petite plainte réprobatrice.

— Ne vous ai-je pas déjà affirmé que même en ayant des preuves sous le nez, il ne se départirait pas aisément de son éternel scepticisme ?

— Il n'abandonne pas facilement ses convictions.

— À qui le dites-vous ! À qui le dites-vous… Il se campe sur ses positions comme un commandant de guerre, et seul un cataclysme le ferait bouger !

Lauriane leva brusquement les yeux, croyant avoir vu une ombre passer au-dessus d'elles. Si elle ne détecta rien à priori, son attention fut bientôt attirée vers l'un des coins du plafond. Il s'assombrissait. Une petite goutte de ténèbres qui s'étendait sur les murs à la façon d'une marée montante, cherchant à absorber une quantité toujours plus importante de lumière.

— Sortons d'ici, chuchota la jeune femme en prenant sa compagne par le bras.

Elle la mena jusqu'au couloir avec empressement, regrettant de ne pas avoir de porte à refermer derrière elles.

— Qu'y a-t-il? interrogea Norah, dont le regard alarmé oscillait entre Lauriane et la chambre. Que ressentez-vous? Que voyez-vous?

Les ténèbres avaient atteint une telle démesure qu'elles avaient englouti tous les murs dans leur profondeur abyssale. Bien qu'il fasse jour, rien ne se distinguait plus à l'intérieur de la pièce.

— Ce… n'était peut-être pas une bonne idée d'abattre le mur…, balbutia Lauriane, sentant une sueur froide lui glacer le dos.

— Pourquoi? Serions-nous sur le point d'en faire les frais?

À court de salive, la jeune femme déglutit. Elle sentait maintenant une présence hostile, là, mêlée à l'obscurité, prête à fondre sur elles.

— Éloignons-nous d'ici, se contenta-t-elle de dire en entraînant précipitamment Norah dans le couloir.

19

Morsure au cœur

Lauriane se retourna dans son lit en soupirant. Pour la énième fois, le sommeil la rejetait. Elle aurait pu imputer la faute à l'ouverture de la pièce condamnée, qui lui causait une certaine inquiétude, sachant que cela avait fortement déplu à une entité négative dont la force était indéniable. Mais il ne s'agissait pas de cela. Une raison bien différente perturbait ses nuits depuis quelques jours. Dès qu'elle fermait l'œil, elle sombrait dans un univers peuplé d'impressions délicieuses et de scènes érotiques mettant en vedette nul autre que son mari.

Elle passa ses mains sur son visage brûlant. Ses sens étaient encore tout émoustillés du rêve qu'elle venait de faire, son sang pulsait, là, entre ses cuisses, dans sa chair moite et gonflée d'excitation. Lauriane se contraignit à ouvrir les yeux afin de s'aider à retomber dans la réalité et de chasser les images qui parfumaient son esprit de leur lascivité. Son regard se fixa sur le plafond obscur sans le voir.

Sa cohabitation avec son mari ne prenait décidément pas la tournure anticipée. Forte de son désir de résister à la tentation qu'il incarnait, elle n'avait pas prévu devoir sans cesse lutter contre le raz-de-marée de ses propres pulsions sexuelles. C'était pourtant ce à quoi elle se trouvait confrontée. De plus, elle avait cru que faire chambre à part mettrait entre eux une distance aussi favorable à l'éloignement que l'avait été la promiscuité du chantier à leur rapprochement. Mais comme la vie aimait parfois compliquer les choses, cela ne s'avéra pas aussi simple. Au contraire, la jeune femme était si consciente de la présence de William au manoir que les murs semblaient n'être devenus que vapeur trompeuse. La nuit, alors qu'ils reposaient chacun dans leur chambre, elle le sentait tout près d'elle et en éprouvait des sensations tangibles comme en cet instant.

Bien décidée à refréner ses envies et à s'endormir pour de bon cette fois, Lauriane vint pour rouler sur le côté quand, soudain, elle se pétrifia. Son sang se figea dans ses veines, pour aussitôt se remettre à circuler à toute vitesse, cravaché par ses pulsations cardiaques précipitées. À ses pieds, nonchalamment appuyé à un montant du lit, se tenait l'objet de ses fantasmes nocturnes, en train de la fixer d'un regard de fauve affamé.

— Que… qu'est-ce que vous faites là ? demanda-t-elle d'une voix ténue.

À travers l'obscurité, William soutint le regard stupéfait de sa femme. Il se réjouissait qu'elle se soit réveillée d'elle-même et en conclut qu'elle avait, tout comme lui, ses phases d'insomnie. Restait à savoir si c'était pour les mêmes raisons que lui. Torturé par son désir pour elle et les idées obsédantes qu'il générait dans son esprit, il n'avait connu dernièrement que très peu de répit lui permettant de trouver le sommeil. Il se levait alors en se disant que tant qu'à demeurer éveillé, autant ne pas rouler en vain dans son lit, chose qu'il détestait particulièrement. Nu comme un ver, il entrouvrait sa fenêtre pour se tempérer les ardeurs. Quand le froid était devenu insupportable, il ranimait le feu afin que la chambre ne se transforme pas en glacière et retournait se coucher. La tiédeur des draps sur son corps transi lui procurait une sensation des plus agréables. Parfois, il finissait par s'abîmer dans le sommeil, parfois non, et le cas échéant, il passait une robe de chambre, puis descendait dans son bureau pour s'envoyer quelques verres.

Or, cette nuit, en passant devant la chambre de sa femme, William s'était arrêté, non pas assoiffé d'alcool, mais affamé de chair parfumée et douce. Il s'était trop longtemps contenu, son abstinence ne pouvait plus durer sous peine de voir ses entrailles exploser. Il était décidé à assouvir ses bas instincts et si par malheur elle tentait de le repousser, William ignorait s'il accepterait son refus et s'il trouverait la volonté de partir.

— Je viens mettre fin au supplice que vous me faites endurer, annonça-t-il sans ambages.

Une onde de chaleur passa le long des reins de Lauriane.

— Un supplice, moi ?

— Ne feignez pas l'innocence, vous savez à quel point je vous désire, murmura William, des accents de tension dans la voix.

Oui, la jeune femme ne le savait que trop bien et la réciproque était tout aussi vraie. Mais cette fois, il n'était plus question de rêves torrides ni de fabulations sulfureuses. Cet homme qui la tourneboulait tant s'était matérialisé dans sa chambre dans l'intention de lui faire l'amour réellement. Et loin de vouloir le chasser, elle sentait plutôt ses appétits charnels s'éveiller dangereusement.

— Vous me désirez au point de venir dans ma chambre en pleine nuit pour me réveiller ?

— Vous ne dormiez pas, du moins plus à la fin, et à juger les feulements que vous émettiez juste avant de vous réveiller, vos rêves me semblaient fort voluptueux. Partageriez-vous par hasard mes tourments ?

Un soulagement presque douloureux se mêla à son étonnement lorsque sa femme repoussa les couvertures et se dressa sur ses genoux. William distinguait mal son visage, mais il ne pouvait se méprendre sur le feu ardent qu'il voyait rougeoyer au fond de ses prunelles. Elles étaient le reflet des siennes.

En un mouvement félin qui l'éblouit, elle se mit à avancer sur le matelas. Allumé, William la dévora des yeux. Elle s'arrêta à quelques centimètres de lui et entreprit de défaire sa longue tresse. Il percevait la chaleur de son corps, sa proximité mettait son sang en ébullition, mais il s'interdit de la toucher. Pas encore... Pas encore.

Il s'émerveilla de la danse langoureuse de sa chevelure qui coula sur ses épaules quand elle secoua la tête pour la libérer complètement. Ses seins remuèrent sous sa chemise de nuit dans le mouvement. William tressaillit et crispa les poings, réprimant une brutale envie de cueillir ces fruits tentateurs pour s'en rassasier. Pas encore. Sa respiration forte et saccadée trahissait toutefois amplement la violence du combat intérieur qu'il menait.

Imprégnant ses gestes d'une lenteur calculée, Lauriane entreprit de dénouer un à un les boutons de sa chemise de nuit. Elle la fit glisser sur une épaule, révélant la peau laiteuse, avant de dénuder l'autre. Se composant un petit air aguicheur, elle empêcha le vêtement de glisser en le retenant contre sa poitrine, ce qui arracha à William un grognement d'excitation.

Un sourire coquin aux lèvres, la jeune femme loucha vers son torse nu, visible entre les pans entrouverts de sa robe de chambre, puis, l'effleurant comme une caresse, son regard coula vers son bas-ventre. Ses yeux brillèrent plus intensément tandis qu'ils s'attardaient sur le tissu tendu par le gonflement évident de sa masculinité. Elle s'approcha encore de lui, sans pour autant le toucher, l'enveloppant par le fait même d'un effluve de lavande. William était au supplice ; il n'aurait qu'à pencher la tête pour plonger le nez dans ses cheveux...

Soûlée par son propre désir, Lauriane se fit plus audacieuse. Retenant sa chemise de nuit d'une main, elle porta l'autre sur l'objet de convoitise. Son mari frémit, sa mâchoire se contracta et un faible râlement vibra dans sa gorge alors que les petits doigts décidés de la jeune femme le palpaient et le caressaient par-dessus la robe de chambre. Un soubresaut le secoua quand ils se faufilèrent entre les pans du vêtement. Elle sourit de le sentir trembler et d'entendre la manifestation du plaisir qu'il éprouvait à travers une longue plainte.

Le membre en feu, excité au plus haut point, William abandonna toute retenue et happa ses lèvres avec avidité. Ses doigts s'emmêlèrent dans ses cheveux, s'y accrochèrent.

Il n'avait pas souvenir d'avoir autant voulu posséder une femme, d'avoir autant désiré la toucher, la goûter, la respirer. Sa bouche affamée glissa dans son cou et il ne put résister à l'envie de croquer dans sa chair appétissante. Elle émit une sorte de gémissement mêlé d'un rire et lui rendit la pareille en lui croquant le lobe de l'oreille.

Impatient, William lui arracha sa chemise de nuit, qui tomba en dévoilant les trésors qu'elle dissimulait. Il demeura un moment à la contempler, notant les changements qui s'étaient opérés dans son corps. Les seins s'étaient alourdis et le rose tendre des mamelons avait pris la teinte plus sombre d'un macaron doré à point. Le ventre s'était considérablement arrondi, donnant à la silhouette un aspect encore plus menu et fragile ; la peau, liliale et distendue, se nacrait à la faible lueur des braises dans la cheminée.

— La grossesse vous va à merveille, votre beauté me laisse béat d'admiration...

Débarrassé de sa robe de chambre, William entraîna sa femme sur le lit et se glissa entre ses cuisses. Pour ne pas faire poids sur elle, il prit appui sur ses mains. Son regard chercha le sien et s'y enchaîna. Quand il pénétra les suaves profondeurs de sa féminité, l'onde de plaisir qui le parcourut fut si puissante qu'elle lui ravit son souffle. Enfin, il se libérait de toutes les tortures endurées ces derniers temps, il goûtait le bonheur de la délivrance. Ne lui restait plus qu'à laisser sa passion se déchaîner, l'emporter, le consumer.

Il sentit les ongles courts de sa femme se planter dans ses épaules, le velours de ses cuisses lui frôler les hanches, qu'elle entoura de ses jambes. Sa tête, sur son écrin de mèches rousses, se mit à rouler sur le matelas, ses soupirs s'accélérèrent, se muèrent en de longs gémissements fiévreux qui se mêlèrent à ceux, bas et gutturaux, de William. Dès qu'il perçut chez elle les prémices de la jouissance, il lâcha la bride à la retenue qu'il s'imposait. Son corps se tendit comme un arc et enfin, son ultime libération vint, le laissant pantelant sur les rivages de l'ivresse.

Il demeura un moment immobile au-dessus d'elle, les yeux clos, attendant que sa respiration et son pouls ralentissent. Comblée, éblouie, Lauriane se laissa aller à lui caresser les épaules. Elle retraça la ligne de ses clavicules, puis ses doigts plongèrent vers son torse pour aller se glisser dans la fine toison de ses pectoraux. Elle effleura sa joue râpeuse et le regard gris apparut, paisible, doux.

Délicatement, son mari se retira d'elle et se laissa tomber sur le matelas à ses côtés. Prise d'une folle envie de se blottir contre lui, Lauriane se fit néanmoins hésitante, habituée à ce qu'il quitte le lit immédiatement. Il fallait dire que l'étroitesse de son lit au chantier y faisait. Remontant les couvertures sur son corps moite, elle se décida à faire un premier pas en se tournant sur le flanc. Allongé sur le dos dans toute sa superbe nudité, son amant avait rabattu les paupières. Son visage serein était émouvant de beauté. Elle aurait pu passer la nuit à se pâmer devant la façon dont la lumière mourante du feu redessinait chaque contour, chaque trait comme le ferait la main amoureuse d'un artiste.

Lentement, Lauriane inspira. Son corps portait l'apaisement d'ébats enflammés et satisfaisants, mais dans sa cage thoracique, son cœur battait à un rythme effréné. Il débordait de la félicité qu'y infusait l'homme étendu à ses côtés ; il battait si fort que cela en devenait à la fois troublant et effrayant. Surtout effrayant, à vrai dire.

Sa main tremblait lorsqu'elle se décida à la tendre vers son mari. Mais à peine touchait-elle son torse qu'il se dérobait et quittait le lit. La main de Lauriane retomba sur le drap empreint de la tiédeur du corps qui l'avait recouvert un moment et dans sa poitrine, son cœur se recroquevilla sur lui-même. À la hâte, William se rhabilla et l'instant d'après, il n'était plus là, laissant la jeune femme se languir du dernier regard qu'il ne lui avait pas adressé.

Non, ce n'était pas l'étroitesse du lit qui posait problème, mais l'étroitesse de la place que son mari daignait lui accorder dans sa vie. Il venait de lui montrer l'homme froid et inaccessible du chantier qui lui avait dit vouloir satisfaire avec elle ses appétits charnels, point. Les choses n'avaient pas changé, Lauriane le savait pourtant, et c'était ce pour quoi elle avait lutté si fort contre ses pulsions. Étrangement, cette perspective lui devenait chaque jour un peu plus douloureuse, un peu plus amère.

Un brasier pour matelas, des draps incandescents. Un nid rougeoyant de passion au cœur d'une étendue hivernale. Tel était ce qu'il avait à lui offrir, et pas un lit au monde ne serait assez grand pour changer cela.

* * *

Un sourire affectueux accroché au visage, William offrit son bras à sa tante, qui l'accepta de bon gré et l'entoura du sien. Ils entreprirent ensemble de descendre le grand escalier, sous l'œil attentif des différents membres de la famille Fedmore, jeunes et moins jeunes, dont le portrait figurait au mur avoisinant. L'ourlet de la jupe de Norah frôlait chaque marche qu'elle descendait, répandant derrière elle un doux bruissement.

— Il fait bon de t'avoir à la maison, William, confia la vieille dame en lui tapotant la poitrine de sa main diaphane. Il y a bien longtemps que j'avais eu le bonheur de profiter de ta compagnie pendant plus de quelques jours.

— Réjouissez-vous, ma tante, car je compte bien demeurer ici en permanence au cours des mois à venir.

— Mais je m'en réjouis déjà, je t'assure. Cela dit, je prédis que ta présence ici ne te laissera pas pour autant désœuvré, n'est-ce pas?

— Il n'y a aucun risque, confirma William, que l'inaction rebutait plus que tout. J'y ai veillé en mettant de l'avant mon projet d'usine de papier. Je suis d'ailleurs impatient que la production débute l'an prochain. Pour cela, je vais devoir, dès cet automne, embaucher davantage d'hommes à Côte-Blanche pour la coupe du résineux nécessaire à l'usine.

— Pourquoi ne pas l'avoir fait l'hiver dernier?

— Parce que les arbres utilisés pour la fabrication du papier ne doivent pas avoir été abattus plus de six mois à l'avance.

— Oh… je vois, et l'an prochain, en plus de l'usine, tu auras également de quoi t'occuper avec le minerai de fer.

— *Exactly*. Une autre ressource qui s'ajoute à celles que ce domaine riche en potentiel mettait déjà à ma disposition. Je suis comblé.

Dans les yeux de Norah, qui l'observait d'un air heureux, jaillit une étincelle de gaieté.

— Une ressource cachée qui doit également faire le bonheur des Bélisle. Je suis si heureuse pour eux; cette découverte est inouïe ! En outre, il est très généreux de ta part de leur avancer les fonds afin de procéder à l'extraction.

— D'après les prospections, ils n'auront aucun mal à me rembourser. Je n'avais donc aucune raison d'hésiter à leur faire cette avance.

— Bien sûr ! Je n'en doutais guère. Tu ne t'engages à rien sans avoir au préalable tout calculé. Enfin, presque rien, devrais-je plutôt dire.

Ils avaient atteint le rez-de-chaussée. Constatant que son neveu l'interrogeait du regard, Norah ajouta :

— Lorsque tu t'es engagé à élever ton enfant, tu n'as certes pas évalué les innombrables richesses que t'apportera la paternité, crois-moi.

Un rire agita les épaules de William.

— Je nage en effet vers l'inconnu, ce qui n'est pas dans mes habitudes, admit-il en entraînant sa tante vers la salle à manger.

— N'aie crainte : de toute ton existence, tu ne trouveras jamais d'engagement plus sûr et gratifiant, assura sa tante d'une voix pleine de certitude. À la seconde où tu tiendras dans tes bras ton fils ou ta fille, tu mesureras toute l'importance de ce choix que tu as fait. Non seulement pour l'enfant, mais aussi pour toi. Tu t'estimeras béni de goûter au plus grand bonheur que la vie puisse te réserver. Tu auras le coup de foudre pour ce petit trésor qui te regardera de ses grands yeux émerveillés, ce sera tout simplement fabuleux !

— De voir un nouveau-né aux langes mouillés ruiner l'un de mes costumes ?

Norah lui assena une petite tape sur le bras.

— Cesse donc ! Un bébé n'est pas que pleurs et souillures, il est également rires, fierté, vie et beauté. Il est joie, attachement profond et moments exceptionnels puisés dans la simplicité de chaque journée passée en sa compagnie. Et puis, des costumes, tu en as à ne plus savoir qu'en faire...

La note de taquinerie résonnant dans ces mots fit s'étirer les lèvres de William. Il avait mis du temps à se faire à l'idée de devenir père, lui si profondément ancré dans sa vie de solitaire. Durant des années, on avait brandi devant lui son obligation d'engendrer un héritier, perspective affadie par l'autre obligation inhérente, éternellement rebutante, de devoir s'encombrer d'une épouse. Il avait néanmoins fini par convenir de son inéluctabilité et s'était laissé convaincre par Norah de l'envisager sérieusement une fois établi à Côte-Blanche. Or, le sort et sa tante s'étaient chargés de le bousculer. La paternité venait ainsi plus rapidement qu'il l'avait cru. Mais à présent que le processus était engagé, William entrevoyait d'un bon œil la venue d'un enfant et s'avouait curieux de connaître cette expérience de vie, d'avoir ce sentiment de laisser en ce monde un morceau de soi qui transcenderait la mort.

Ils pénétrèrent dans la salle à manger, à cette heure retapissée par les rayons du soleil qui faisaient étinceler les couverts en argent sur la grande table, ainsi que les dorures de la vaisselle en porcelaine de Sèvres.

— Qu'il est bon de venir ici, prendre un bain de lumière ! s'exclama Norah en embrassant la pièce du regard, ses traits peints d'une expression de ravissement. Je ne saurais m'en passer en ce moment. Depuis que tu as rouvert cette pièce condamnée, l'atmosphère a changé dans cette demeure. Ne me dis pas, William, que tu n'en perçois rien : nous le sentons tous.

— Il paraît que le manque de luminosité peut avoir une incidence sur l'humeur. Le corps humain aurait besoin d'en absorber une certaine dose quotidiennement. Avec le long hiver que nous venons de traverser, il n'y a rien d'étonnant à ce que vous ressentiez un certain manque d'entrain et d'énergie.

Ces propos lui attirèrent la réprobation de sa tante, qui le toisa, l'œil sévère et le sourcil plissé.

— Tu me rappelles ton père lorsque tu t'exprimes ainsi. L'assurance dans le ton, la solidité dans l'argument, l'esprit pragmatique, cette facilité à régler une affaire de façon rapide et efficace, et d'expliquer une situation avec toujours tellement de logique !

— Dans ses bonnes années, sans doute, ce que Brandon et moi n'avons pas connu.

— Hum… peut-être étais-tu simplement trop jeune pour le remarquer, William. Cependant, je te concède qu'après son retour définitif à Lindferty House, certaines facettes de sa personnalité se sont révélées différentes. Tout comme toi, ton père aimait exercer un pouvoir absolu sur chaque ramification composant son existence. À Côte-Blanche, toutefois, il a dû faire face à des événements qui non seulement défiaient toute logique, mais sur lesquels il lui était impossible d'avoir le moindre ascendant. Il a bien sûr mené certaines actions destinées à renverser la vapeur, en vain. De sorte qu'il a été acculé à une position d'impuissance qui, je crois, a fini par produire certains effets chez lui, entre autres un assouplissement de son tempérament contrôlant. Ces événements ont également modifié sa perception du monde qui nous entoure. Il a compris que dans la vie, nous ne pouvons pas toujours tout mesurer, tout expliquer, tout rationaliser.

— Ce qui ne semble pas lui avoir trop réussi, si vous voulez mon avis, avança William, qui avait le souvenir d'un homme nerveux, replié sur lui-même, vivant coupé du monde comme s'il redoutait quelque obscure menace. Lorsqu'on en vient à croire aux fantômes avec une telle conviction que cela génère des hallucinations, le danger de sombrer dans la folie est imminent. Je crains que lui, de même que tous ceux qui vivaient sous son toit, n'aient connu ce triste sort. Leurs fabulations les ont complètement aliénés.

— Je te prierais de ne pas tout mettre sur le compte de Côte-Blanche. Tes parents avaient leurs problèmes. S'ils se sont enfoncés, cela tient en grande partie à leur incapacité à les gérer. Je regrette seulement qu'ils vous aient mis au monde, toi et ton frère, au milieu de cette tempête. Je regrette que vous n'ayez connu que la lente dégénérescence de leur couple, avant que la maladie n'emporte votre père, et que votre mère ne succombe à ses… *addictions*[33].

Le visage de William s'assombrit instantanément.

— Mieux vaudrait éviter de poursuivre sur ce sujet, Norah, conseilla-t-il avant de la conduire vers sa place habituelle à la table.

Il lui tira sa chaise, mais la vieille dame demeura debout, son attention venant de se porter sur l'une des fenêtres qui révélait la présence de trois personnes à l'extérieur. Elles se trouvaient non loin de la lisière de la forêt. Deux enfants, Ryder et Harrison sans aucun doute, ainsi qu'une femme

---

33. Dépendances.

dont les jupes s'agitaient dans la brise. Bien qu'elle soit à bonne distance, ses cheveux roux et son ample ventre trahissaient son identité aisément.

Norah s'approcha de la fenêtre pour les observer. Ils tentaient de façonner des boules avec les restes de neige que le soleil mettait à mal. Leur projectile s'effritait dans leurs mains avant même qu'ils puissent les lancer, ce qui les faisait rire aux éclats.

— Dois-je aviser madame que c'est l'heure du déjeuner, Monsieur ? demanda le majordome, posté à l'entrée de la pièce. Elle n'a visiblement pas vu le temps passer.

— Pas encore, Bruce, répondit Norah à la place de son neveu. Laissons-la profiter de ce petit moment d'insouciance, elle en a eu si peu dernièrement.

Au regard désolé que lui adressa le majordome, la vieille dame se rendit compte qu'elle avait laissé s'exprimer sa pensée tout haut. Elle lui demanda de patienter encore dix minutes et l'invita ensuite à les laisser seuls.

Les lames du parquet gémirent à côté d'elle. Son neveu l'avait rejointe près de la fenêtre. La flamme de convoitise qu'elle vit naître dans son regard la laissa sans voix. Jamais elle ne l'avait vu observer une femme de cette façon, avec une sorte de faim brute et possessive. Norah ignorait quelle était la nature des rapports qu'il entretenait avec Lauriane sur le plan de l'intimité, d'autant qu'ils faisaient chambre à part, mais l'attirance physique ne constituait certes pas une lacune au sein de leur couple. Pour la vieille dame, ce facteur essentiel était un gage d'espoir qui, en cet instant plus que jamais, prenait une très grande valeur à ses yeux.

— Est-ce cela, William, qui te fait réagir avec tant de force ? Cette folie… Tu te figures que de percevoir ce qui échappe à toute loi physique va de pair avec quelque trouble de l'esprit ?

D'un geste gracieux de la main, Norah indiqua la fenêtre.

— Regarde ton épouse, regarde-la bien. Te semble-t-elle souffrir d'un quelconque déséquilibre psychique ? J'en doute fort. J'ai moi-même rarement connu jeune femme aussi lucide. Tout ce qui lui arrive ne peut ainsi qu'être réel. Ce dont elle a besoin, c'est d'un tant soit peu de considération de ta part, d'abord et avant tout, mais aussi que tu cesses de réduire les expériences qu'elle vit au rang d'élucubrations sans sérieux. Dis-toi bien que c'est le fait que tu remettes constamment en doute son équilibre qui risque de la précipiter un jour au bord de la folie.

— M'est avis qu'elle considère plutôt cela comme un défi. Elle me revient sans cesse avec de nouveaux arguments pour tenter d'infléchir ma position.

— William... Cette jeune femme est quelqu'un de profondément humain, qui respire l'authenticité. Elle croit que parce qu'elle dit la vérité, on lui accordera d'emblée le crédit. Ainsi, lorsque l'on remet en doute son honnêteté, cela ne peut que la blesser. Je suis convaincue que le fait que tu refuses de la croire lui est douloureux. Quand elle te soumet des arguments, ils ne tombent pas du ciel, ils ont un réel fondement. Pourquoi ne pas lui emboîter le pas ? Ne vois-tu pas qu'elle a besoin de ton soutien ? Il ne s'agit pas de l'une de ces filles que tu n'as que trop souvent traitées comme d'insignifiantes marchandises, mais de ton épouse, et tu te dois de la respecter et de l'épauler.

Son neveu siffla entre ses dents.

— Je sais qu'il s'agit de ma femme, Norah ! Nul besoin de me le répéter sans arrêt, je n'ai déjà que trop d'occasions de me le rappeler.

— *Dear God...* ce mariage semble susciter en toi encore tant de colère, constata Norah en le dévisageant avec un mélange de surprise et de découragement. Comment peux-tu encore stagner dans cet état d'esprit ? Je conçois que tu te sois uni à elle de mauvais gré, mais après tout ce temps, comment peux-tu ne pas avoir compris que tu as auprès de toi la compagne idéale ? Elle possède beauté, intelligence, douceur et bonté. Bientôt, tu recevras de sa part le plus précieux cadeau qu'une femme puisse offrir à un homme : un enfant. Et elle fera une mère exemplaire. Car de bonnes mères, William, il en existe en ce bas monde...

Son regard, sur lui, s'appesantit. Il joignit les mains dans son dos tandis qu'un masque hermétique se déposait sur ses traits qui s'étaient au préalable rigidifiés à mesure que la vieille dame discourait.

— Je sais que tu n'as aucune envie de revenir sur le passé, en particulier sur les infâmes événements survenus après le décès de ton père, mais chaque jour que Dieu fait, je suis témoin des effets insidieux que ce calvaire a eus sur toi. Tu veux l'occulter, le garder profondément enfoui dans quelque recoin obscur et poussiéreux de ton esprit, mais en réalité, il ne fait que reparaître constamment à travers ta façon de considérer la vie, à travers chaque décision que tu prends. Je me dois de te le faire remarquer afin que tu puisses faire la part des choses, surtout lorsqu'il est question de cette merveilleuse jeune femme que tu as épousée. Il serait temps que tu prennes conscience du joyau que tu as entre les mains, que tu en viennes à apprécier les innombrables qualités que j'ai eu le plaisir de découvrir chez elle. Ce cœur de pierre que tu caches sous ton armure, peut-être pourrais-tu un jour la laisser l'attendrir…

— En voilà assez, Norah! tonna William, agacé. Je vous ai suffisamment entendue lorsque vous avez argumenté pour que je l'épouse. Réjouissez-vous donc que votre vœu se soit réalisé et contentez-vous, à présent, du fait qu'elle possède tout ce que vous souhaitiez pour elle.

— Souhaites-tu infliger à tes enfants un sort similaire à celui que Brandon et toi avez connu tout jeunes? Des parents vivant indépendamment l'un de l'autre, deux étrangers? Enfin! Je n'ose croire que sa présence te soit si pénible, qu'il te soit si malaisé de l'accepter au sein de ton existence.

Elle n'avait pas haussé le ton d'une octave, mais le timbre plus aigu de sa voix avouait la tristesse et l'indignation qui, d'évidence, la bousculaient. Et peut-être même contenait-il un accent de supplication. William gronda d'exaspération, bien qu'il dut admettre en son for intérieur que sa tante avait raison sur le dernier point. La présence de sa femme ne constituait pas pour lui le fardeau qu'il avait cru. Il pourrait même dire que sa compagnie lui était assez agréable par moments et cela ne se référait pas qu'à la chambre à coucher. Elle était dotée d'intelligence, d'humour et il appréciait, dans une certaine mesure, sa spontanéité et son caractère combatif. Ces qualités mettaient du piquant dans leurs échanges et au sein de leurs rapports, chose qu'il préférait encore à l'ennui d'un quotidien au côté d'une femme dépourvue de personnalité.

— Je peux certes envisager d'entretenir avec elle une relation harmonieuse dans l'intérêt de l'enfant. Mais pas de l'aimer. Vous, mieux que quiconque, devriez savoir que ce sentiment n'existe pas à mes yeux. Il n'est qu'une façon moins dégradante qu'ont certains hommes de qualifier leur dépendance à la gent féminine.

Ce disant, il se détourna et s'éloigna de la fenêtre. Norah entrelaça les doigts devant elle et laissa courir le silence. Oui, mieux que quiconque, elle savait... Mieux que quiconque, elle connaissait l'histoire derrière d'aussi désolantes paroles. Des années auparavant, en qualité de tante, elle avait été témoin de leur enfance désastreuse, à lui et son frère. Puis, tout avait dérapé, dramatiquement dégénéré, et de témoin, Norah était passée à bouée de sauvetage. Le garçon brisé qu'elle avait recueilli chez elle jadis lui avait transpercé l'âme avec sa détresse. Elle avait dû recourir à toutes ses ressources intérieures afin de demeurer à flots pour lui, pour l'empêcher de sombrer dans les abîmes de la souffrance qui le dévastait.

Norah avait consacré des années à tenter de le rapiécer et de l'arracher à sa noirceur, et elle avait la conviction que c'était un peu grâce à elle si William avait pu retrouver un certain équilibre et devenir l'homme qu'il était à ce jour. Un homme qui lui inspirait un grand respect et une immense fierté, sachant qu'il était revenu de loin et combien le parcours menant vers la lumière avait été ardu. Mais ce n'était pas terminé, Norah savait qu'il avait encore du chemin à faire. Et, en dépit de ses moments de colère, de sa réprobation, des griefs qu'elle élevait contre lui, jamais elle ne lui ferait l'affront de lui tourner le dos à l'instar de celle qui l'avait mis au monde. Pour Lauriane, mais surtout pour lui, la vieille dame avait encore espoir qu'il finisse par abaisser sa garde. Car contrairement à son neveu, elle avait la certitude que son cœur en fer forgé n'était pas une terre infertile pour l'amour.

Dehors, Lauriane agitait les mains pour saluer les garçons qui s'éloignaient, sans doute appelés par leur mère pour le déjeuner. Elle se mit ensuite à cheminer en direction du manoir et aperçut Norah par la même occasion. Appuyée d'un geste, la jeune femme lui demanda si c'était l'heure de manger et la vieille dame acquiesça en lui adressant un sourire qui n'avait rien de forcé. Pourtant, elle aurait pu céder au découragement comme elle l'avait maintes fois fait déjà, mais pas aujourd'hui. Ce jour en était un où le soleil lui éclairait le cœur et irradiait ses pensées pour les teinter d'optimisme. Assurément, son neveu était capable d'aimer, et c'était la jeune femme qui se trouvait là dehors qui réussirait l'exploit de le lui prouver.

L'air dans les souterrains était particulièrement humide avec la venue du temps doux. Même chaudement vêtue, Lauriane grelottait, tant et si bien que sa lampe se balançait au bout de son bras tendu en avant. Le halo de lumière se promenait d'autant sur les murs, lui faisant l'effet de marcher dans la cale d'un voilier en pleine houle.

Des ténèbres émergea l'escalier sous la trappe, vers lequel elle se dirigea. L'eau qui mouillait les marches la dernière fois s'était asséchée. Lauriane prit l'une d'entre elles pour siège et déposa sa lampe à ses pieds. Elle resta à écouter le silence absolu qui l'embrassait à pleins bras, terrain vierge où pouvaient courir ses pensées. À la lumière

du peu d'informations dont elle disposait concernant le suicide d'un jardinier, elle avait fait certaines déductions qui
l'avaient poussée à venir jusqu'ici afin de mieux les ratta-
cher à la réalité.

La funeste scène avait eu lieu dans une pièce adjacente à
la tourelle, laquelle donnait accès aux passages souterrains
qui, eux, menaient jusqu'à une trappe ouvrant dans la resserre à outils. Il était ainsi plausible de penser que cet
homme connaissait l'existence des passages. En qualité
d'employé rattaché à l'entretien du jardin, il devait forcément faire un usage régulier d'outils et pouvait très bien
avoir découvert la trappe par hasard à un moment ou à un
autre. Seulement, un immense banc de brouillard recouvrait la suite de l'histoire, pour ne se dissiper qu'à la toute
fin, rendant incompréhensible le fait qu'il ait choisi de
mettre fin à ses jours au manoir, précisément dans la pièce
du coin.

Se remettant debout, Lauriane reprit sa lampe et
retourna sur ses pas en s'imaginant marcher dans ceux de
cet homme, soixante ans plus tôt. Elle cherchait à comprendre son état d'esprit à ce moment précis, ses motivations, car la mort n'était peut-être pas son unique but. Des
événements lourds avaient eu lieu dans la pièce du coin, la
jeune femme en avait capté les vibrations. Pouvaient-ils
aussi être rattachés à lui ? Quant à John, était-il également
concerné ? Elle ignorait s'il existait un lien entre les deux
entités, ne sachant pas depuis combien de temps John hantait le manoir. Mais cela s'ajoutait aux nombreuses possibi-
lités induites par toutes les questions qui demeuraient en
suspens à ce jour.

Un lointain gazouillement l'arrêta près de l'entrée de l'autre passage qu'elle n'avait jamais exploré. Une odeur de terre mouillée s'en échappait en même temps que cette bouffée d'air continuelle. Cédant à l'envie de savoir sur quoi il débouchait, Lauriane s'y engagea. L'inclinaison descendante du sol invitait à la prudence, de sorte qu'elle progressait à petits pas. Du mortier désagrégé et des pierres éboulées gisaient çà et là. Elle promena un regard incertain sur les parois et constata que certaines portions étaient en fort mauvais état, en particulier au plafond. Contrairement aux autres, ce passage ne lui inspirait pas confiance et elle en vint à se dire qu'il serait insensé de continuer. Un tournant s'annonçait tout juste devant; elle ne l'emprunta pas. Toutefois, alors qu'elle s'apprêtait à faire demi-tour, elle avisa une lumière blanche et crue qui faisait luire les parois. Se refusant à faire un pas de plus, Lauriane se pencha en avant et étira le cou. L'extrémité du passage se trouvait juste là, à quelques mètres. Un grillage rouillé en fermait l'accès. De l'autre côté se voyaient de la neige et de la terre à travers un écran de branches nues. Voilà pourquoi il faisait si froid cet hiver quand elle passait devant la bouche de ce passage!

Alertée par un faible bruit, Lauriane se redressa et tendit l'oreille. Puis, elle porta vivement une main à ses cheveux en sentant quelque chose y tomber. Des miettes de mortier, constata-t-elle en les faisant rouler au creux de sa paume. Une nouvelle bordée lui tomba sur la tête et les épaules. Elle s'ébroua, et juste alors où une obscure intuition lui faisait prendre conscience de l'imminence d'un danger, une violente poussée la projeta en arrière, manquant de la faire tomber à la renverse. Une fraction de seconde plus tard, une portion du plafond s'écroulait dans un bruit de fracas qui remplit le passage de ses échos. Livide, le souffle court, Lauriane fixa d'un œil horrifié l'éboulis de pierres et de terre gisant là où elle se tenait l'instant d'avant. Un mauvais vertige l'ébranla à la pensée qu'elle venait d'échapper à une tragique fatalité. On l'avait poussée in extrémis ; elle avait bel et bien senti des mains appuyer sur son sternum avec force pour la faire reculer.

Sous le choc, les jambes flageolantes, elle s'adossa au mur. Son regard débordant de reconnaissance balaya le vide autour d'elle. On venait sans aucun doute de leur sauver la vie, à elle et à ses enfants.

— Merci…, murmura-t-elle.

Satisfait, William rejeta sur son bureau le livre de compte qu'il venait de consulter et s'empara de la bouteille de cognac pour se servir un verre en guise de gratification. La production de billots de pin sur son chantier au nord avait largement atteint ses prévisions. Ses bûcherons avaient bien travaillé et la majorité d'entre eux s'étaient inscrits sur sa liste de rappel pour l'hiver prochain. Certains étaient restés pour la drave qui venait de débuter avec la récente débâcle de la rivière. Les billots flotteraient ainsi jusqu'à la rivière Saint-Maurice, puis sur le fleuve Saint-Laurent, qui les achemineraient jusqu'à Québec, où ils seraient chargés à bord d'un voilier à destination de l'Angleterre.

À présent, William devait finaliser ses embauches. Se composer des équipes de bûcherons avait été une affaire de rien, l'hivernement dans le bois attirait des hommes venus des quatre coins du pays qui, au printemps, rentraient chez eux la bourse regarnie. Or, il avait besoin de main-d'œuvre cet été pour les travaux sur le site de la future usine de papier et lorsque celle-ci entrerait en activité, des emplois permanents seraient alors disponibles. Beaucoup de postes à combler signifiait beaucoup de monde à embaucher. William avait déjà laissé entendre que des emplois à l'année étaient offerts, chantier en hiver et usine de papier en été. Les salaires alléchants qu'il proposait en avaient attiré plusieurs. Quelques postes demeuraient toujours vacants, cependant.

Il plongeait le nez dans son verre quand un aboiement le saisit, manquant de lui faire renverser l'alcool sur son gilet. Il jura et braqua un œil noir sur Dawson, couché au milieu de la pièce, qui avait dressé la tête et fixait le plafond d'un air hautement intéressé.

— Mais qu'est-ce qui te prend ? tonna-t-il.

Dans un grognement plaintif, le chien tourna ses yeux marron sur son maître, mais quelque chose attira aussitôt son attention. Il bondit sur ses pattes en aboyant. Le regard de nouveau rivé sur le plafond, il se mit à gronder de façon menaçante, une ligne de poils hérissés le long de son dos.

Renonçant à son verre, William se leva et contourna le bureau.

— Holà ! Du calme, mon vieux. Que t'arrive-t-il donc ?

Il inspecta le plafond, l'oreille tendue, en quête de bruits pouvant provenir de l'étage au-dessus, mais les grognements du chien emplissaient la pièce.

— *Shut up*, Dawson !

L'ordre impérieux fit mouche. Le chien se tut et se traîna jusqu'à son maître, la tête basse. Il posa son postérieur au sol, donna un coup de langue sur la main de William avant de recommencer à fixer le plafond.

— Veux-tu me dire ce que tu regardes ainsi ? Il n'y a rien du tout.

Dawson lui jeta un rapide coup d'œil, l'air de se demander s'il n'était pas aveugle. À ce moment, des cris déchirèrent le silence. Non pas de l'étage au-dessus : ils provenaient du rez-de-chaussée. William se rua hors de la pièce. Un bruit de course, accompagné de pleurs, précéda l'apparition de Leslie dans le hall. Ses joues mouillées de larmes avaient une blancheur cadavérique. Dès que son regard noyé d'horreur repéra son maître, elle se précipita vers lui.

— Monsieur ! Il faut que... mon Dieu... c'est terrible...

Elle lui agrippa la manche avec une telle férocité que William sentit ses ongles se planter dans sa peau à travers l'étoffe de sa chemise. D'un geste ferme, mais doux, il lui fit lâcher prise, mais murée dans sa panique, la cuisinière tenta de l'agripper de nouveau. Il n'eut d'autre choix que de lui emprisonner les poignets pour la contenir.

— Leslie, s'il vous plaît, tâchez de vous ressaisir et dites-moi ce qu'il y a, la pria-t-il d'une voix calme.

Les yeux de la cuisinière étaient deux puits de désespoir qui débordèrent, inondant son visage aux traits convulsés par une émotion qui la bousculait visiblement avec âpreté.

— C'est... trop affreux... Monsieur... c'est trop... affreux..., pleurnicha-t-elle, secouée de violents sanglots.

— Qu'y a-t-il ? s'impatienta William, sentant un vent d'inquiétude le happer. *Damn !* Leslie, dites-moi ce qui est si affreux !

— Bruce… c'est Bruce. Je crois qu'il est mort…

❇ ❇ ❇

Encore ébranlée par ce qui venait de se produire, Lauriane se faufila hors du passage d'un pas néanmoins rapide par crainte d'un nouvel éboulis. La culpabilité la rongeait. Elle avait fait preuve d'une grave imprudence. Jamais elle n'aurait dû s'aventurer dans cet endroit dont la dangerosité était pourtant clairement annoncée par les pierres déjà écroulées. Heureusement, un ange gardien avait veillé sur elle qui, désormais, n'avait plus aucun doute sur le fait qu'il y ait au manoir une deuxième entité aux intentions autrement plus bienveillantes que la première.

Parvenue aux deux séries de marches qui se faisaient face, elle hésita un instant avant de se décider à gravir celle de droite. Cela faisait quelque temps qu'elle pensait à retourner dans la pièce du coin. Elle regrettait un peu sa fuite précipitée de l'autre jour avec Norah. Toute cette noirceur chargée de colère l'avait effrayée. Elle aurait dû rester et attendre de voir ce qui se passerait. Norah et elle avaient tenté de communiquer avec cet esprit à leur façon, mais puisqu'il ne savait probablement pas écrire, peut-être tentait-il de communiquer avec elles à sa manière à lui ? Le meilleur moyen d'en avoir le cœur net consistait pour la jeune femme à dominer sa peur et à offrir à cette entité une seconde chance.

Ce fut ainsi que, armée de courage, Lauriane gravit la tourelle et se présenta devant le panneau de bois qui avait été débloqué. Prenant le temps de respirer, elle l'ouvrit ensuite lentement. Un nettoyage sommaire avait été fait dans la pièce, qui n'en gardait pas moins un piètre aspect avec son mobilier fracassé et ses murs troués. La jeune femme fit un pas à l'intérieur et s'immobilisa, tentant de se mettre dans un état de réceptivité, par ses yeux qui observaient chaque recoin, par ses oreilles attentives au moindre son, par sa peau à l'affût du plus petit frisson ou effleurement, et surtout, par son sens intuitif, cette perception qu'elle avait de l'au-delà. Il lui fallait l'aiguiser, l'affiner afin de faciliter la communication.

Lauriane se racla la gorge et tenta de prendre un ton neutre et dégagé pour demander :

— Toi qui as choisi de mettre fin à tes jours dans cette pièce, pourquoi restes-tu ? Tu erres dans ce manoir depuis si longtemps, qu'est-ce qui te retient ?

Elle patienta, laissa ses questions se diffuser, leurs échos se répercuter dans l'air et faire leur chemin. Elle se déplaça, avisa les restes d'une chaise entassés sur le lit et, pour une raison obscure, elle ressentit le besoin d'y toucher. Sa main se tendit doucement vers une pièce de bois ayant fait office de siège. Dès que ses doigts l'effleurèrent, une image s'imposa à son esprit : un squelette enseveli, la blancheur de ses os tranchant sur son linceul de terre noire. Cette sinistre vision s'accompagna d'intenses émotions qui happèrent Lauriane de plein fouet. Elle en eut la respiration coupée, les membres figés, l'âme transpercée. Elles l'investirent jusqu'à saturation, jusqu'à ce qu'elles s'écoulent par ses yeux.

— Pourquoi... pourquoi autant de haine, de colère, de ressentiment ? Qu'est-ce qui t'est arrivé, pour l'amour du ciel ? De quoi ton vivant a-t-il été si affligé pour que ça t'habite même dans la mort ?

Ses doigts quittèrent le bois, alors qu'elle se faisait violence pour ne pas se laisser engloutir par les émotions qui ne lui appartenaient pas, et qu'elle devait à tout prix dominer et repousser.

— Pourquoi n'abandonnes-tu pas ? Pourquoi ne pars-tu pas ? Pourquoi n'es-tu pas en paix ?

Pour son plus grand regret, ses questions n'obtinrent aucune réponse. La jeune femme eut beau se faire patiente, elle dut en venir à l'évidence. Il semblerait bien que rien d'autre n'allait se produire. Le calme et le silence perduraient, la présence même de l'entité restait imprécise. Ce moment n'était peut-être pas le bon. Cela faisait partie du caractère imprévisible de cet univers mystérieux, elle l'avait appris à ses dépens avec le temps.

Résignée, Lauriane se résolut à partir. Toutefois, au moment de franchir la porte, le contact inespéré se fit, par le biais d'un faible râlement, rocailleux et grave, qui lui hérissa la peau de chair de poule. Elle fit volte-face et étouffa un cri dans sa paume. Il était là, offert à sa vue brouillée. Pendu au bout de sa corde, son visage d'un blanc violacé, ses yeux exorbités, son corps se balançant mollement, ses pieds pointant au-dessus d'une chaise renversée. Il était là, le jardinier, s'affichant dans toute la morbidité de son dernier acte, vêtu de ses plus beaux habits. Une vision qui, Lauriane le savait, n'allait jamais plus quitter son esprit.

❄ ❄ ❄

Le cours du temps semblait s'être suspendu, comme figé par le gong du mot funeste qui avait franchi les lèvres de la cuisinière en panique. Le cerveau de William avait subi le même sort. Il ne générait plus aucune pensée, se contentant de faire tourner en boucle les dernières paroles entendues : « Bruce... c'est Bruce. Je crois qu'il est mort... »

Mais son corps, lui, s'activait. Gorgé d'adrénaline, il le propulsait en avant à toute vitesse. Dans ses oreilles résonnaient le son de sa respiration courte et rapide mêlée aux battements précipités de son cœur. En un rien de temps, William atteignit la cuisine, dévala l'escalier menant au cellier selon les instructions de Leslie. L'épaisse porte en bois de chêne était grande ouverte, mais impossible de pénétrer dans la pièce.

— Bruce a... grimpé dans l'escabeau pour... attraper un pot vide en haut de l'étagère, exposa la cuisinière, restée en haut des marches. Et... sans aucune raison, l'escabeau s'est renversé... Je ne comprends pas ce qui a pu se passer... c'est presque comme si on l'avait poussé... Et le pauvre Bruce... Il a fait une horrible chute... j'entends encore le bruit de ses os qui se brisaient sur le sol... Il est resté étendu là... inerte... l'air de ne plus respirer... J'ai paniqué, j'ai voulu le rejoindre, mais les étagères ont commencé à se renverser devant moi... On aurait dit que quelqu'un les faisait volontairement tomber pour m'empêcher de passer ! Oh ! Jésus-Christ ! J'ai appelé Bruce, mais... il n'a pas répondu...

De ces explications décousues, William choisit de ne retenir que l'essentiel, mettant d'emblée le reste sur le compte de l'état d'énervement dans lequel était plongée Leslie.

— Bruce ! appela-t-il.

Mais seul un silence peu rassurant se fit entendre. William entreprit aussitôt de dégager les décombres. Il redressa une première étagère, entièrement vidée de son contenu qui s'était répandu sur le sol. Il enjamba des pots de conserves, dont certains avaient éclaté, contourna des barils de pommes et de lard salé tombés sur le côté.

— Est-ce que vous le voyez ? demanda la voix tendue de Leslie.

— Pas encore.

La cuisinière gémit et se remit à sangloter en force. William continua de dégager le passage, redressa une autre étagère. Enfin, il entrevit l'escabeau renversé et les jambes du majordome à travers les décombres.

— Ça y est, je le vois.

Le pas pesant de Leslie fit craquer les marches. William s'activa à écarter ce qui restait d'obstacles entre lui et le majordome, qui demeurait muet malgré ses appels répétés. Aucun objet ne s'était heureusement effondré sur lui, mais la vue du corps inanimé, du visage marmoréen et de la tête ensanglantée sembla, pour William, être annonciatrice d'un obscur présage qui lui tordit les entrailles. Il entendit en sourdine le cri qui retentit derrière lui, alors qu'il s'accroupissait auprès du blessé. Il appuya une oreille sur la poitrine et le faible bruit de tambour qui se fit entendre injecta en lui un indicible sentiment de soulagement.

— Il vit, il n'est qu'évanoui, annonça William en vidant l'air de ses poumons.

Les mains de Leslie se joignirent en prière sur sa généreuse poitrine.

— Dieu soit loué! J'ai sincèrement cru qu'il était mort, il était si pâle, étendu là, sans bouger... C'est un véritable miracle!

— Il est vivant, mais la blessure à sa tête me semble sérieuse, et à première vue, je dirais qu'il a au moins un bras fracturé. Il a peut-être également des contusions internes. Il lui faut un médecin de toute urgence.

William se redressa d'un bond, se tourna vers la cuisinière, qui tapotait vainement à l'aide d'un mouchoir son visage, où les larmes abondaient.

— Je veux que vous restiez auprès de lui, au cas où il reprendrait connaissance. Je me charge d'aller quérir le docteur Gélinas.

Leslie hocha la tête frénétiquement.

— D'accord, Monsieur.

Mais elle ne semblait guère en état de s'occuper de qui que ce soit. Elle présentait un regard vitreux, égaré, et sa rondelette silhouette était agitée de forts tremblements qui menaçaient de faire tomber sa coiffe déjà toute de travers.

— Leslie, tout ira bien. Bruce s'en remettra, mais il a besoin de soins et je compte sur vous pour veiller sur lui en mon absence. Je sais que vous pouvez le faire.

— Oui... je le peux..., confirma la cuisinière en hochant de nouveau la tête. Je veillerai sur lui. Je vous promets que je ne le quitterai pas d'une semelle, Monsieur.

À moitié convaincu seulement, William n'eut cependant d'autre choix que de s'en contenter et s'élança dans l'escalier sans plus attendre. Quand il eut disparu, Leslie s'agenouilla auprès de Bruce, saisit la main, fraîche et inerte, et la pressa avec force.

— Vous m'avez fait si peur, Bruce! S'il avait fallu que vous nous quittiez, votre chère Ellen aurait été à ramasser à la petite cuillère... Mais tout ira bien, maintenant. Le maître est allé quérir le médecin et moi, je reste auprès de vous en attendant. Je vous promets que je ne vous quitterai pas.

Elle se tapota les yeux et se moucha. Soudain, elle crut entendre un bruit qui la fit frémir d'effroi. Son regard chargé d'épouvante survola les objets pêle-mêle sur le sol, mais ne repéra rien de suspect. Aucunement rassurée, Leslie sentit au contraire un nouvel afflux de panique lui glacer le corps et le cœur. Elle se pencha sur le blessé et lui murmura, d'une voix modulée par la terreur :

— C'est lui... c'est sa faute! L'esprit malfaisant qui hante cette maison, il est revenu... C'est lui qui a poussé les étagères pour m'empêcher de venir à votre secours et je suis même sûre que c'est lui qui a poussé l'escabeau. Il est revenu pour se venger, il nous veut du mal, Bruce, j'en suis certaine! Il va s'en prendre à chacun de nous!

Elle se moucha encore une fois. Ses tremblements étaient incontrôlables, la peur la dominait complètement. Ses sanglots se muèrent en puissants hoquets et ses gémissements emplirent la pièce. Elle se cramponna à la main de Bruce, donnant et cherchant du réconfort tout à la fois.

— Mon Dieu... Qu'allons-nous devenir? Qu'allons-nous tous devenir?

Épilogue

Posté dans son coin habituel, le nez collé à la fenêtre, le vieux palefrenier suivait des yeux la progression du cavalier et de sa monture qui venaient de quitter l'écurie en trombe. Quand le maître fut hors de vue, Sheldon bougea. Il avait déjà enfilé sa veste de drap grossier et, de sa démarche lente, il se dirigea dehors. Là, il s'arrêta pour inspecter les environs. Ne repérant pas âme qui vive, il s'éloigna rapidement, si l'on pouvait considérer rapides ses foulées hésitantes plombées d'arthrite.

Son visage marqué par l'âge affichait une expression résolue. Il pénétra dans le boisé qui chaussait le bas de la côte derrière les jardins du manoir. Ses bottes s'enfonçaient dans les amas de neige granuleuse, mais il garda le rythme, ne ralentissant que lorsque le sol se mit à monter. Il arriva en haut de la pente le souffle laborieux, mais ne s'arrêta pas et progressa jusqu'à la petite cabane de bois servant à ranger les outils de jardinage. Alors seulement, il s'arrêta. Après avoir inspecté les alentours, il s'introduisit à l'intérieur, refermant doucement la porte derrière lui. Dans ses oreilles se faisait entendre le galop effréné du cheval de tout à l'heure, ses sabots martelant le sol détrempé, excepté que cette fois, le cheval courait à l'intérieur de lui.

Il contourna une brouette et se dirigea tout au fond. Péniblement, il s'accroupit à côté de la trappe habilement dissimulée dans un coin du plancher, mais ne l'ouvrit pas. Il sortit plutôt de sa poche de veste une petite flasque d'eau bénite. Ses lèvres articulant une prière muette, il retira le bouchon et commença à en verser sur la trappe. Le liquide s'infiltra dans les espaces entre les planches et dégoutta sur la pierre de l'escalier en dessous.

De son doigt crochu, Sheldon traça sur le bois mouillé un signe de croix. Son visage se convulsa sous l'effet d'une montée d'émotion qu'il réprima de toutes ses forces. Il remit la flasque encore à moitié pleine dans sa poche et se redressa. Sur un ultime regard désemparé jeté à la trappe, il quitta la cabane. Dehors, il redescendit la pente et pénétra de nouveau dans le boisé, mais en déviant de son parcours initial. Il lui sembla alors que son dos se voûtait davantage sous le poids de l'air. Il fila en direction d'un fourré qu'il franchit pour enfin aboutir devant un grillage rouillé enchâssé au bas d'un à-pic. Sheldon s'en approcha d'un pas hésitant, puis à gestes rapides, il sortit la flasque de sa poche, retira le bouchon et aspergea le grillage avec le restant d'eau bénite. Il se hâta ensuite de battre en retraite. À la lisière du boisé, il observa aux environs pour s'assurer qu'il n'y avait personne en vue, puis retourna en direction de l'écurie, l'air de rien.